LE COUPLE

SUZANNE LILAR

LE COUPLE

ÉDITIONS BERNARD GRASSET

TABLE DES MATIERES

The Phoenix ridle hath more wit
By us, we two being one, are it.
So to one neutrall thing both sexes fit,
Wee dye and rise the same, and prove
Mysterious by this love.

JOHN DONNE.

INTRODUCTION

Lorsque Bernard Privat m'a demandé un ouvrage sur le couple, j'étais loin d'attendre qu'il m'entraînerait aussi loin. Quelques idées que j'avais sur le sujet me flattaient de la présomption que je m'en tirerais aisément. Mais dès les premiers sondages, tout fut contre moi. Je pensais qu'il y a une crise moderne de l'amour et du couple et j'apprenais que cette crise est ouverte depuis l'antiquité. Je croyais à la valeur de l'éros, un peu moins à celle de l'amour conjugal. Or je m'apercevais que le féminisme le plus légitime commande que l'un ne soit pas séparé de l'autre. Je pensais que mon travail serait facilité par des catégories désormais classiques, par exemple, l'éros et l'agapè, et je constatais que l'agapè avait subi des infiltrations de l'éros, de sorte qu'il arrivait qu'on la défendît avec des armes empruntées à ce dernier. Et ainsi de suite. Bref, je me trouvais devant un sujet tellement neuf, une entreprise tellement immense que je vis bien que je n'y suffirais pas si je ne limitais son objet.

Refaire l'histoire de l'amour dépassait mes capacités et mon appétit. Cependant, je croyais qu'il existe des constantes du couple. Comment les faire apparaître sinon par la confrontation des époques ? Je songeai alors à pratiquer quelques coupes dans l'histoire de la société *occidentale. Ces prélèvements constitueraient déjà un début de vérification, voire, pour d'autres, une invitation à les poursuivre. Mais ce projet s'est encore révélé trop ambitieux. Faute de développement, ces coupes ne présenteraient qu'un médiocre intérêt. Je me vis obligée de les réduire à deux. Une pour l'époque qui vit s'élaborer une doctrine complète de l'amour occidental, une autre pour celle qui laisse apparaître le plus exemplairement ses déformations.*

Très vite, je me suis avisée que les théories de l'amour se sont, dès l'antiquité, développées autour de deux problèmes différents, celui de sa valeur absolue et celui de sa valeur en tant que fondement du mariage. Tandis que variaient les opinions sur la valeur absolue, une quasi-unanimité se dessinait sur l'incompatibilité de l'amour et du mariage. Philosophes et moralistes s'accordaient avec la morale pratique pour considérer un certain amour, dit éros, comme périlleux pour l'union conjugale. Tous (ou presque) défendaient l'amour raisonnable[1], c'est-à-dire l'estime, l'amitié, la confiance, la camaraderie, l'esprit d'équipe, quelquefois la tendresse et ses compromissions! —, en somme tout, sauf l'amour vrai. En réalité, il me sembla que, la plupart du temps, ces sentiments édifiants masquaient des mobiles qui l'étaient beaucoup moins. Sous prétexte de protéger la famille contre les risques de l'amour, il s'agissait trop souvent de protéger le patrimoine et d'assurer l'exercice des privilèges maritaux. Une pareille politique, complétée par des institutions et une morale rigides à l'égard des écarts de conduite de la femme, bénignes pour ceux de l'homme, revenait à exclure l'amour du destin de la femme. Pour moi, qui crois à la valeur civilisatrice et sotériologique de l'amour, la découverte était grave. Je

---

1. Est-il besoin de dire que la raison visée ici est la raison pratique, non l'esprit, le *nous* grec que précisément elle trahit !

n'y pouvais demeurer indifférente. Non seulement, les femmes ont intérêt *(puisque c'est à ce niveau que s'élaborent les politiques) à restaurer la dignité de l'amour conjugal, mais pour la plupart d'entre elles, il n'y a pas de véritable accomplissement en dehors d'un grand amour durable. L'amour féminin tend naturellement au conjugal.* Point de lendemain *est un programme typiquement masculin. C'est généralement le lendemain que la femme commence à dresser le sien...*

J'ai donc pris passionnément parti en faveur de l'amour déraisonnable *comme base et fondement du couple (je l'entends de toute union conjugale régulière ou irrégulière : ce qui constitue le couple, ce n'est pas son formalisme mais son intention, avant tout l'intention de durer).* Féministe, *dans la mesure où je me suis avisée de l'injure et de l'injustice immenses faites à la femme par la politique et la morale traditionnelles du mariage, je m'écarte de la position féministe en ce que je persiste à croire — dans le domaine érotique précisément — à l'existence d'un éternel féminin qui déborde la physiologie, s'étendant sinon au mécanisme du moins à une certaine orientation du sentiment et de la pensée, ce qui n'empêche pas la femme d'être une personne au même titre que l'homme, égale en dignité. Si l'on pouvait concevoir une inégalité de droits ou de traitements à partir de cette différence, elle jouerait plutôt en faveur de la femme, éternelle Initiatrice de l'homme, fût-il un Pythagore ou un Socrate.*

Je sais qu'il y a un certain ridicule à annoncer que l'on va défendre quelque chose qui se porte aussi bien que l'amour. Il suffit d'ouvrir un journal pour se rendre compte que, sous des formes plus ou moins recom-

*mandables et plus ou moins occultes, ce mobile continue
à déterminer la conduite d'une multitude d'hommes. Non
seulement il y a — il y a toujours eu — d'innombrables
mariages d'amour, mais par amour on se suicide, on
assassine, on se ruine, on abandonne des trônes. Cependant on entend parler d'une « mort de l'amour ». Je ne
suis pas aussi pessimiste. Si quelque chose est mort,
c'est moins l'amour que l'honneur de l'amour. Nous
assistons actuellement, de la part de ceux qui se sont
institués nos guides, nos maîtres et qui prétendent traduire la concience de notre temps, à une véritable campagne de dénigrement de l'amour. Il en résulte une équivoque assurément grave et qui pourrait aboutir à la
liquidation de l'amour, si déjà n'apparaissaient des signes de réaction contre la plus totale tentative de désacralisation qui ait jamais été tentée. Car notre crise du
couple n'est qu'une modalité de la crise du sacré. Si j'a-
vais à nommer la plaie de mon époque, je dirais que
c'est une fureur de démystification (on sait la fortune
de ce mot) qui s'acharne sur toutes les valeurs, fureur
dont il faut peut-être nous réjouir dans la mesure où elle
aura profité à ces valeurs mêmes qu'elle prétendait détruire en les triant, en dégageant en elles le fondamental et l'essentiel du contingent.*

*On voit l'optique que je me suis assignée : une optique
impliquant la dimension du sacré. Mais qui dit amour
sacré dit amour total, amour déployé sur tout l'arc-en-
ciel des couleurs de son spectre, également apte à les
décomposer et à les recomposer, amour de communication. Ce que j'ai été amenée à défendre — à l'encontre de
toute formule d'évasion — c'est l'amour entièrement
assumé. Je vis bientôt — ou je crus voir — que peut-
être le moment était venu où l'union de l'homme et de
la femme allait prendre conscience de son grandiose
symbolisme. J'entrevis une érotique nouvelle, inouïe, jamais avenue jusqu'à ce jour entre les sexes. Faut-il le*

dire, cette érotique, je n'ai pas la prétention de l'avoir écrite. Mais il se peut que j'y fasse quelquefois rêver, il se peut que je gagne quelques esprits à l'idée d'une resacralisation de l'amour, il se peut que je guérisse quelques amoureux soit de la fausse honte du sentiment, soit de la mauvaise conscience du sexe. Dans un monde dominé par la peur, quelques hommes, André Breton, René Nelli, Guitton (dans la mesure où son agapè s'est enrichie des implications de l'éros), Rougemont (du moins dans le dernier état de sa pensée), ont misé sur l'amour pour réconcilier l'humanité avec la vie. C'est dans cette ligne et comme un tribut de reconnaissance envers ces chercheurs, ces traqueurs, ces « rôdeurs des confins »[1] que je place cet ouvrage.

Un dernier mot au sujet de certaines rencontres faites en cours de route. Plus d'une fois, au hasard des lectures, il m'est arrivé d'éprouver la sensation du « déjà vu ». Dans les commentaires diversement admirables d'un Eliade, d'un Alain Daniélou, d'un Grenier, d'un Corbin, comme dans les textes mêmes du grand mysticisme hellénique ou chrétien, je me trouvais tout à coup (c'était en général un peu en lisière des religions officielles, dans ces zones extrêmes où des esprits aventureux cherchent leur salut à la limite de la mystique et de la philosophie) devant une forme analogue d'union à Dieu, de déification à partir de l'amour, ou encore devant une même et réciproque transmutation de l'amour spirituel et de l'amour physique grâce à ce qu'on nommait tantôt démonisme, tantôt angélisme, voire devant d'identiques recettes de chas-

---

1. L'expression est de Jules Monnerot.

*teté, véritables techniques d'épargne et d'emmagasine-
ment de l'énergie sexuelle.*

*Je me demandais quel parti d'autres, plus savants
que moi, eussent tiré de ces rapprochements dans des
univers aussi foncièrement distincts, aussi éloignés l'un
de l'autre que l'Inde tantrique et la Chine taoïste, l'Iran
shiite et l'Iran soufiste, le paganisme et le christianisme.
Je rêvais d'histoire comparée des religions et je sentais
à la fois la tristesse et la nécessité de me borner. J'ai fait
quelquefois allusion à ces rencontres. Comme quelqu'un
qui se promène en montagne et qui, de loin déjà, à certaines symétries d'arêtes, d'angles, de sommets, reconnaît
le patron qui, dans les roches, révèle la parenté de structure et d'origine, il m'est advenu de reconnaître le patron
d'une famille de mythes, il m'est advenu de voir émerger les crêtes d'une même chaîne engloutie, sorte de continent perdu d'un savoir millénaire et universel. J'y ai
puisé cette joie tranquille de l'intelligence lorsqu'elle
rencontre la cohérence et l'ordre et pense pouvoir pré-
sumer qu'elle se trouve en présence d'une loi.*

*Dans ce savoir — qui presque toujours implique
croyance aux commencements, au Temps sacré d'une
non-dualité, d'une Simplicité, d'une Unité originelle —
l'amour des sexes n'est qu'un des modes d'une aspiration beaucoup plus vaste à se délivrer de la dualité et à
reconstituer l'indistinction perdue. Cette conception de
la sexualité, symboliquement représentée par le mythe
de l'Androgyne que l'on retrouve dans la plupart des
grandes cultures traditionnelles comme dans les rites
sexuels des sociétés « primitives », connaît une faveur
nouvelle dans la pensée moderne. On la rencontre dans
les dernières suggestions de Freud comme dans les
Archétypes de Jung. Des sociologues parlent de la sexualité comme d'une « nostalgie de la continuité perdue »,
d'une « appétence d'autrui », d'une « faim protoplas-
mique ». Mais la science découvre que le phénomène*

d'une propension interne à s'unir *pourrait bien déborder la matière vivante. Il existerait peut-être dans les virus (qui, à certains égards, font le pont entre la matière non vivante et la vie), voire dans la molécule d'air! D'autre part, chez les espèces vivantes, un amour de type élémentaire apparaîtrait quelquefois indépendamment de la reproduction et du sexe. L'absence de dimorphisme sexuel n'empêche pas certains infusoires de se rechercher, de se presser, de s'appliquer bouche contre bouche et finalement de s'entrepénétrer et d'échanger leur substance dans une copulation véritablement amoureuse au terme de laquelle* chacun est devenu l'autre pour moitié. *On a pu dire que « le sexe est un luxe biologique ». La différenciation sexuelle est apparue tardivement dans l'échelle des êtres et comme un effet de cette loi de complexification qui gouverne l'évolution. Mais jamais la vie n'amorce un mouvement vers la différence qu'elle ne l'accompagne d'une aspiration à la combler. Cette aspiration à compenser l'écart du sexe et reconstituer l'état anté-sexuel, c'est l'amour. C'est pourquoi le mythe de l'Androgyne est à la fois celui du Couple et celui du retour au Paradis de la continuité perdue.*

Rêverie ? Peut-être. Mais féconde, exaltante. Elle seule est à la mesure de l'amour, une mesure à la fois religieuse et cosmogonique, elle seule explique de façon satisfaisante la relation toujours un peu suspecte du sexe et du sacré. Je la prends pour hypothèse de travail. C'est assez dire que, sans ignorer les exigences du relativisme historique, j'essaierai toujours de le dépasser. Je ne me résigne pas à tenir pour sornettes et insanités les grands thèmes fabuleux qui, loin d'avoir bercé l'enfance de l'humanité l'ont éveillée au savoir, plus heureux souvent dans leur tentative de représenter symboliquement mais exhaustivement la vérité des choses que les approximations généralement partielles de la science. Je crois que leurs représentations survivent dans l'in-

*conscient collectif, toujours prêtes à reparaître et à li-
vrer aux hommes le bienfait de leur fondamentale, de
leur éternelle sagesse.*

*J'attends du couple moderne que, sans renoncer à
l'apport de notre temps, aux chances nouvelles qu'il
accorde à l'amour, il accepte à nouveau d'assumer ses
mythes. Il s'agit moins de contrarier le courant de démystification que de lui soustraire les vrais mythes pour
lui abandonner les faux. Ce qui implique discrimination.* Mythanalyse, *propose Rougemont.* Métapsychana-
lyse, *suggère Eliade. Peu importe, pourvu qu'il s'agisse
de ranimer, dans l'homme moderne, les données d'un
symbolisme primordial qui n'a pas cessé de signifier
incomparablement l'absolue réalité de l'homme et même
du monde. L'érotique sera sacrée ou elle ne sera pas.
Un système de l'amour ne mérite ce nom que pour autant qu'il fasse apparaître la liaison entre le désir
physique d'un corps déterminé et le désir métaphysique
d'échapper à toute détermination et de reconstituer —
ne serait-ce que par éclairs — l'Unité perdue. Un grand
amour est avant tout prise de conscience d'une fondamentale* nostalgie *(littéralement : mal du retour), qu'il
s'applique passionnément à contenter. Quoi qu'on en
pense, cela suppose une forte sexualité, une sexualité*
motrice, *apte à assurer les* communications, *à relier
comme à* transporter, *cela suppose l'éros démonique.*

*J'entends d'ici les critiques que ce programme ne sau-
rait manquer de susciter : Utopie, Erotique ésotérique.
Perspectives réservées à quelques privilégiés et qui
n'intéressent pas la masse. Il se pourrait qu'il y ait plus
d'intelligence de l'amour dans « la masse » que dans
les salons. « Somme toute, écrit René Nelli, les marqui-
ses en ont moins bien attrapé le mystère que les gri-
settes. » C'est plutôt chez les « intellectuels » que se
manifeste l'incompréhension et la désaffection. D'ailleurs, il ne s'agit pas de demander à « la masse » de*

commenter les Mystères de l'amour (ce serait à peine moins saugrenu que de demander à la chaisière de commenter le Mystère de la Sainte Trinité), il s'agit de reconstituer autour de l'amour une ferveur, un climat de respect et d'honneur de manière à justifier ceux qui le prennent au sérieux et de montrer que, rien qu'à tendre déjà vers lui, il y a une vraie grandeur au lieu d'un ridicule.

Au surplus, cette érotique je ne l'ai pas inventée. Elle existait. Je me borne à demander qu'on l'étende au couple de l'homme et de la femme. J'ai déjà dit que, selon moi, une femme n'a pas le choix. Elle doit parier sur l'amour conjugal. Mais il se pourrait qu'on s'avise que l'amour aussi a tout à gagner à s'incarner dans le couple normal et à faire l'expérience de la durée; aventure de la verticalité au moins aussi passionnante que la dispersion en surface, que l'horizontalité de Don Juan. A l'exorcisme par le nombre, la femme a depuis longtemps substitué la convergence, au plus profond de l'amour monogame, de l'incroyablement particulier et de l'universel. Ce paradoxe (qui se trouve au cœur de l'amour « sublime » et au départ de sa dialectique) a déconcerté un poète.

La merveille, c'est que j'aie fui de la femme vers cette femme. Passage vertigineux : l'incarnation de la pensée, et m'y voilà, je ne puis concevoir un plus grand mystère [1].

Grand, certes, mais familier à la plus humble femme pour peu qu'elle aime et qu'elle possède le don spécifiquement féminin de l'attardement. Encore faut-il, me dira-t-on, que l'homme s'y prête. Nous voilà revenus à l'amour qui se propose la durée. Il s'est trouvé des couples pour fonder leur union sur l'éros. Il s'en est

1. Aragon, *Le Paysan de Paris*, Gallimard, p. 242.

même trouvé pour tâter des deux formules, l'amour raisonnable et l'amour déraisonnable et pour se féliciter de chacun d'eux. Je pense qu'une comparaison des deux expériences serait d'autant plus exemplaire qu'elles auraient été faites par un homme célèbre. Au seuil de ce livre, je place donc deux emblèmes différents et fameux de l'amour conjugal.

I

DEUX EMBLÈMES DE L'AMOUR

> *Car l'esprit ne sent rien que par l'ayde du corps.*
>
> RONSARD.

Isabelle Brant, Hélène Fourment. Comme dit Eugenio d'Ors à propos des *Majas,* « on a presque honte de disserter sur des images aussi tripotées ». Mais il se peut qu'ici le lieu commun ne soit pas complètement épuisé et, pour peu qu'on le creuse, qu'il rallie tout le monde, ceux qui aiment leurs habitudes et ceux qui aiment en changer.

Deux mariages, deux réussites. Cependant le premier est réputé « raisonnable » et le second passionné. Cette tradition doit sans doute davantage aux images d'Hélène, à l'insolente beauté de ses seize ans, à sa présence obsédante dans l'œuvre de Rubens qu'aux sources écrites. La *Vie* de Roger de Piles n'entre pas dans ces nuances de l'affectivité. Quant à la correspondance du peintre (celle tout au moins qui n'a pas été détruite par l'incendie), elle nous confronte avec le personnage officiel. Rubens s'y montre (et, quand il s'agit de ce grand *théâtral,* il faut donner à ce mot tout son sens : la *mostra,* la parade, le semblant) dans ses différents emplois, peintre de cour, diplomate, courtisan, collectionneur, ami, mari. En vain cherche-t-on l'épaisseur, la troisième dimension. Rubens s'est voulu absent de ses lettres. Sauf une fugitive indication, on n'y rencontre guère l'homme qui cependant a dû aimer, désirer, souffrir

tout comme un autre, plus qu'un autre. Car enfin, tout
prédispose ce sensuel, ce lyrique de la splendeur de la
chair et de la femme, à aimer l'amour et à s'y jeter avec
cette véhémence, cette magnificence de tempérament,
cette curiosité d'esprit qu'il tient de l'époque mais aussi
de son hérédité, de sa nature fastueuse et opulente
d'Anversois, de son engouement humaniste de savoir, de
son paganisme inné, aggravé de la connivence italienne.
Car il a vécu huit ans dans une de ces cours lombardes
où l'on ne s'adonne pas seulement à l'art et à la métaphysique... De sorte que l'on s'attend, de la part de ce
jeune Flamand, intime d'un prince mondain et dissolu,
à une vie amoureuse animée, la licence d'un Cellini
ou les grandes passions d'un Michel-Ange. Or l'histoire
ne prête à Rubens aucune aventure galante, et, sauf ses
deux épouses, aucun amour. L'on est confondu, presque déçu de l'apparente sagesse de cette vie, de sa régu-
larité, pour tout dire de sa prudence. S'il est impensa-
ble qu'un Rubens n'ait connu d'autre femme que les
siennes (ne serait-ce qu'avant ses mariages, ne serait-ce
qu'à l'étranger, à Mantoue, à Venise, à Rome, à Madrid,
à Paris!), il est certain qu'il n'a jamais mené une vie
dévergondée ni même voyante. Jeune, beau, charnel,
séduisant (Nicolas Peiresc affirme que « Rubens est né
pour plaire et délecter en tout ce qu'il fait et dict » et
Juste-Lipse écrit : « Notre Rubens est rentré. Vous le
connaissez, il *faut* l'aimer »), doué d'une prodigieuse
vitalité, professionnellement curieux du secret des
corps, de leurs étrangetés, de leurs aberrations, de leurs
tares (Delacroix pensait que nul n'avait su comme lui
les dégradations bestiales, l'animalité de l'homme),
comment en a-t-il été préservé ? Par la religion ? L'Italie
lui a enseigné qu'elle se prête en faveur de l'amour
à tous les accommodements. D'ailleurs ce catholique pra-
tiquant est exempt de moralisme. Ce qui le garde des
désordres, c'est un amour intempérant du travail, c'est

aussi la crainte du blâme et du scandale. Pierre-Paul
ne peut avoir ignoré que la vie de ses parents a été bou-
leversée par une aventure amoureuse qui a tourné au
drame. A Cologne, où se sont réfugiés les Rubens (sus-
pects pour avoir fréquenté l'hôtel de Marco Perez où
se réunissaient les réformés), Jan Rubens est devenu
l'amant, après en avoir été l'avocat, de la princesse Anne
de Saxe, femme du Taciturne. Le couple s'affiche cyni-
quement — une fille naît de ce commerce — au point
que Guillaume finit par se fâcher et que Rubens est mis
en forteresse. Passible de la peine de mort, il échappera
de justesse au supplice grâce à l'opiniâtreté de sa femme,
mais il sortira de prison malade et ruiné. C'est alors
que naît Pierre-Paul. Qu'a-t-il su de cette histoire dont
les fines langues se sont délectées (en vain le captif a
cherché à masquer les motifs de son absence : « Il
est trop tard, lui écrit sa femme, car non seulement ici
mais à Anvers, on ne sait que trop où vous êtes... ») ?
On n'aura pas manqué de lui vanter le comportement
de cette mère admirable qui, durant les deux ans de l'in-
carcération, n'a pas cessé un seul jour de multiplier
les suppliques, les démarches, les voyages; toujours
disposée à écrire, à pardonner, à prier, à inventer des
explications « décentes », se prêtant à d'humiliantes
confrontations avec sa rivale, gérant les biens communs,
élevant ses quatre enfants le mieux possible et réunis-
sant une énorme rançon grâce à laquelle elle obtiendra finalement, à travers mille rebondissements et
péripéties, la libération de l'imprudent. Et quand même
on ne lui eût rien rapporté (ce qui est bien improbable
car, dès alors, l'opinion s'était prononcée contre le malheureux héros de cette histoire anodine, le chargeant à
plaisir et idéalisant le personnage de la mère), l'enfant
lui-même a vu Maria Rubens se débattre pour reconstituer un patrimoine fortement entamé par la rançon, il
l'a vue administrer des biens, négocier des affaires, re-

couvrer des héritages; il a vécu sous sa protection. En revanche, il a vu Jan Rubens menacé d'un nouvel emprisonnement, il a su que l'injure faite au Taciturne condamnait la famille à l'obscurité, à l'insécurité, à l'exil. Anvers, dont il rêve, lui demeure fermée. Il n'y retournera qu'après la mort du père.

Il n'est pas dans sa nature généreuse de se complaire dans l'amertume ou dans l'aigreur. Tout chez lui tourne au positif. Il a connu les revers du libertinage ? Il se fera une politique de sagesse (on a dit qu'il était ambitieux, qu'il voulait « arriver ». Non, il voulait faire « arriver » sa peinture. Il savait qu'il était Rubens, il était responsable de sa gloire). Il a vécu aux côtés de la femme forte de l'Ecriture ? Il se mariera suivant ce modèle. A peine en effet a-t-il perdu cette mère bien-aimée, qu'il s'occupe de lui trouver un double. Et Isabelle est bien une femme de la même espèce, forte et douce à la fois, sur laquelle on peut appuyer une vie, un foyer, une carrière, une œuvre, en deux mots « une compagne », et c'est ainsi qu'un jour il pleurera « cette âme chère et vénérée ». « J'ai vraiment perdu une très bonne compagne que je pouvais, que je devais raisonnablement aimer, car elle ne possédait aucun des travers de son sexe, elle n'était ni morose, ni faible mais toute bonne et si honnête et si vertueuse que tout le monde l'aimait pendant sa vie et la pleure depuis sa mort », paroles témoignant d'une affliction sincère, mais pas très différentes de celles qu'inspirerait le deuil d'une sœur ou d'une mère. Et même — est-ce que je me trompe ? — plutôt au-dessous du ton qu'adopterait un fils, qu'eût sans doute adopté Rubens lui-même pour pleurer la sienne. N'en doutons pas, comme Maria Rubens, Isabelle se fût montrée capable de pardonner en souriant (« N'écrivez plus *votre mari indigne,* car tout est quand même oublié ») et même de consoler un coupable (« Dieu merci! le monde en est arrivé là que le

péché de l'homme encore qu'il soit aussi grave, n'est
pas tenu pour honteux »). Effacée, humble, patiente,
elle n'en fût pas moins demeurée vigilante à la gestion
du patrimoine, attentive à suppléer à la carence du
satrape. Ce type de femme a toujours été recherché —
du moins pour le mariage. Car l'homme exige de la
femme des vertus opposées suivant qu'il la destine à sa
réussite ou à son plaisir. L'idéal de la bonne épouse
ni dépensière, ni lascive, ni bavarde ni trop attifée n'a
pas été inventé, comme on le croit, dans nos bourgeoi-
sies. On le trouve dans la Bible, on le trouve dans
Hésiode et nul ne l'a formulé plus élégamment que Xénophon dans l'*Economique* si bien nommé. Mais sa faveur
n'a pas décru et, à l'époque de Rubens, il s'exprime sans
vergogne. Il arrive même qu'il soit exposé sous forme de
programme par l'homme à sa future épouse. C'est ainsi
qu'en use un contemporain de Pierre-Paul, presque un
compatriote, Paulus Merula, avocat à la Cour de Hollande, dans une froide dissertation qu'il adresse à sa
fiancée, Judith Buys[1]. On y voit que dans « la vie sainte
et vertueuse du mariage » « le mari guide, instruit, récon-
forte et protège sa *huisvrouw* », littéralement sa ména-
gère (car la femme est un accessoire de la maison).
« Si elle n'est pas tout entière parfaite, il la réprimandera
domestiquement, amicalement et poliment. » Toutefois
« si la fureur du mari se déchaîne, qu'elle se souvienne
qu'il est le maître et qu'il convient qu'elle le supporte...
Est-il dur, sévère, désobligeant, cruel, impitoyable,
qu'elle le subisse alors avec humilité et patience chrétienne »... « Qu'elle se garde surtout de tout entêtement
ou susceptibilité même lorsqu'elle a le plus grandement
raison et encore qu'elle dise la vérité. » Comme on voit,

---

1. Lettre de Paulus Merula, avocat à la cour de Hollande et
professeur *in spe* à Leiden à Judith Buys (20 octobre 1589), *Het
Hart op de Tong*, Hellinga, Den Haag. 57.

c'est l'obéissance aveugle. Cette démission de la personne ne souffre qu'une exception, c'est lorsque l'impéritie du mari met en péril l'avoir commun : « Le mari gère-t-il mal ses biens », écrit Merula qui a tout prévu, même sa propre carence, « alors la femme cherchera, après mûre réflexion, un remède à cette maladie ». Cette fois nous sommes dans le vif du sujet. On ne plaisante plus. Le mariage est d'abord une association. Fusion des corps, fusion des cœurs ? Avant tout fusion des patrimoines. C'est la primauté du gousset... Quant à l'amour, il est clair qu'on s'en méfie. Certes Merula chérira son épouse comme « sa propre chair et *sœur* » (voit-on la nuance ? ce n'est plus « l'os de ses os, la chair de sa chair » de l'Ecriture, trop hardie pour ce puritain qui neutralise un mot qui doit l'effaroucher — n'avoue-t-il pas être novice en mariage et « savoir à peine ce qui s'y passe ». Pauvre Judith!). Mais la chair fraternelle, n'est-ce pas déjà la chair humiliée ? Qu'à cela ne tienne, précise Merula : « On ne se marie pas pour satisfaire ses passions et s'adonner à la volupté mais pour vivre ensemble dans la vertu et conformément à la parole de Dieu. »

Cette rigueur du programme conjugal, il arrive certes qu'elle se tempère d'humanité et de tendresse et que fleurisse alors quelque chose qui ressemble au bonheur. La sécurité de l'épouse qui s'en remet une fois pour toutes sur son compagnon de la conduite de leur double vie, la protection aimante que l'époux étend sur elle, la paix de ceux qui sont liés indissolublement et se font confiance, il y a tout cela dans l'émouvant portrait de Pierre-Paul et d'Isabelle au début de leur mariage. Avec sa merveilleuse intelligence des correspondances, Rubens s'est placé avec sa jeune femme sous un arbre dont le tranquille ombrage déploie son abri sur le couple, comme si le peintre avait voulu figurer ce retrait, cette distance prise quant à la vraie vie qui se déroule

quelque part ailleurs, quelque part au-dehors. Tout ici
témoigne de l'intention de se tenir loin du risque. Et
d'abord la sagesse de la technique, la précision, la lenteur calculée du dessin (nous sommes loin du trait
rapide, désinvolte autant qu'amoureux de la *Petite Pelisse!*). On y voit transparaître la volonté de se
définir dans un monde d'usage et de tradition, un
monde où tout se règle et se domestique — même l'instinct qu'on voit bien que ce couple saura apprivoi-
ser comme un oiseau de volière. L'importance de l'habillement vient concourir à l'impression. Chez Isabelle, la
signification s'accentue jusqu'à se retourner. De définis-
sante, elle devient masquante, de protectrice, provocante.
Comment demeurer insensible au caractère cruellement
défensif du vêtement de cette petite mariée de dix-sept
ans, tellement engoncée qu'on ne lui voit qu'un museau
de bête effarouchée ? La raideur agressive du busc, des
épaulettes, du collet monté, du corps de robe, toute
une substructure de carte, de gros grain, de tarla-
tane, de baleines et de fil de fer devinée sous les étoffes
somptueuses mais rebutantes, la dentelle haut fraisée et
acérée par l'empois, le velours rugueux à grosses côtes
des manches et du corsage, celui (de couleur vineuse)
de la jupe qui pourrait bien être — comme le satin du
plastron broché et rebrodé — de cette espèce qui accro-
che l'ongle et que l'on appréhende d'effleurer, tout dans
l'habillement qui recouvre ce jeune corps d'une inhumaine carapace, semble avoir été retenu par le peintre
de la chair pour faire oublier la chair ou en décourager l'approche, tout indique que ce couple qui semble avoir pris pour devise *tranquillité d'abord*, entend se garder des dangers et des complications de l'érotisme. Consciente ou non, telle est certes l'intention de
ce bel homme à la bouche sensuelle qui a su mettre une
espèce de solidité matérielle dans l'image symbolique de
la main qu'il abandonne à son épouse. Isabelle s'y

appuie comme à une rampe. Nous sommes loin des
mains mystiquement rapprochées des Arnolfini. C'est
l'amour raisonnable. Comme on le dit si justement
« on s'engage *pour la vie* », c'est-à-dire le quotidien.
N'oublions pas que Rubens a placé son existence sous
le signe de la réussite. Il lui faut une femme d'espèce
domestique, peu gênante, qui n'entrave pas sa discipline
de grand travailleur : se lever à quatre heures, peindre
ou dessiner tout le jour, à cinq monter sur les remparts
quelque beau cheval d'Espagne, dîner tôt et frugale-
ment (mais avec quelques bons amis auxquels on montre sa peinture ou ses agates) afin d'être dispos au travail du lendemain. Ce calcul aurait pu se retourner
contre lui. Il arrive que l'amour refoulé se venge et,
chez ces riches spécimens humains, remonte sauvage-
ment à la surface. Jan Rubens l'a éprouvé à ses dépens. Mais dans la vie harmonieuse de Pierre-Paul tout
se présente à point nommé et lorsque ce tempérament
royal, longtemps contenu par une activité qui en con-
sume l'énergie, réclame son dû, Rubens est libre. Il n'y
aura pas de conflit conjugal...

Ce genre de mariage, si commode à l'homme, si favorable à l'étude, au travail, à la carrière, n'est pas dépourvu de beauté. La femme peut y mener un destin
d'oblation et d'ascétisme. Il arrive qu'elle entre dans le
mariage comme on entre en religion. Isabelle a-t-elle
vécu dans la contemplation du dieu ou se voua-t-elle au
service de sacristie ? Il semble bien à la regarder qu'elle
fut Marthe plutôt que Marie. Combien cruel à cet égard
le portrait du musée de Cleveland. Les années ont passé
et la confiante petite épouse de Munich a renoncé aux
« illusions » de la jeunesse. « Toute bonne », sans
doute, « et honnête » comme l'écrit son mari, mais solidement ancrée dans la matière, cette Isabelle qui a pris
son parti des choses et qui adresse au monde un petit
sourire ironique et satisfait. Soyons sûrs qu'elle a su

transiger, cette femme désormais sans inquiétude, car-
rément installée dans le terrestre et qui s'en trouve
bien, le manifestant jusqu'au défi. On s'est apitoyé sur
« ces traits minés par la maladie ». Maladif, ce
visage qui rebute précisément par sa charnalité (d'ailleurs il semble qu'Isabelle soit morte de la peste
et assez promptement) ? La tristesse n'est pas dans
le modèle, mais dans l'observateur qui éprouve la contradiction des deux images : dans l'une l'infinité de
l'attente, dans l'autre ce parti pris de placidité, cet entêtement à se borner... Il est certain que quelque chose
s'est éteint en Isabelle et — contrairement à ce qu'on
attend — ce quelque chose tient à l'esprit. Dès qu'on
a prononcé le mot *érotisme*, il y a malentendu. Le lecteur imagine qu'on va parler du lit. Or il ne s'agit pas
de cela. Je ne prétends certes pas percer les secrets
conjugaux. Cependant, le plaisir, j'inclinerais à croire
que la femme épanouie du portrait de Cleveland l'a
connu. Ce qui lui manque, c'est bien plutôt d'avoir fait
l'expérience d'un amour qui donne un sens au plaisir,
d'avoir connu cet état de grâce où l'exaltation de la
chair ne se distingue plus de celle de l'esprit, où le chemin est sans cesse couvert de l'une à l'autre. Oui, ce qui
rend la dernière image d'Isabelle décevante, c'est l'absence d'esprit auquel — modestement et sous l'espèce
de l'amour, voie féminine par excellence — tendait l'Isabelle de dix-sept ans (du moins le portrait de Munich
le fait entrevoir). Tel est le pathétique banal du mariage
raisonnable. La femme y apporte son désir d'absolu.
On ne lui demande que de bien tenir sa maison. Et certes
Isabelle se montrera habile à gérer celle du peintre. Elle
y fera régner la paix, si propice à ce grand travailleur,
levant les obstacles, s'effaçant elle-même au point de
laisser intactes en lui des réserves de vitalité, de tempérament, d'énergie dont il se déchargera superbement dans
la furie du *Combat des Amazones* ou des grandes *Chas-*

ses. Son rôle demeure grand, peut-être inappréciable. Tout de même, c'est un rôle externe. Isabelle ne sera pas comme Hélène mêlée indémêlablement à l'œuvre du peintre. La voie de Rubens — une voie de connaissance poursuivie à travers la peinture (que l'on songe à sa fièvre de savoir, à ses curiosités scientifiques : physique, astronomie, glyptique, morphologie, physiognomonie, archéologie) passe à côté d'Isabelle alors qu'elle traverse Hélène, Hélène qui ne songe guère à s'effacer, Hélène qui, sans doute, n'est ni modeste, ni humble ni probablement soumise (nous sommes loin de l'austère idéal du conseiller Merula!), Hélène à qui Rubens ne demande que d'être belle et de se laisser aimer, Hélène qui hantera son esprit jusqu'à l'obsession : tantôt vêtue comme une dogaresse, tantôt dévêtue, plus somptueuse encore, il la représentera dans tous les rôles, madones, déesses, nymphes, pécheresses, bacchantes, allant jusqu'à prêter ses traits à tous les personnages féminins d'une même toile...

Cette différence de destin est d'autant plus curieuse que — Fromentin l'a bien vu — les deux femmes ont, à peu de chose près, le même type (un type qui répondait secrètement pour Rubens à la féminité idéale puisqu'il le peignait avant qu'Hélène fût née). Isabelle ressemble à Hélène par la carnation, l'écartement et la couleur des yeux, un certain reflet roux dans les cheveux et surtout une spontanéité d'expression, un naturel presque animal. Elle est à peine moins belle, à peine mois jeune qu'Hélène. Peut-être est-elle douée pour l'amour comme l'autre et ne lui manque-t-il que d'avoir rencontré Rubens au bon moment. Toute jeune fille de ce type passant alors devait fatalement incarner pour l'homme vieillissant la nostalgie du Féminin avec cette mélancolie que l'on retrouve dans toutes les grandes passions amoureuses... Méditant sur les portraits d'Isabelle, on se prend à songer que peut-être Ru-

bens ne lui a pas donné toutes ses chances. Quelquefois
elle a l'air d'une sœur cadette d'Hélène, d'une Hélène
ébauchée, d'une Hélène qui ne serait pas venue à terme.
Le poète Gilliams écrit qu'elle est *onvolwassen* (qu'elle
n'a pas achevé sa croissance). Lorsque Rubens la
peint avec ses enfants, dit-il, elle a l'air aussi enfantine
qu'eux-mêmes. Enfantine ou infantile ? L'exemple
n'est pas rare de femmes compensant un certain infan-
tilisme par l'exercice de vertus presque viriles. Considérons le regard d'Isabelle (un regard qui ne
se laisse pas traverser et prend assez curieusement
— si on le regarde quelque temps — cette dureté miné-
rale à laquelle le peintre offre quelquefois la réplique
d'un diadème ou d'un bracelet de pierres), comparons-
lui le regard d'*Hélène à la Pelisse,* le plus souterrain,
le plus chargé d'expérience, de savoir, le plus *averti*
peut-être de toute la peinture moderne. N'en aurions-
nous d'autre preuve, nous saurions que cette femme a
été passionnément aimée. L'éros est ainsi. Effronté,
hardi, savant. La femme-enfant du *Parc du Steen* et de
la *Promenade au Jardin* est devenue l'amante. Ni innocente ni obscène, cette Hélène nouvelle, mais savante.
Savante jusqu'à la tristesse. Presque tous les portraits
d'Hélène Fourment par Rubens sont mélancoliques (à
moins qu'elle ne regarde le peintre et alors la tristesse
cède le pas à la connivence ou au défi). Quoi! même
pas heureuse, cette femme prodigieusement aimée par
un des hommes les plus séduisants de son temps,
au faîte de sa gloire d'artiste et même de sa gloire mondaine (et l'on sait qu'Hélène n'y était pas insensible)! Je
reviendrai sur le faux problème du bonheur, mais en
attendant, je parie pour Isabelle. Il existe un mythe (au
sens réduit) du bonheur. C'est le mythe du toit. Est-ce
que le bonheur n'est pas précisément un état protégé ?
Heureux non celui qui voyage mais qui est retourné et
voit fumer le toit de « sa pauvre maison ». « Avoir

ùne maison commode, propre et belle », c'est la première
condition du *Bonheur de ce Monde,* le fameux sonnet de
Christophe Plantin. « Deux cœurs, une chaumière... »,
« pourtant le monde existe aussi » écrit Roland Barthes qui dénonce les formes modernes de ce mythe du
bonheur-confort[1]. Mythe peu ambitieux (on songe aussi
au mot de Chamfort : « il en est du bonheur comme des
montres, les moins compliquées sont celles qui se dé-
rangent le moins »), mythe de remplacement et de refus. Vivre ainsi, ce n'est qu' « attendre chez soi bien
doucement la mort ». Comme on l'imagine, Rubens im-
provise brillamment sur le thème de la chaumière. C'est
sous le règne de sa première femme qu'il bâtit à Anvers la belle demeure italo-flamande que l'on visite encore aujourd'hui. Bien des souvenirs de Rome, de Tivoli,
de Mantoue demeurent accrochés à ce portique baroque,
à ces perspectives scéniques, à ce temple champêtre, à
ce cabinet d'antiques dont les niches abritent des statues
de dieux et de philosophes païens. Mise en scène et théâtre. Quelquefois cet envahissement du décor est destiné
à donner le change. Que de couples recourant à l'exotisme ou à la brocante pour occuper la scène vide! Mais
chez Rubens la scène est un atelier où le génie recrée
le monde. Quant à Isabelle, elle crée à sa manière, puisque bientôt trois enfants vont grandir à ses côtés. Oui,
une sorte de bonheur devait régner autour d'elle (non
pas bien sûr, d'espèce rare; modeste plutôt mais robuste,
une variété d'usage du bonheur). Pierre-Paul et elle n'ont
jamais été des adversaires. On n'oserait en dire autant
de l'autre couple. Il y a cette grimace suppliante de
l'amant des *Jardins d'Amour,* ce regard provocant d'*Hélène à la Pelisse.* Pourtant ce regard, Rubens a voulu
le conserver sous le sien jusqu'à sa mort. Et aussi ce

1. Roland Barthes, *Mythologies,* pp. 50-51, Ed. du Seuil.
Paris.

corps dénudé, montré dans la fausse surprise du né-
gligé. Car les vêtements qui semblent adhérer à la peau
d'Isabelle comme une sorte de test ou d'écaille dont
on ne saurait la dépouiller sans l'écorcher, chez Hélène
semblent toujours prêts à glisser, sauf lorsqu'ils relè-
vent du travesti comme dans la *Promenade au Jardin.*
Pas de pompeuses ni raides étoffes, mais la fourrure douce
au toucher, l'intimité du linge, le désordre gracieux et
médité d'une chevelure mousseuse, opulente, libre jusqu'à empiéter sur le visage. Pas de froide parure aux
gemmes à peine taillées, mais à l'oreille la simple goutte
de lumière d'une perle pour répondre à l'éclat nacré de
cette chair comblée et qui peut-être contient la promesse
de la vie. Regardée d'un œil amoureux — un œil qui
divinise, qui consacre — cette chair va devenir pour
Rubens le lieu de toutes les coïncidences, celle du détail
le plus humblement concret et du symbole. Comme elle
a dû le toucher cette trace de jarretière au-dessus du
genou d'Hélène! On songe à Degas qui aimait peindre
la marque d'un corset. Mais il faut l'amour pour que
ces rencontres prennent un sens, pour que Rubens puisse
peindre avec ce tendre orgueil un corps d'autant plus
émouvant qu'il n'est pas tout entier parfait. Regard, chevelure, genou, rien dans cette toile, ne frappe cependant
comme la poitrine. Ce sein gonflé et lourd, ce sein plé-
thorique, découvert avec ostentation, ne trahit pas seulement la hantise charnelle. Il est aussi le symbole de
la Fécondité et de la Vie. Le sein n'est pas seulement le
premier attribut de la beauté féminine (d'Ors et quelques-uns de ses amis discutant de la fameuse beauté de
la duchesse d'Albe en viennent à conclure qu'elle tenait
tout entière « dans la forme, le volume, la disposition
des seins »), il en est le signe élémentaire et essentiel,
celui sur lequel s'acharne l'Amazone lorsqu'elle se veut
virile, celui que réduisent ou proscrivent les modes lorsque s'alignant sur les mœurs, elles adoptent le canon

d'une beauté plutôt asexuée qu'androgyne et travestissent la femme en éphèbe. Il existe une symbolique de la courbe, du globe, de la rotondité qui remonte aux premiers âges de l'humanité[1]. La Vénus de Lespugue, la Vénus de Willendorf ne sont que sphères, ovoïdes, nodoïdes. L'homme y poursuit déjà — non sans référence à la fascinante et redoutable magie du cercle — le songe d'un retour au Paradis de l'inconscience prénatale figuré par la Femme-Mère et la Femme-Nourrice. Ce songe, nous le retrouvons au centre des érotiques les plus sacrées, les plus vénérables (que l'on songe à l'importance du sein dans l'art amoureux des Indes où son volume figure l'abondance, la générosité divines) comme des plus clandestines (je pense au cinéma). On sait l'importance de la rondeur pour un sensuel comme Ronsard (à tant d'égards proche de Rubens) : « Le ciel n'est dit parfait pour sa grandeur. Luy et le sein le sont pour leur rondeur : Car le parfait consiste en choses rondes. » Il tient le « rond » pour « célestiel » et avoue qu'il voit la femme « en miroir arrondi ». Lubricité ? Peut-être, mais n'est-il pas déconcertant que la même image qui excite et satisfait la lubricité (et peut-être chez le même homme) sert et soutient le symbole, c'est-à-dire l'esprit. Cette contradiction, nous la rencontrerons souvent dans l'amour. Il se peut même que nous arrivions à la résoudre. Le sein d'Hélène, pour que l'univers entier puisse venir s'y allaiter, il faudra que Rubens le peigne aussi généreux que le triple collier de seins de la Grande Artémis d'Ephèse. Et cette chair prodigue ne sera pas « matérielle » ni « réaliste » comme hélas la chair insignifiante de l'Isabelle du portrait de Cleveland. Certes, il a toujours échappé au réa-

---

1. La femme développe naturellement une symbolique différente et complémentaire de la flèche et de la ligne droite. Consulter là-dessus le bel ouvrage de Nelli, *L'amour et les Mythes du Cœur,* ch. IV, Hachette, Paris, rééd. 1952.

lisme, ce peintre que seules l'étourderie et la sottise tiennent pour facile, et les timidités du bon goût pour matériel. Il y échappe par la nature même de son cosmisme.
Taine a raison. Il est tout entier païen, ce barbare. Mais
il l'est par nature, non par mode. Ingénument, donc de
manière véridique. Ces nymphes, ces satyres, ces silènes,
ces bacchantes qui apparaissent dans ses toiles ne relè-
vent pas de l'allégorie. Ce sont les reflets d'une Grèce
multiforme, panique, dionysiaque qui viennent miroiter
à la surface, tout de même une Grèce authentiquement
sacrée, celle des Mystères. Mais après la rencontre d'Hélène, quelque chose s'y ajoute. Dans cette peinture incroyablement *cohérente,* les liaisons maintenant s'affir-
ment, elles se répètent, elles se répondent, signalées par
les repères que laisse, en se retirant, ce pinceau modu-
lant et ordonnateur. De l'ivresse, il semble que Rubens
ait passé au savoir. Ce cosmisme s'est haussé jusqu'à la
conscience.

Même ceux qui réduisent au minimum l'influence de
Fourment sur le peintre reconnaissent que dans les œuvres qui précèdent de peu le second mariage, il y a des
signes d'essoufflement. Moins de grandeur que de gran-
diloquence dans le *Saint Georges* de Buckingham Palace
ou le grand ensemble décoratif de la Galerie de Mé-
dicis. Dans la vie de Rubens, il y a soudain comme
un suspens. En vain se dépense-t-il en activités, en
représentations, en voyages. Il ne tient pas en place.
Pour la première fois, les cours l'ennuient. On dirait
qu'il attend! Il faut que quelque chose se produise
dans cette vie pourtant si riche, si animée, — quelque chose de plus bouleversant encore que la visite
du Prado —, il faut une grande perturbation des sens
et du cœur pour que cette peinture s'augmente d'une
dimension nouvelle et que s'y introduise une chose
dont Rubens n'avait pas encore l'entendement, la poésie. Comme il s'est affiné à l'épreuve de l'amour, ce

Flamand robuste! Comme il a su dominer sa nature
titanique. A présent, c'est la mélancolie veloutée des fêtes galantes, des Jardins d'Amour, la frénésie des bacchanales et des kermesses, le mouvement perpétuel des
derniers paysages, véritables machines tournantes et gra-
vitantes lancées à travers l'espace, autant de corps célestes parfaitement gouvernés où l'on voit affleurer l'or-
ganisation et le nombre, perceptibles quelquefois dans la
propagation d'une houle ou la rotation d'un tourbillon,
piège où l'œil se prend et s'engage, se mettant à descendre les spires d'un invisible entonnoir. Rubens peut maintenant se désintéresser de ses antiques et de ses agates.
Autre chose le passionne et c'est un certain niveau atteint
par sa peinture devenue extraordinairement consciente,
réflexive, gouvernée. Plus il s'abandonne au démon de
l'outrance, plus il sent le besoin de la dompter — comme
s'il était intérieurement travaillé du même principe qui
ne projette les mondes que pour les rappeler à lui, qui
multiplie que pour réduire, qui ne diversifie qu'afin de
trouver une étoffe dans laquelle recomposer toujours à
nouveau l'Unité. Comme elle a dû l'instruire, cette motricité de l'éros, toujours prêt à relier le singulier à l'universel, le particulier à l'absolu, le plus humblement profane au sacré, comme elle a dû confirmer sa vision
héraclitéenne d'un univers en perpétuel passage. Gloire
à la chair lorsqu'elle se transcende. Ou Rubens n'a pas
transcendé la chair et il est demeuré un « réaliste ».
Ou ce peintre de la chair a été aussi un peintre de l'esprit (comme l'ont bien vu ceux qui ont pris la peine de
le pénétrer : « l'esprit est le lot de Rubens » écrit André
Lhote) et alors il *devait* rencontrer la voie érotique,
car Eros est le médiateur de la chair à l'esprit, Eros
est le maître incontesté de l'âme de Rubens comme de
celle de Socrate. Il est l'entremetteur du divin auprès
de cette âme véritablement *religieuse* qui depuis longtemps le traquait à la façon baroque dans le multi-

forme, qui, dans la démesure et le désordre, était à la
recherche de l'Ordre. Le Dieu que Rubens va rencontrer
au terme de cette *initiation* — on pouvait s'en douter —
sera un Dieu cosmogonique, ce sera le Dieu du Mani-
festé, le Tout, autre face de l'Un et — plus proche —,
ce sera la *Loi*. L'expérience érotique est accomplie.

Mais Hélène dans tout cela ? Il semble qu'on ait réduit son rôle. On l'a critiquée, voire blâmée — tant
une grande beauté excite l'envie. La légende en a fait
une enfant légère et futile et de Rubens un mari grondeur, sermonneur. Futile, l'Hélène du Louvre et son
regard mélancolique? Grondeur, sermonneur, l'amant
des *Jardins d'Amour*, le peintre de la *Petite Pelisse* et
de mainte toile hardiment sensuelle (de l'une d'elles où
l'on voit Hélène saillie par un berger, on dira qu'elle
est « à la limite de la pornographie ») ? Il est clair
que le second mariage de Rubens n'a pas connu la faveur de l'autre. L'historien rechigne à convenir de son
influence sur l'œuvre du peintre. Quant au romancier,
il nous offre l'image affligeante d'une Hélène peu à peu
convertie aux vertus domestiques par les prêches et les
vexations d'une sorte de barbon dont la seule approche
mettrait l'amour en fuite. Ce qu'on reproche à cette
union (pas ouvertement, par insinuation : Rubens est
un grand homme auquel on peut passer une extravagance), c'est moins la différence d'âge (tout de même
trente-six ans!) — l'homme a toujours revendiqué le
droit de s'unir à de très jeunes filles — que son érotisme et l'ascendant qu'il donne à la femme (nous verrons que les deux sont liés). Ce mariage est imprudent.
Rubens a dû le savoir. Mais, sans doute a-t-il estimé
qu'il avait accordé suffisamment à la stratégie. Sa vie
était faite. J'ai dit qu'il s'est trahi une fois. C'est lorsqu'il annonce son second mariage à l'humaniste Peiresc
(il tenait à son estime) et qu'après avoir énuméré de
sages raisons de son choix, il laisse échapper l'aveu qu'il

lui aurait été dur « de troquer sa liberté contre les caresses d'une vieille ». On voit pointer l'oreille du faune. Mais les vrais aveux sont dans la peinture. Elle témoigne que l'homme vieillissant s'est jeté avec emportement dans la frénésie charnelle. Ses biographes ne le lui ont pas tout à fait pardonné. Il faut voir le ton qu'on lui prête dans un roman de Harsanyi qui fut le *best-seller* de son époque. Albert, fils aîné de Rubens et d'Isabelle, s'inquiète du caractère d'Hélène :

> — Vous rend-elle heureux, mon père ?
> — Aussi heureux que je puis l'être, mon enfant. La place que votre admirable et parfaite mère occupe dans mon cœur, naturellement elle ne saura jamais l'occuper. (*On voit la tartuferie.*) Mais je suis vieux et malade et souvent je souffre. Elle est la joie de ma vieillesse et je sens pour elle une reconnaissance sans borne.

Cette histoire édifiante se termine par le mariage d'Albert, mariage modèle servi au lecteur comme la morale de la fable rubénienne. Non seulement ces futurs époux se refusent à échanger les fades niaiseries propres aux soupirants, mais ils discutent doctoralement du mariage et se contraignent à une séparation de deux ans, tant est grande leur crainte de céder au sentiment amoureux !

Entre ces trois figures exemplaires, la mère du peintre, la première femme du peintre, la bru du peintre, il semblerait qu'Hélène doive être un peu humiliée. Or, il suffit de jeter les yeux sur l'image solaire que Rubens a laissée de cette créature prodigieusement aimée pour voir les autres s'écraser au sol. Certes Hélène a des mérites, ne serait-ce que d'être apparue comme une Pomone chargée de fruits dans l'arrière-saison de ce Ru-

bens qui ne concevait la beauté qu'abondante et nourri-
cière — mais il ne s'agit pas de mérite. Hélène et Pierre-
Paul · ont vécu une expérience que les autres n'ont
même pas entrevue, celle d'une fusion si totale que désormais leur couple existe comme une entité vivante,
organique, indépendante d'eux-mêmes. Ce qui distingue
l'amour déraisonnable de l'autre, ce n'est certes pas qu'il
mène plus sûrement à la réussite ou au bonheur, mais
que les *époux y vont mêlés.* Mélange qui est à la fois
miracle et mystère. Essentiellement différent de l'en-
tente profane des époux-amis. Il est vrai qu'il y a encore,
pour ceux-ci, le miracle de l'enfant. Mais ce n'est plus
celui du couple, déjà supplanté, et qui passe la main.
Hors de la génération, il n'y a dans l'amour raisonnable que réussites solitaires, même lorsqu'elles sont obte-
nues côte à côte. Certes Isabelle a assisté Rubens, mais
son aide a consisté surtout à maintenir la voie libre.
Hélène, au contraire, est au beau milieu de la voie. Rubens ne peut l'éviter. Il est obligé de se frayer chemin
à travers elle. Par bonheur, ceci n'est pas un amour
clos, refermé, replié sur lui-même, c'est l'amour ouvert,
traversé, toujours en voie de se dépasser dans la connaissance. Certes Rubens est porté, comme tous les
amants, à regarde: `~` monde à travers Hélène, mais au
lieu de lui boucher la vue (comme il arrive dans la
passion), elle est pour lui comme une lentille au-delà
de laquelle il voit le spectacle s'éclairer surnaturellement.
Merveilleuse Hélène! (je ne sais qui a écrit qu'après sa
rencontre, il y a quelque chose d'émerveillé dans la
peinture de Rubens) — tout de même, elle sut ne jamais
être indigne. Sans doute elle se remariera. A vingt-six
ans et avec cinq enfants, probablement avait-elle pour
le faire de bonnes, d'humaines raisons. Mais c'est à côté
de Rubens qu'elle voudra reposer. Ainsi montre-t-elle
qu'elle sait faire la juste part du temporel et de l'éternel.

Deux siècles passèrent. Puis l'envie vint à quelques érudits d'aller voir dans le caveau de Saint-Jacques d'Anvers. On mit au jour les ossements de seize personnes. Mais on possédait la facture du tapissier qui avait garni la bière du peintre. Au flanc sud de la chapelle, deux cercueils découverts et qui avaient été tapissés de velours, offraient le spectacle de la plus saisissante des *vanités*. A côté d'une puissante ossature d'homme, un très fin, un délicat squelette au genou légèrement infléchi, montrait jusque dans la mort une sorte de grâce effrayante et macabre. Hélène et Pierre-Paul? Tout ce qui restait d'un couple d'amants, d'une femme plus qu'une autre comblée d'amour, de beauté, de gloire, d'une chair entre toutes convoitée — lustre de la fleur et pulpe fondante du fruit! Non. Seulement ce peu de carbonate de chaux et de magnésie, ce sédiment que l'on retrouve au fond de l'alambic des transmutations, ce déchet que l'on nomme la matière.

Plus je dévide mes exemples, plus je les trouve riches. J'avais hâte de montrer un grand amour qui fût à égale distance d'un hédonisme et d'un dolorisme, d'un érotisme à fleur de peau et de la délectation masochiste des amants du *Liebestod*. Ainsi une passion n'est pas nécessairement parti pris de souffrance, *passionisme*. Toutes les attaques modernes contre l'éros se prévalant de cette confusion, je me réjouis de l'avoir si tôt rencontrée. Autre contradiction avec « le grand mythe occidental de l'adultère », cet amour est conjugal.

Mais la comparaison d'Hélène et d'Isabelle, voire de Maria Rubens, sa préfiguration, n'est pas moins fructueuse. Elle nous confronte avec deux types d'amour, l'amour raisonnable et l'autre. Deux types d'amour, deux types de couples, les *associés* et les *amants*. Mais aussi deux types de femme. La maîtresse et l'intendante. Types éternels. Une très vieille politique de duplicité permet à l'homme de jouir de la première sans se priver des vertus de la seconde. Aussi dit-on à l'une :

> Tu es belle, mon amie, comme Tirçah,
> Charmante comme Jérusalem,
> Redoutable comme un bataillon de guerriers [1],

(tout le monde connaît l'inventaire des beautés de la Sulamite), tandis qu'on rassure l'autre : « La grâce est trompeuse et la beauté passe. C'est la femme pieuse qu'on doit louer [2]. » C'est aussi celle-ci que de préférence on épouse, à qui l'on confie la gestion de la maison. « La bonne épouse est celle dont la lampe ne s'éteint pas la nuit, qui se lève avant le jour et qui distribue la pitance à la famille... Elle surveille les allures de la maison et ne mange pas le pain de la paresse. » On apprécie ses vertus *domestiques*, son « assiduité aux travaux de la laine ». Pour le reste, les exigences sont plutôt négatives. Pas trop de beauté. Pas trop d'instruction. Ce qu'il en faut pour être agréable. Pas trop de religion. La piété même doit être mesurée, dira Plutarque, dira Erasme, dira Montaigne, dira Fénelon (est-ce avant d'avoir rencontré Mme Guyon ?). Peu de conversation : « N'ouvrir la bouche qu'avec sagesse », précisent les

---

Proverbes et le conseiller Merula fait écho : « Savoir
beaucoup, mais parler peu. » D'autres entre-temps di-
ront : « Le silence est la plus belle parure de la
femme. » De l'amour sans doute, mais de cette espèce
tranquille qui fait qu'une Maria Rubens, apprenant l'infidélité de son mari, peut lui écrire, somme toute serei-
nement : « Je ne croyais pas que vous penseriez que
j'en ferais une telle affaire. » La chasteté même se doit
de demeurer réservée. Non pas refus héroïque, recette
de pouvoir et d'énergie, mais non-être, négativité de la
chair. Au prix de ces amputations, la femme-épouse
aura pour elle l'opinion publique. J'ai dit déjà que le
second mariage de Rubens allait à l'encontre de la tradition — une tradition qui cherche moins à éliminer
l'éros qu'à l'écarter du mariage. Ce que combattent
les moralistes et les religions, c'est la rencontre de l'expérience conjugale et de l'expérience érotique. Or cette
rencontre est la chance suprême de la femme. Ce pourrait être aussi celle de l'amour dont les accomplissements — quoi que l'homme en pense — veulent la durée. C'est pour cette chance que cet ouvrage va plaider.
C'est assez dire qu'il prendra parti pour l'*érotique* contre l'*érotisme*. Un érotisme, c'est un ensemble de procé-
dés ou de suggestions pour provoquer ou renforcer la
transe sexuelle, c'est un parti pris de jouissance qui
se détourne aussitôt satisfait. Une érotique, c'est l'élucidation d'une expérience, c'est un parti pris de connaissance qui suppose la longue et patiente gestation de
l'amour passionnel. Notre civilisation s'y est quelquefois
essayée. On parle d'une érotique courtoise, d'une érotique ficinienne, d'une érotique de Lawrence, de Bataille,
voire de Miller. Aucune n'est complète, aucune n'est
exempte de préjugé. La doctrine de l'éros n'a trouvé
qu'une seule fois son expression souveraine. Etrange,
il est vrai, est le *couple* — oserais-je user du mot si je
ne l'avais rencontré sous la plume d'un très savant tra-

ducteur du *Banquet*? — qui se délivre d'une aussi glo-
rieuse postérité. Bien que l'histoire en soit vieille de
vingt-cinq siècles, il nous faut remonter jusqu'à cette
longue liaison passionnée, il nous faut essayer de la
repenser. Nous lui devons la charte de l'amour occidental.

II

DEUX MOMENTS
DE L'HISTOIRE DU COUPLE

LE MOMENT PAIEN

*« Toi qui par l'amour fis naître
le délire en mon cœur, ô Dion. »*

PLATON.

Il va vers son destin sans se presser. Et même, il
muse en route. En Egypte, il visite les temples, à Cyrène
il s'attarde à faire de la géométrie, à Tarente à prendre
des notes pour sa théorie de la musique. A Catane —
où l'Etna a fait éruption — il va voir un fleuve de
boue. Partout il se laisse retenir par les fêtes, les spec-
tacles, le théâtre populaire. Peut-être même hésite-t-il à
se rendre à l'invitation du tyran qui se vante d'avoir
vinculé Syracuse par « des chaînes de diamant ». Certes, il est en quête d'une scène pour édifier sa cité
idéale, ce Platon en qui déjà fermente la radieuse
utopie de la *République* — mais quel espoir de la réaliser chez ces Italiotes renommés pour leur amour du
bien-vivre et qui ne songent, dira Platon lui-même, « qu'à
goinfrer et ne pas coucher seuls » ? S'il y va finalement,
c'est sans pressentiment d'une rencontre aussi importante pour lui que celle de Socrate et dont Plutarque
dira « qu'elle a été voulue par quelque dieu ».

Sur la façon dont ils se sont rencontrés, l'illustre
étranger et le jeune prince sicilien qui allaient s'aimer
toute la vie, on ne sait rien, mais on peut l'imaginer,
car Platon a conté de telles rencontres, il a décrit cette
sorte de suffocation que suscite l'apparition d'un jeune

homme « d'une taille et d'une beauté admirables », le cortège des adorateurs, les regards des enfants s'attachant à lui comme à une statue, l'agitation et la bousculade des adolescents pour lui faire place et jusqu'au trouble de l'homme fait si le jeune homme lui jette un regard ou si son manteau s'entrebâille... On sait que Dion — au suprême degré *kalos kagathos* — joignait à la beauté du corps et du visage celle de l'âme, qu'il avait ce sérieux, cette gravité qu'aimait Platon et aussi cette réserve, cette pudeur et sans doute cette timidité qui colore les joues d'une rougeur qui « fait paraître plus charmant encore ». A peine plus âgé que le veut l'usage d'une société misogyne qui tient la pédérastie pour la forme la plus noble de l'amour (il a vingt ans, mais sans doute faut-il lui appliquer ce mot d'Euripide au bel Agathon auquel commençait à pousser la barbe : « La beauté reste belle même en son automne »), tout concourt à faire de lui ce que son ami nommera plus tard « un aimé de type royal ». Quant à Platon lui-même — aussi beau, selon Simplicius, qu'était laid Socrate — ses quarante ans l'ont mûri pour une grande passion amoureuse. Certes, il a aimé déjà, mais l'âme, en dépit du distique à Agathon[1], et même le cœur, en dépit de l'épigramme sur Alexis[2], ne semblent avoir eu dans ces engouements qu'un rôle réduit. En revanche, c'est l'âme qui va triompher dans l'amour qu'il aura pour Dion — non que le désir ait été absent de ce que Wilamowitz nomme « *einen rasenden Eros* », un éros frénétique, mais c'est ce désir même, dompté, maîtrisé dont la puissance motrice le portera, échelon par échelon, jusqu'au terme de l'ascension.

---

1. « Mon âme, lorsque j'embrassais Agathon, venait sur mes lèvres comme si la malheureuse devait partir ailleurs. »
2. « Je n'ai rien dit encore d'Alexis sinon qu'il est beau et attire les regards. Mon cœur, pourquoi montres-tu l'os au chien?... »

Cette expérience, on peut déplorer que Platon la fît dans l'homosexualité. Ce fait pèsera lourdement sur le sort de l'amour et du couple en Occident. Je ne pense pas du tout comme Jean Guitton [1] que l'attention chez Platon « se désintéresse de la qualité de l'individu », moins encore que « le sexe lui est indifférent ». L'homosexualité grecque n'est pas un laisser-aller, c'est un choix délibéré, l'affirmation militante de la supériorité virile, le désaveu de la mollesse de l'amour féminin, tenu pour voluptueux et jouisseur. C'est dans la mesure même où Platon se propose l'idéal socratique de l'*arété,* qu'il ne saurait fixer son désir sur une femme — à supposer qu'il en eût été tenté. Mais il ne le fut sûrement pas. Dès l'enfance sa vie est dominée par l'amitié ou l'amour virils. Outre Socrate — dont on sait comme il l'a vénéré — il a chéri tendrement ses frères Adimante et Glaukon (pour lequel il a éprouvé un véritable amour : il en fait un portrait charmant dans la *République*), il a admiré Demos dont la beauté fit fureur, et surtout le bel oncle Charmide pour lequel il eut une passion contrariée par l'oncle Critias. Mais rien de tout cela ne ressemble à l'amour qu'il aura pour Dion, un amour qui subira victorieusement l'épreuve de la durée et, trente-cinq ans plus tard, arrachera encore au vieux philosophe une épitaphe passionnée pour le disciple assassiné. Jusqu'à la fin, cette liaison demeure fidèle au schéma pédagogique spécifiquement grec. Platon ne cessa de former et façonner Dion et Dion de se modeler sur les leçons de Platon. Mais ce qui dépassa le cadre normal de la pédérastie, c'est que l'expérience amoureuse pour la première fois allait être poussée jusqu'à la maturation de l'intelligible. Cet éros allait devenir une *érotique.* On ne s'étonnera pas d'y voir figurer le thème de la *fécondation spirituelle.* « Substitut,

1. *Essai sur l'amour humain,* p. 30, Aubier, Paris, 1947.

ersatz dérisoire d'enfantement, affirme Marrou[1], c'est évidemment l'instinct normal de la génération... qui frustré par l'inversion se dérive et se défoule sur le plan pédagogique. » Rien n'est moins certain. La psychologie des profondeurs nous a montré une substitution identique dans l'amour normal. Jung a même présenté cet enfantement spirituel comme supérieur à l'autre. Au reste, cette gestation, c'est tout de même celle du *Banquet* et de *Phèdre*, ces deux jumeaux divins et immortels d'Eros!

Le *Banquet*, (tout comme *Phèdre* une initiation), montre assez que l'amour de Platon prit rapidement un tour mystique. Amour *traversé* dont on peut suivre le cours et l'évolution grâce aux grands thèmes du dialogue, celui de la prédestination amoureuse, de la fécondation, de l'apprentissage de chasteté. Vingt ans de séparation ne relâcheront en rien cette longue liaison passionnée. Dans *Phèdre*, écrit longtemps après le Banquet[2], Dion ne cesse d'être présent, « son nom, dira Wilamowitz, est presque prononcé ». Or cet éloge du délire d'amour est d'une liberté, d'une jeunesse, d'une allégresse où l'on sent encore l'émerveillement de la rencontre.

On sait qu'à la mort de Denys l'Ancien, le maître et le disciple devaient se retrouver, que deux fois encore son dévouement à Dion allait jeter Platon dans ce qu'il a nommé lui-même « ses vagabondes folies de Sicile ». Au moins la première, pouvait-il se flatter que son séjour servirait ses desseins politiques. Non seulement Dion, mais les pythagoriciens d'Italie l'en assuraient. De fait, les événements semblèrent d'abord confirmer cette espérance. L'accueil triomphal qui lui est fait, ce char

1. H.-A. Marrou, *Histoire de l'éducation dans l'Antiquité*, p. 60, Seuil, 1960.
2. Sur la question délicate de la chronologie des dialogues, j'ai suivi la savante démonstration de Robin, *La théorie platonicienne de l'amour*, p. 90, 2ᵉ éd., Paris, Alcan, 1932.

royal qui l'attend à sa descente de galère, ce sacrifice offert aux dieux par le jeune roi pour rendre grâce de l'arrivée du philosophe (on imagine la dévotion, la tendre fierté de Dion pour celui qu'il voit reçu comme s'il était dieu lui-même!), tout est du meilleur augure, y compris le zèle que montre d'abord Denys le Jeune, « une merveilleuse honnêteté que l'on commença à garder dans les banquets, la cour toute réformée, une grande bénignité et douceur du tyran dans toutes les affaires, la cour tout entière adonnée à l'étude, à la philosophie, à la géométrie, au point que l'on voyait le sol couvert dans le palais de ce sable et de cette poussière sur lesquels les élèves tracent leurs figures »[1]. Hélas! cet engouement n'était qu'une rivalité. « Denys, écrira Platon, voulait être loué par moi plus que ne l'était Dion, et son amitié tenue par moi pour plus précieuse que n'était mon amitié pour ce dernier. » Emportements, humeurs, repentirs du tyran, prières de réconciliation, tout cela, qui était bien éloigné de la philosophie, consternait Platon, séparé de Dion que Denys avait chassé ignominieusement de Sicile. Dès que les vents et le tyran le permirent, il regagna Athènes où il retrouvait aussi Dion qu'il retint auprès de lui à l'Académie, le guidant dans ses études comme dans le choix de ses amis, continuant à le former et à le diriger comme il avait fait autrefois. Dion, qui était fort riche, avait pris un train royal. A l'Académie, où l'éclat du prince attirait la jeunesse, la vie avait bien un peu changé, glissant vers la mondanité. Platon, tout absorbé qu'il était par l'étude, le vit-il ? En tout cas, il ne cessa de soutenir l'ambition de Dion, le mêlant à la vie publique et le faisant recevoir avec les plus grands honneurs par les villes grecques.

Cependant à Syracuse, Denys se consumait de jalou-

---

1. Plutarque, *Vies*, *Dion*, trad. Amyot.

sie et comme un tyran qu'il était, « toujours transporté et passionné de cupidité », il lui prit soudain un impatient désir de revoir Platon. Dion, qui avait laissé de grands intérêts en Sicile, insistait pour que Platon embarquât, « il me suppliait de le faire », écrit Platon. D'ailleurs, le bruit se répandait à nouveau que Denys était pris d'un appétit extraordinaire pour la philosophie. Tant bien que mal, il avait réuni autour de lui quelques sages et, de temps en temps, avec maladresse, il appliquait l'une ou l'autre petite réforme. Mais Platon ne croyait plus guère à la vocation philosophique de Denys. « Je savais assez bien, écrit-il, que souvent la philosophie est de la part de la jeunesse l'objet de pareils engouements. » Il partit cependant, plein de crainte et de pressentiments. On sait que le voyage finit mal et que Dion prenant alors la tête de l'opposition, les deux princes s'élancèrent l'un contre l'autre. Platon, qui n'aimait pas la guerre, le regretta. Toutefois lorsqu'il connut les victoires de Dion, il ne put s'empêcher d'en éprouver de la fierté, « son cœur, dit Wilamowitz, battait chaudement en apprenant les succès de l'homme aimé ». Mais une phrase de Plutarque nous en dit plus long. Lorsque Dion, ayant délivré Syracuse de la tyrannie, se trouva reconnu comme le capitaine le plus glorieux de son temps, Platon lui écrivit « que la terre entière avait les regards tournés vers lui. » « Mais Dion, dit Plutarque, n'avait les siens attachés que sur une petite maison d'une seule ville, l'Académie. »

L'assassinat de Dion (par un homme du cercle de Platon!) n'étendra pas seulement « un deuil immense sur la Sicile » mais une grande ombre sur les dernières années et les dernières œuvres du sage. Il s'éteindra cinq ans plus tard, « assisté de cette bonne Thrace qui lui fit de la musique le soir de sa mort ». Il ne laissait ni dettes ni fortune, quelques objets personnels (deux go-

belets en argent, une bague en or, une paire de boucles
d'oreilles, un réveille-matin) et seulement cette postérité
de la pensée qu'il avait préférée à l'autre, « ces enfants plus beaux, plus impérissables » sur lesquels il
n'avait pas eu tort de compter pour s'assurer « l'immortalité de la gloire et du souvenir ».

L'AMOUR GREC

Pour Ménard — qui n'est pas suspect d'antipaganisme.
le *Banquet* et *Phèdre* seraient les deux livres les plus
immoraux de la littérature grecque. Michelet les juge
« austèrement licencieux ». Je ne sais qui a écrit que
la morale s'y trouve à son point de saturation, ce qui
est plus aigu. Encore faut-il préciser — non sans au
préalable s'assurer que l'on est dégagé de la confusion
grossière mais banale du paganisme et de l'impiété. Nul
peuple n'a eu du sacré un sentiment plus vif, plus
jeune que le peuple grec, nul peut-être n'a éprouvé plus
fortement la puissance de l'irrationnel que celui qui
s'était donné pour tâche de le gouverner. Derrière la
forme humaine, trop humaine, qu'il avait donnée à ses
dieux, il percevait la présence de quelque chose qui
échappait à la raison et même aux formes et qui, sans
doute, n'était pas spécifiquement grec, mais par l'une
ou l'autre voie locale, remontait du très vieux fonds
de croyances communes à l'humanité. Ce qui était bien
grec, en revanche, c'était de vouloir le réduire à la pen-

sée. Cette conception en quelque sorte militante du sacré
— puisque le divin allait sans cesse y être reconquis sur
l'humain, le mesure sur la démesure, l'ordre sur le
désordre — demeurait attachée aux notions ancestrales
du pur (*catharos*) et de l'impur, de la souillure et de
la purification (*catharsis*). La pureté grecque (bien différente de la chrétienne) n'est pas une pureté sexuelle
ou ne le sera qu'incidemment. C'est essentiellement l'absence de mélange. La souillure est quelque chose qui
s'ajoute. Se purifier, c'est s'en débarrasser. Se laver, se
séparer d'une souillure matérielle, est un acte à la fois
concret et religieux, c'est-à-dire un rite.

Très vite, la purification rituelle prit une importance
nationale, tandis qu'à l'échelle individuelle, la cathartique devenait fondement d'une religion de salut. Socrate
aurait été le premier à user de l'expression *cathairein*
pour le nettoyage de l'âme. Purifier l'âme pour Platon,
c'est la séparer de ce qui la surcharge par un art relevant du triage pour lequel le *Timée* nous suggère des
termes comme *cribler, filtrer, vanner, carder*, et la *République*, l'image merveilleuse du dieu marin Glaucos, couvert d'algues, de vase, de coquillages et qu'il faut déca-
per pour le reconnaître. Or qu'est-ce qui surcharge
l'âme ? Platon répond : sa *corporéité*. Est-ce à dire que
la chair soit tout entière mauvaise (comme pensent les
gnostiques) ou tout entière illusion (comme dans l'hindouisme) ? Le culte grec de la beauté corporelle atteste
le contraire. Certes l'esprit *s'oppose* à la chair (Platon,
comme saint Jérôme, dirait volontiers que l'esprit con-
voite contre la chair et la chair contre l'esprit). Mais
la nature de l'amour est précisément d'être intermédiaire entre ce qui s'oppose. L'amour est un *démon*.
L'univers platonicien est un univers de liaison et de
récupération[1] où les contraires s'attirent au lieu de

1. C'est à Aristote qu'il faut faire remonter l'interprétation

s'exclure. L'amour peut certes *pervertir*. C'est lorsque
la chair usurpe et abuse, qu'elle entraîne l'âme par
son poids et la détourne de son élan fondamental.
Voilà ce qui la fait dévier dans son mouvement.
Une âme pure est une âme droite. Comme Apollon,
dieu des purifications et dieu-archer, elle vise juste
et atteint toujours son but. Dans l'éclairage de la catharsis, l'éros se sépare radicalement de l'érotisme. A l'opposé de la licence, au moins autant que l'amour chrétien, c'est un amour essentiellement gouverné, mais à
seule fin de demeurer constant à lui-même, à son élan
vers la rectitude, conforme à cette ligne droite qui est
pour l'âme le plus court chemin vers ce qu'elle aspire
à joindre.

Pour ces païens comme pour les chrétiens, l'âme vient
de Dieu et elle y retourne. De cet état originel, Platon
pense qu'elle conserve la mémoire que Socrate s'attache

rigidement dualiste du platonisme (au IIIᵉ siècle, on versera
dans l'interprétation moniste. Cf. Simone Pétrement, *Le dualisme chez Platon, les gnostiques et les manichéens*, pp. 12, 13,
P.U.F., 1947). On connaît le reproche fait par Aristote à son
maître : « *il sépare* ». Or Platon ne sépare que pour trier, dégager.
Loin de figer le monde en deux catégories inconciliables, irré-
ductibles (comme fera par exemple le manichéisme), le dualisme
critique de Platon s'exerce sur le sensible toujours en voie d'intégration. Cf. *La purification plotinienne* de Jean Trouillard, p. 169
(P.U.F., 1955), qui démontre que le dualisme platonicien n'est pas
une opposition entre deux mondes mais entre deux ordres ou
deux plans de vie dont nous éprouvons en nous-mêmes le conflit.
On ne peut que suivre cet auteur lorsqu'il écrit que le véritable
dualisme humain est celui de la pensée et de la raison (*La pro-
cession plotinienne*, P.U.F., p. 33). A l'égard de ces ouvrages que,
si j'en avais l'autorité, j'aimerais dire admirables, je me trouve
partagée entre le devoir de reconnaître ma dette et la crainte de
compromettre leur auteur dans l'aventure de ce livre. La même
observation vaut pour Louis Robin, *ouvrage cité*, et Louis Moulinier, *Le pur et l'impur dans la pensée des Grecs*, Kliensieck,
Paris, 1952. Il est entendu que si mon explication du platonisme
doit beaucoup à ces auteurs, ses conclusions n'engagent que
moi.

à réveiller par l'*anamnèse*. Lorsque l'homme rencontre
« un visage divin, imitation réussie de la beauté ou
quelque corps pareillement bien fait », il est saisi du
souvenir de la beauté véritable et soulevé du désir de la
posséder. Ce transport, c'est Eros. Eros est amour du
divin. Hélas, seul un petit nombre d'âmes a gardé
un souvenir suffisant de l'état originel et des beautés
contemplées. Les autres, privées de mémoire, impuissantes à se rapprocher des dieux, loin de s'élever, s'a-
lourdissent, perdent leurs ailes et retombent pesamment
au sol. C'est pour les premières que Platon va écrire
le *Banquet* et *Phèdre,* que par la bouche d'Aristophane,
de Diotime, d'Alcibiade ou de ce Socrate aux raisonne-
ments si sûrs que, disait Hiéroclès, « comme des dés,
de quelque façon qu'ils tombassent ils étaient toujours
sur pied », il va développer une doctrine de l'amour qui,
bien que dégradée, a pénétré si intimement notre culture qu'on la voit quelquefois affleurer le langage même
de l'homme de la rue.

C'est au plus auguste des symboles du couple, le mythe d'Androgynat (que d'ingénieuses variantes vont lui
permettre d'accommoder à l'amour des garçons) que
Platon fait appel pour expliquer la prédestination amoureuse. Sur un thème emprunté à l'anthropologie d'Empédocle, l'Aristophane du *Banquet,* fabulant fantastique-
ment, nous conte un monde préhistorique à trois sexes,
masculin, féminin, plus un troisième composé des deux
autres. Lorsque Zeus se décidera à châtier l'intrépidité
de ces Androgynes qui prétendent escalader le ciel, il se
saisira de toutes ses créatures sans distinction et les
coupera en deux, dotant pour toujours ces moitiés du désir
de retrouver leur moitié complémentaire et de se *ré-unir*
à elle : « Depuis ce temps l'amour mutuel est inné chez
les hommes; il nous ramène à notre primitive nature;
il s'efforce de ne faire qu'un seul être de deux. » Chacun de nous est une moitié d'homme qui a été séparée

de son tout de la même façon qu'on coupe en deux un œuf avec un crin ou encore une limande :

> ... Les hommes qui proviennent d'une section masculine recherchent le sexe masculin. Parce qu'ils sont une tranche de mâle, tant qu'ils sont jeunes, ils aiment les hommes et se complaisent à se coucher et à s'enlacer avec eux. Et parce qu'ils sont naturellement les plus mâles, ils sont aussi les plus courageux des garçons et des adolescents. C'est mentir que de les accuser d'être impudiques. Ce n'est point, en effet, par impudicité qu'ils se livrent, c'est parce qu'ils ont l'âme hardie, le caractère viril et le courage mâle qu'ils chérissent leurs semblables. La grande preuve de ce que j'avance c'est, qu'une fois dans leur maturité, de tels adolescents arrivent seuls à gérer les affaires de l'Etat. Devenus hommes, ils aiment les garçons et s'ils se marient, s'ils procréent des enfants, ce n'est pas que leur nature les y pousse, c'est que la loi les y oblige.

Mais l'amour n'est pas seulement le désir de se compléter corporellement. Arrive-t-il à quelqu'un de rencontrer sa moitié,

> ils sont alors saisis l'un pour l'autre d'une sympathie, d'une affinité et d'un amour si merveilleux qu'ils ne veulent plus se séparer, ne fût-ce que d'un instant. Et ces mêmes êtres qui passent ensemble leur vie, ne sont pas à même d'exprimer ce qu'ils attendent l'un de l'autre. Il ne semble pas que ce soit le plaisir des relations amoureuses qui les porte à se complaire avec tant d'ardeur à cette vie commune. Il est évident que leurs âmes désirent quelque autre chose qu'elles ne peuvent exprimer mais qu'elles devinent et donnent à entendre...

Ce qu'elles désirent, Aristophane, anticipant sur Diotime, va nous l'apprendre, c'est le retour à l'état originel, c'est l'unité. On s'en doutait, l'activité amoureuse est une activité unitive. Mais, là-dessus, la Purificatrice nous en dira bien davantage. Nous apprendrons que l'Amour, ce grand démon, intermédiaire entre le mortel et l'immortel, cherche moins à reconquérir sa moitié qu'à reconstituer une indistinction, qu'à se délivrer de toute finitude. Eros est aspiration de notre nature mortelle à l'immortalité. Aussi est-il impatient d'enfanter. Mais il y a génération selon le corps et selon l'esprit. Platon (comme Jung) met la seconde bien au-dessus de la première. L'excentricité du platonisme est de la réserver aux pédérastes. Certes le mythe s'applique théoriquement aux deux sexes (et même aux trois). Seuls toutefois se tournent vers les femmes ceux qui désirent se perpétuer charnellement. Quant aux autres, « mortels vraiment divins » dont la fécondité réside dans l'âme, si l'envie vient à l'un d'eux d'engendrer, se faisant éducateur, il se met en quête d'un bel adolescent au contact duquel il enfante ce dont il était depuis longtemps fécond, il le procréera et le nourrira en commun avec l'aimé,

> si bien qu'une communauté, infiniment plus étroite que celle qui nous lie à nos enfants [1] est le mutuel apanage d'un tel couple, avec aussi une plus solide affection, parce que ce qu'ils ont en commun, ce sont de plus beaux, de plus impérissables enfants!

Ceci n'est encore qu'explication profane, *instruction*. Diotime va aborder la partie la plus austère, la plus

---

1. Opposés ici aux œuvres et à la sagesse, ces enfants spirituels. *Banquet*, 209 *b c*, trad. Robin, Belles-Lettres, Paris, 1951.

difficile de son discours. La Fable ici cède le pas au Mystère. Du mythique, nous passons au mystique. C'est dire que nous nous sommes élevés d'un degré dans le sacré. C'est pour subir l'initiation érotique au terme de laquelle — si du moins notre esprit n'est pas demeuré en route — il nous sera donné d'apercevoir la Beauté véritable, d'en avoir la *révélation*. Toute cette partie — admirable — baigne dans le demi-jour des liturgies éleusiniennes. Avec Diotime pour guide, sur les pas de Socrate, nous nous élevons — mais c'est une altitude à l'envers : monter, c'est descendre en soi, c'est creuser, c'est s'approfondir — d'échelon en échelon vers l'*époptie*.

Cette érotique est une cathartique. De dépouillement en dépouillement, elle va de la beauté d'un seul corps à la beauté désindividualisée, puis de la beauté dégagée de la corporéité, c'est-à-dire la beauté de l'âme, à cette beauté à son tour déliée de la personne jusqu'à aboutir, par-delà toute représentation, à « ce qui est beau par soi seul, ... en lui-même, dans la vérité de sa nature, dans sa pureté sans mélange »... « le beau divin dans l'unicité de sa forme ». Cette unicité demeure mystère, non pas *arcanus*, mystère explicable, mais *arrêton*, mystère ineffable. Plotin dira qu'elle est au-delà de l'intelligible et qu'il faut dépasser celui-ci pour la contempler. C'est la double transcendance, pointe suprême de l'approche mystique. Elle est don, elle est grâce, même si l'on a fait soi-même la plus grande partie du chemin. Mais c'est une grâce toujours présente, toujours donnée. Dieu n'est pas seulement notre état fondamental et final, il est aussi, et en permanence, notre état le plus profond, absent de nous seulement dans la mesure où nous nous absentons de lui pour nous attarder dans les régions superficielles de notre âme. Certes il est des âmes impures qui demeurent enlisées à la surface. Eros quelquefois réussira à les sauver, car l'amour-passion est accès au divin, il est *voie*. Voilà la découverte que Platon doit à Dion, qu'il n'eût pas faite peut-être s'il ne l'avait rencontré. Eros est grâce, pour certains la seule grâce, la chance unique de salut. Dans *Phèdre*, Platon reviendra sur la grâce. Il fera dire à Socrate que la supériorité de l'amour est d'être un *divin délire*. Le bien-aimé est celui qui se prête à cette emprise du divin, qui le laisse surnaturellement transparaître. A l'amant de répondre à cet appel, à cette incantation divine et — sans se laisser duper ou assoupir — de connaître l'objet véritable de son désir et de l'approcher par la méthode enseignée par Diotime.

Mais l'amour n'est pas le seul délire — il est seulement le meilleur —, ni la seule purification. Il existe une purification dans laquelle le dieu fond sur l'homme et le divinise par une sorte de viol de l'âme. C'est la voie dionysiaque de l'*orgè*, celle des bacchantes, des ménades, des corybantes, voie de frénésie, de démesure, grecque autant que l'autre (que l'on relise *Les Bacchantes* d'Euripide). Elle implique une expérience magique de dépossession suivie de possession divine que favorisaient la boisson, les danses tournoyantes, les bonds, les secousses, le son aigu des flûtes et le battement des cymbales. Transportés par le Dieu qui les menait où il voulait, ces furieux ne s'appartenaient plus et se *purgeaient* automatiquement. Nul mieux que Platon n'a distingué les deux méthodes, l'active et la passive, la critique et la drastique, nul ne leur a fait justice comme l'auteur du *Phèdre* qui range l'*orgè* corybantique dans la *mania* divine, reconnaissant l'efficacité de son homéopathie. Mais il est clair que ses préférences ne vont pas à la voie d'ivresse mais de maîtrise, voie de gouvernement et d'intelligence — voie occidentale, a-t-on dit, en réalité voie de synthèse de la mystique orientale et occidentale dont Platon apparaît ici comme une des deux hautes cimes jumelles, l'autre étant Plotin. Elle ne méconnaît pas le pouvoir de l'irrationnel, elle le soumet à la perspective de l'intelligible et, jusque dans la possession divine, elle sait introduire le contrôle purificateur d'une pensée qui ne s'exerce pas contre le dieu mais contre l'impur toujours prêt à s'y mêler.

Dans cet intellectualisme vivant, toujours en train de se faire, de *s'abstraire* — et jamais abstrait — l'intelligible se prélève, se dérobe à ce point idéal, furtif, presque insaisissable de sa séparation avec le sensible. Il en résulte une conception très particulière de la chair — tenue pour impure, trouble mais comme un liquide qu'il faut clarifier —, et plus singulière encore de la chasteté qui se conquiert à cette frontière brûlante du départage. D'où cette émulation passionnée à se tenir sur la crête périlleuse, cette complaisance à décrire les étreintes et les caresses, cette familiarité — fâcheuse selon certains — de ces sages avec de mauvais garçons comme ce Phédon, esclave racheté et peut-être prostitué, dont Socrate caresse les boucles trop longues, comme cet Alcibiade, le plus beau, le plus admiré des Athéniens mais peut-être aussi le plus débauché.

Rien de plus significatif à cet égard que la scène réputée douteuse — en fait d'une extraordinaire beauté — de la tentation de Socrate (Mme de Rochechouart en fut si choquée qu'elle refusa de l'inclure dans sa traduction du *Banquet*). Socrate, victime d'une ruse dont sans doute il n'a pas été dupe, se trouve finalement couché dans le même lit qu'Alcibiade qui s'est glissé sous son *tribôn* — c'est ce manteau de bure grossière, manteau de pauvre, que portait le philosophe. En vain, Alcibiade tente de séduire cet amant de la beauté et des beaux garçons. Il l'enlace :

> ... je jette mes deux bras autour de cet être, divin véritablement et merveilleux ; et c'est ainsi étendu

que je passai la nuit entière. En ceci même, tu ne
vas pas, Socrate, cette fois non plus alléguer que je
mens! Or, ce qui est sûr, c'est que tous mes beaux
efforts ne firent que grandir son triomphe; car il
dédaignait la fleur de ma beauté, il la bafouait, il
l'insultait; et c'était justement l'article sur lequel je
croyais ma partie bonne, messieurs les Juges... Juges,
vous l'êtes en effet de l'outrecuidance de Socrate!
Voici donc de quoi vous devez être bien instruit :
c'est, j'en atteste les dieux, j'en atteste les déesses,
qu'après cette nuit passée auprès de Socrate il n'y
avait, quand je me levai, rien de plus extraordinaire
que si j'avais dormi aux côtés de mon père ou d'un
frère plus âgé!

A aucun moment, l'a-t-on remarqué, Socrate n'a eu
ce réflexe de recul horrifié que l'on attend d'un homme
naturellement chaste. Il demeure couché dans les bras
d'Alcibiade et c'est en souriant, semble-t-il, qu'il lui
résiste. Cette « outrecuidance » — y songe-t-on ? c'est le
jeune, le riche, le bel Alcibiade qui s'offre au vieux,
au laid, au pauvre Socrate! — a paru tellement contraire
au bon sens qu'elle a été utilisée pour démontrer le chi-
mérisme de l'éros platonicien, alors que c'est précisément
cette situation qui donne à toute la scène son éclairage
fantastique de monde renversé.

N'en doutons pas, nous sommes dans le domaine de
l'enchantement et du prodige — on ne peut s'empêcher
de penser à certaines techniques de chasteté du tantrisme
ou du Tao, voire de la *cortezia*. La figure de Socrate,
complétée par la suite du récit d'Alcibiade, y apparaît dans une aura surnaturelle. Sans transition apparente, Alcibiade nous décrit son insensibilité de yoghi ou
de guru à la fatigue, à la faim, à l'ivresse. Dans les
combats, sa contenance est telle qu'elle décourage l'adversaire. Rien n'est comparable à sa résistance au froid. Un

jour, en campagne, qu'il y avait la plus terrible gelée qu'on puisse imaginer et que l'on ne sortait que couvert d'une quantité de choses extraordinaires, « les pieds ficelés et entortillés dans des bandes de feutre ou de peau d'agneau », lui au contraire, nu-pieds, cheminait sur la glace plus aisément que ceux qui étaient bien chaussés. Une autre fois, les soldats l'ont trouvé qui, debout, méditait depuis l'aurore sur quelque problème, et comme la solution tardait à venir, il restait ainsi planté tout droit à chercher :

> Il était midi déjà; les hommes le regardaient; l'un à l'autre ils se racontaient la merveille : « Depuis le petit jour, Socrate est planté là, en train de faire ses réflexions! » En fin de compte, le soir venu, quelques-uns de ces observateurs, après leur dîner, et comme justement on était en été, transportèrent dehors leurs lits de camp : en même temps qu'ils couchaient à la fraîche, en même temps aussi ils surveillaient si Socrate passerait encore la nuit debout. Or, debout il resta jusqu'à ce que le jour parût et que fût levé le soleil. Puis, après avoir fait à celui-ci sa prière, il quitta la place et s'en alla.

Nulle part la figure de Socrate n'apparaît plus étrange, plus sorcière, plus démonique, *génie* ou *héros glorifié* (un saint, dira le P. Festugière), en tous cas, une de ces figures intermédiaires dont le paganisme peuple la distance infranchissable entre l'homme et le Principe, sans attenter à son unicité.

Dans l'optique fabuleuse de cette scène — une optique de prouesse — la question de savoir en quelle mesure l'éros philosophique fut charnel apparaît aussi vaine que sordide. Et pourtant elle se pose, puisqu'elle est discutée. Faut-il se ranger à la thèse récente que, tout en visant à s'affranchir du charnel, l'éros philosophique serait fortement enraciné dans le domaine des sens. Il semble que l'accentuation doive en être légèrement déplacée et reportée sinon sur le but — quelquefois manqué —, du moins sur la visée, le trait, le trajet de la chair à l'esprit. Le platonisme, c'est essentiellement ce passage du sensible à l'intelligible. En *l'enracinant* dans le charnel, on commet une erreur aussi grande qu'en le coupant du charnel. C'est le désir amoureux qui est le ressort de la purification, soulevant l'âme, littéralement « lui donnant des ailes ». Cela est illustré dans *Phèdre* par les métaphores les plus hardies. Il en résulte une sorte de familiarité, d'amitié pour la chair et d'indulgence à l'égard de ses faiblesses. Sans « faire figure de grossier matelot », il est permis de penser avec Plutarque que l'attelage ailé de l'éros philosophique a versé quelquefois. On n'en faisait pas une grande affaire. Platon ne professait-il pas que dans certains cas « il est beau pour un bien-aimé d'accorder à un amant ses faveurs! » Le sort de ceux qui, s'aimant de droit amour, avaient cependant succombé au plaisir, était loin d'être misérable. Sans atteindre la béatitude suprême réservée aux sages et aux parfaits, ils se voyaient en quelque sorte attribuer le second prix. Au lieu de s'embarquer pour le voyage souterrain des réprouvés, la *loi* voulait que, passant une existence lumineuse, ils voyageassent ensemble, — en attendant d'être pourvus d'ailes — et fussent heureux. Ainsi leur destinée supraterrestre se réglait-elle conformément au principe de justice. « Les âmes, dit le *Phédon*, vont où les portent leurs ressemblances et leurs goûts. » Et les Upanishads : « Ce que l'homme pense, il le devient. Voilà l'antique secret. »

Ainsi, ce qui est spécifiquement platonicien, ce n'est pas de mépriser la chair (comme les manichéens et les gnostiques qui tiennent le corps pour le « vêtement de honte »), c'est de la *convertir* en l'impliquant dans le mouvement dialectique d'un dualisme toujours surmonté et toujours renaissant, c'est de regarder la chasteté comme une étape royale de la domination du sensible.

Cette éthique de maîtrise exigeait une vigilance ininterrompue. Demandant que l'homme se tînt sans cesse, comme un *egregoros,* comme un veilleur dans un poste de garde (dans les Mystères, on prononçait une formule : « Une sorte de garderie, voilà notre séjour à nous les hommes »), elle impliquait une quasi-sainteté. Bien que le monde grec tout entier ait bénéficié de son rayonnement, elle ne fut pratiquée que par quelques sages. Pendant ce temps le commun des hommes ne songeait qu'à boire, à manger, à faire l'amour et, reposant entre deux guerres, qu'à chanter tra la la. Platon lui-même nous apprend qu'à côté de l'*éros divinisant* des philosophes, il existe un amour qui ne se propose pas le sublime, mais la volupté, et à côté de l'Aphrodite *Uranienne,* la *Pandémienne.* Hélas! c'est celle-là qui préside aux amours avec les femmes. L'autre, celle qui mène au salut, Platon ne la conçoit pas avec l'autre sexe. Or il a donné suffisamment de gages pour qu'on ne le soupçonne pas d'antiféminisme. Il a esquissé une réforme de l'enseignement favorable aux femmes. Il a admis des femmes — non athéniennes — dans son Académie. Bien mieux, c'est dans la bouche d'une femme qu'il met les paroles les plus ésotériques de son œuvre. Et cette femme — si avancée en savoir que Socrate lui-même peut craindre de n'être pas en mesure de l'entendre — il n'en fait pas un symbole, il la choisit dans

cette lignée de prêtresses philosophes qui, à Mantinée,
occupaient une place éminente dans les cultes de la cité.

Il n'y a donc chez Platon aucune misogynie personnelle — rien de comparable à l'attitude d'un Hésiode,
d'un Aristote ou même d'un Euripide (qui met dans
la bouche d'un de ses personnages un terrible réquisi-
toire contre la femme, ce grand fléau, *cacon mega*) ou
des premiers Pères de l'Eglise, d'un Chrysostome, par
exemple, toujours prêt à se déchaîner contre « la souveraine peste ». S'il lui arrive de faire état de l'infériorité
de la femme, c'est qu'il juge suivant ce qu'il a sous les
yeux et que dans l'Athènes classique, on rencontre moins
de Diotimes que de Xanthippes. Inculte, confinée, élevée
à l'ombre, alors que les jeunes gens s'épanouissent à la
pure lumière des gymnases, vouée suivant son rang à la
toilette et à la parure ou aux travaux ménagers, ne pa-
raissant même pas à table, toujours tenue pour infé-
rieure et traitée en esclave, l'Athénienne a des défauts
d'esclave. Elle est paresseuse, lascive, tout à la fois
babillante et incapable de conversation. « Voyons, Cri-
tobule, demande Socrate dans l'*Economique* de Xénophon, nous sommes ici entre amis, y a-t-il des gens avec
qui tu aies moins de conversation qu'avec ta femme ? »

On s'est demandé plus d'une fois si c'est la misogynie qui a entraîné la pédérastie ou celle-ci qui
inspire le mépris des femmes. Il y a une troisième
explication, c'est que des hommes qui n'étaient pas
naturellement misogynes se sont détournés de la
femme dans la mesure où leur érotisme se proposait
un niveau auquel elle était incapable d'accéder. Les
Grecs de l'époque classique ne subissaient peut-être
que le contrecoup de leur politique. Ils n'étaient
nullement inaptes à l'amour normal (d'ailleurs la
plupart étaient *ambidextres* comme Alcibiade). Suivant Flacellière, un Grec s'enflammait facilement s'il
rencontrait une femme étrangère, belle, intelligente et

de statut libre comme le prouve l'exemple d'Aspasie, la
Milésienne, dont Périclès s'éprit passionnément. Ce
qui est impressionnant dans l'homosexualité grecque,
c'est son recrutement. Certes la Grèce entière n'est
pas pédéraste — il s'en faut de beaucoup — mais son
élite l'est incontestablement. Faut-il citer des noms ?
Solon, Eschyle, Pindare, Théognis de Mégare, Aris-
tide, Thémistocle, Sophocle, Agathon, Aristote, Xénocrate,
Zénon [1]. Elle l'est dans la mesure où elle se veut ou
se prétend héroïque, ascétique, guerrière ou philosophe,
où elle recherche les échanges intellectuels plutôt que
les plaisirs. On sait que le *Banquet* et *Phèdre* sont le
fruit d'une expérience homosexuelle (« tout cela, a
dit Gomperz, n'est pas seulement doctrine platonicienne
mais expérience platonicienne »). Cependant des circonstances analogues n'ont pas empêché des poètes
homosexuels de la *cortezia* ou de la Renaissance de tra-
vestir leurs inclinations et de platoniser sur le thème
de la *Dame* ou de l'*Amie*. L'uranisme n'était pas
si indiscuté à Athènes qu'il ne dût prendre quelques
précautions pour s'affirmer. Ce n'est pas sans motifs
qu'il s'avance toujours avec le dehors de la chasteté et en se réclamant de la pédagogie. Encore s'exprime-
t-il dans cette forme dialoguée qui élude l'attribution.
Plusieurs lois, pas tellement différentes des nôtres, s'es-
sayaient à le réprimer. Solon lui-même, « au sortir des
ouragans et des tempêtes de l'amour des garçons »
avait cru devoir légiférer pour enrayer ses progrès.
L'homosexualité du mari était pour la femme un motif
de divorce (alors que l'adultère ne l'était pas). Le viol
de l'enfant ou de l'éphèbe, libre ou esclave, la prostitu-

---

1. Si l'on en croit H.-I. Marrou (*ouvr. cité,* p. 64), Euripide fut
aussi l'amant d'Agathon, Phidias celui de son élève Agoracrite
de Paros, le médecin Théomédon de l'astronome Eudoxe de
Cnide.

tion et la débauche de mineurs étaient sévèrement pu-
nis. L'accès des gymnases et palestres était réglementé.
D'autre part, la pédérastie — si elle était l'idéal et
quelquefois le snobisme d'une aristocratie — demeurait objet de réprobation pour beaucoup de citoyens, et
il fallut qu'elle fît ses preuves de valeur, de virilité,
de courage pour être admirée dans certaines cités. Il
fallut l'héroïsme à Chéronée du bataillon sacré de Thè-
bes, composé d'amants et d'aimés qui tous se firent
tuer sur place, pour arracher ce cri à Philippe de Macé-
doine : « Maudits soient ceux qui supposent que de tels
hommes ont pu faire ou subir rien de honteux. » Il fallut des actions d'éclat comme l'assassinat du tyran Hip-
parque par Harmodius et Aristogiton, comme la charge
de Cléomaque à la tête des Chalcidiens et bien d'autres
faits d'armes et sacrifices pour que leurs concitoyens
élevassent à ces héros des monuments — honneurs qui,
en une certaine mesure, rejaillissaient sur tous les
partisans de l'amour viril. Mais ils n'en demeuraient
pas moins objet de risée pour le peuple et de salaces
plaisanteries pour les auteurs comiques. Il y avait donc
plus de hardiesse qu'on n'imagine à fonder une grande
doctrine philosophique sur l'amour des garçons (sans
compter qu'un des chefs d'accusation retenus contre
Socrate avait été de corrompre les jeunes gens). Mais la
fonder sur l'amour de la femme *eût paru tout simplement invraisemblable*. Voilà le fait que nous devons
garder sans cesse présent à l'esprit si nous voulons
comprendre quelque chose à l'histoire de l'amour et du
couple dans le monde grec. L'habitude de traiter la
femme en instrument de plaisir (quand l'homme ne la
réservait pas à la tenue de la maison) situait l'amour
que l'on pouvait éprouver pour elle à l'opposé de la
grandiose ascèse inséparable du platonisme.

C'est à un niveau plus modeste que va se faire la défense de l'union conjugale. On ne reprochera certes pas à Aristote de tomber dans les panneaux du sublime. En face du platonisme, toujours en voie de communication, d'échange, d'ascension, l'univers d'Aristote étonne par son compartimentage, son étanchéité, sa stagnation. La pensée moderne se délivre à peine de ce « tenace appareil logique » et de la rigidité de ses classifications. On connaît sa conception d'un Dieu solitaire coupé du monde. Son odieuse politique de classe, de castes — esclavagiste et antiféministe. Sa morale du juste milieu axée sur le terrestre (pour ne pas dire le terre-à-terre), son hédonisme médiocre (responsable de la réputation d'hédonisme de la sagesse grecque [1]). Même la fameuse *catharsis* à laquelle le nom d'Aristote demeure attaché injustement (car le texte de la *Poétique* n'est qu'une assez pâle référence à la purification orgiastique aussi vieille que les cultes préhelléniques) se ressent chez lui de l'absence d'élan, de transport, de motricité.

Etrange figure que cet Aristote et qu'il est difficile d'aimer. Un tel mépris de la femme qu'il pèse sur ses théories scientifiques (elle n'est pour lui qu'un « mâle stérile », qu'un « mâle estropié »; le mâle seul possède l'élément générateur, la femelle n'est que matière; le mâle est « *divin* »; son sperme contient le principe de l'âme; c'est parce qu'il n'y a pas d'âme dans sa semence que la femelle est un mâle mutilé : aussi ne peut-elle engendrer seule; il faut considérer sa nature comme une défectuosité naturelle, et ainsi de suite). Une telle mécon-

---

1. Loin d'enseigner comme Aristote que « la douleur dénature et corrompt » Platon, dans le *Gorgias,* nous apprend que l'on ne peut s'amender que par la voie des douleurs et des souffrances.

naissance de l'éros, de son exigence mystique! Une telle
indifférence à l'égard de la grande purification critique
qui est au cœur du platonisme! Moulinier affirme
« qu'il ne s'intéresse point à la purification de l'âme »,
« qu'il n'avait même pas d'opinion personnelle au sujet
de la pureté »! Moins de morale que de moralisme
et même de pharisaïsme chez ce puritain qui se montre
soucieux de préserver la femme de l'incontinence et de
la lasciveté, qui recommande de lui épargner la vue des
peintures lubriques et de réserver aux hommes les images trop libres de certains dieux, qui déclare détester
l'ancienne comédie (il s'agit de la verve drue, robuste,
magnifique d'Aristophane) et lui préférer « les sous-en-
tendus de la nouvelle ». Est-ce parce qu'on peut avoir
l'air de ne pas les entendre ?

Je sais que la qualification de puritain peut surprendre pour ce païen, vraisemblablement pédéraste (au
moins dans la première partie de sa vie), bien qu'il ait
condamné l'homosexualité, et qui, une fois converti au
commerce des femmes, éprouve le besoin de faire connaître publiquement sa satisfaction (mais du même coup
proclame qu'il est rentré dans la morale officielle!). Et
il est vrai qu'il y a chez lui une fascination de la sexualité, mais de cette sorte qu'on trouve fréquemment associée à l'étonnement, à la stupeur de l'esprit devant les
servitudes du sexe. Aristote est de ceux qui tiennent pour
un scandale que l'amour utilise les mêmes organes que
les déjections. On sait l'obsession qu'il a de cette rencontre. L'esprit scientifique ne suffit pas à expliquer sa
prédilection pour l'étude des organes sexuels, des modes
et même des poses de la génération ni surtout son insis-
tance à les comparer aux fonctions d'évacuation. Tant de
pages — des traités entiers! — consacrés à la description du sperme, des menstrues, de l'excrément. Je ne crois
pas me tromper, il y a chez Aristote une sorte de méchant
plaisir à clouer l'amour sur la table de dissection (comme

ces hérissons ou ces seiches dont il découpait l'utérus ou
les testicules) et à le montrer sous son aspect médical
le plus rebutant — jamais dans son activité divinisante. C'est tout juste s'il ne surenchérit pas sur l'immonde. Une certaine irritation envieuse à l'égard de Platon n'y est pas étrangère (que l'on compare toutes ses
critiques souvent perfides des théories de son maître
au culte de celui-ci pour Socrate, à l'*Apologie*, au *Banquet*, au *Phédon!*). Elle ne fait que s'ajouter à cette
incompréhension rageuse de l'amour sublime que l'on
voit quelquefois chez ceux qui s'en savent incapables.
Si de telles natures ressentent plus de honte que d'autres de certains actes pareils en apparence, ce n'est pas
qu'elles aient l'âme plus haute mais que ce qu'elles font
est plus bas, plus plat, car elles sont impuissantes à s'en
dégager. Le puritain ne cesse d'explorer cet écart entre
l'amour et les voies obscures qu'il est obligé d'emprun-
ter. Il éprouve cet hiatus comme une faute de la nature.
Il en souffre par impossibilité de le couvrir. Conséquen-
tes donc, ces âmes peu démoniques, d'avoir honte pour
l'amour et de ne s'y livrer qu'avec mauvaise conscience,
voire de s'y refuser (comme cette Hypathia qui décou-
rageait son amant : « Voilà ce que tu adores, Archytas,
la sale matière, cette pourriture, avec ses sécrétions, ses
déjections et ses infections », à quoi Archytas répondait *sublimement* : « Ce n'est pas la matière que j'aime,
c'est la forme. » Le matérialisme n'était pas du côté
d'Archytas).

Toute l'intelligence d'Aristote n'y peut rien. C'est
une nature cloisonnée. Il n'y a pas chez lui de communication de la chair à l'esprit. Cette impuissance
amoureuse est une impuissance religieuse. Son indifférence à relier, sa carence de sens sacré est évidente.
Par quel paradoxe est-il devenu grand docteur dans
l'Eglise ? Dans tous les domaines, son influence s'exerce
dans le sens de la laïcisation. Mais précisément, dans

la mesure où l'amour se désacralise, où il ne se propose
plus la divinisation par la purification, dans la mesure
où, amputé de ses liaisons, il cesse d'être ce risque merveilleux qui le constitue à la fois salut et perdition,
dans la mesure enfin où il se voit ramené à ses fins
physiologiques et aux avantages de la vie pratique, quel
empêchement y aurait-il à l'introduire dans le mariage
et à le partager avec un sexe pour lequel Aristote a
sinon peu d'estime ? Il suffit de le rattacher à l'amitié
et de l'accompagner d'une solide codification morale.
Aristote va s'y employer. Et d'abord, on ne se marie
pas pour le plaisir. Du moins la femme, puisque
l'homme ne saurait s'accoupler sans y atteindre (et Aristote n'y était pas insensible, encore que là aussi il cède
au besoin de ravaler et le nomme quelque part « une
vive démangeaison »). On se marie pour procréer, mais
aussi pour des raisons économiques : rechercher ensemble ce qui est indispensable à l'existence, se partager
les tâches, surtout « mettre en commun les avantages
propres à chacun ». Ce sera le principal accomplissement
d'ce genre de mariage où, comme le dit si joliment
Aristote, « l'utile se trouve joint à l'agréable ». Cette
union pourra même, à la rigueur, être fondée sur l'*arété*,
sous la réserve que la vertu n'est pas la même pour les
deux sexes. Socrate pensait qu'il n'y a qu'une vertu et
que la tempérance, le courage, la justice sont identiques,
qu'il s'agisse de l'homme ou de la femme. Mais Aristote sait bien qu'il y a une vertu pour le gouvernant et
une autre pour le gouverné. L'une est tout entière de
commandement et l'autre de soumission. De même qu'il
y a des esclaves pour servir d'outils animés, véritables
objets de propriété des hommes libres, il y a des êtres
nés pour commander et d'autres pour obéir. Les femmes
sont de cette espèce. Le silence est leur parure.

Comme on voit, nous sommes assez loin de l'amour.
Prenons le texte le plus humain d'Aristote sur le cou-

ple : « Entre l'homme et la femme, l'affection mutuelle semble être un effet de la nature », complétons-le par les règles données sitôt après pour proportionner cette affection selon la justice, car dans la philia conjugale — comme dans toute amitié où intervient un élément de supériorité — « pour rétablir l'égalité, l'inférieur doit accorder au supérieur une compensation proportionnelle », « il faut que le meilleur soit aimé plus qu'il n'aime » (et le meilleur bien entendu, par définition c'est l'homme, la femme ne pouvant même prétendre à la *kalokagathia*). « Au meilleur la supériorité des avantages » précise Aristote. Ainsi « chacun obtient ce qui lui convient ». Mais l'éros aussi se fondait sur une inégalité. Dans l'amour païen, la réciprocité est rarement totale. Cependant c'est le meilleur, l'aîné, l'éraste qui aime le plus vivement et, loin de se sentir lésé, considère qu'il a la meilleure part : « Un amant est chose plus divine que le bien-aimé, car il est possédé du dieu. » Rien n'éclaire l'immensité de l'écart entre l'éros et la philia d'Aristote comme ce renversement — un écart qui est du sacré au profane.

Il faut donc protester avec la plus grande vigueur lorsqu'on entend dire qu'Aristote a réhabilité l'amour conjugal. Ce qu'il réhabilite, ce n'est même pas l'amour raisonnable, c'est l'*association conjugale* dont Xénophon, peu d'années avant la naissance d'Aristote, avait dessiné la physionomie avec un rare bonheur.

C'est dans l'*Economique* que pour la première fois, à ma connaissance, les époux sont nommés des associés. On n'a pas fini, depuis vingt-quatre siècles, de s'extasier sur la délicatesse de ce bourgeois d'Athènes, sur la gentillesse de ses conversations avec sa jeune femme, sur l'autorité débonnaire qu'il exerce sur elle. L'envie vient d'y aller voir d'un peu plus près. Or, cela commence bien. Socrate, un Socrate bien fade, tout dégorgé de son sel attique, rencontre Ischomaque au Forum et lui demande comment il s'occupe : « En tout cas, observe Socrate, tu ne passes pas tout ton temps enfermé à la maison, à voir ton air de santé, on ne le croirait pas. » Ce qui fait rire Ischomaque qui rassure le philosophe : non, il ne reste pas du tout à la maison « car, dit-il, pour les affaires domestiques ma femme à elle seule est très capable de les diriger ». Il se fait qu'un jour Ischomaque ayant réprimandé sa jeune femme de s'être fardée de céruse et d'orcanète pour s'éclaircir ou se rosir le teint et lui ayant recommandé de renoncer aux artifices qui ne sont qu'apparences et non beauté véritable, l'épouse, non sans malice j'espère, a demandé comment faire « pour être belle véritablement ». Ischomaque alors lui a conseillé, non de prendre l'air, mais de faire des tournées de surveillance dans sa maison, allant du métier à tisser à la boulangère, de la boulangère à l'intendante. Ainsi elle s'occuperait de ses affaires tout en se promenant.

> Un bon exercice aussi, disais-je, consistait à mouiller la pâte et à la pétrir, à secouer et à plier les vêtements et les couvertures. Si elle s'exerçait ainsi, elle mangerait avec plus de plaisir, elle se porterait mieux et gagnerait un plus beau teint.

Tout le reste est à l'avenant. Pour apprécier cette anecdote, il faut se souvenir du culte des Grecs pour la vie au grand air. La lumière pour les Grecs (Miller l'a compris) est une sorte de sainteté. Or sa vertu purificatrice est concédée même aux pauvres. Platon nous montre quelque part un « pauvre tout sec et rôti au soleil ». Elle n'est refusée qu'aux femmes. Aussi la ritournelle « rester à la maison » revient-elle à chaque paragraphe du sermon d'Ischomaque.

Il est tout faraud, cet Ischomaque, d'avoir formé lui-même sa jeune femme. Il ne tarit pas sur l'excellence

de son dressage au terme duquel « il n'avait qu'un mot
à dire pour être obéi tout de suite ». Non sans complaisance, il nous conte son premier entretien conjugal :

> ... quand elle s'est familiarisée avec moi, et qu'elle
> s'est apprivoisée pour causer, je lui ai posé à peu
> près ces questions : « Dis-moi, ma femme, as-tu
> compris maintenant à quelle fin je t'ai épousée et à
> quelle fin tes parents t'ont donnée à moi ? Nous
> n'étions embarrassés, ni toi, ni moi, de trouver quel-
> qu'un avec qui dormir : tu t'en rends bien compte,
> je le sais, tout comme moi. Mais après avoir réfléchi,
> moi pour mon propre compte, et tes parents pour le
> tien, au meilleur *associé* que nous pourrions nous
> adjoindre pour notre maison et nos enfants, je t'ai
> choisie pour ma part et tes parents, il me semble,
> m'ont choisi, moi, parmi les partis possibles. »
> *Et comme l'épouse s'inquiète (elle a quinze ans!)* :
> « De quoi suis-je capable ? C'est de toi que tout
> dépend. Mon affaire à moi, m'a dit ma mère, c'est
> d'être sage, *Ischomaque répond* : « Le devoir d'un
> homme et d'une femme sages est de s'efforcer de
> maintenir leur avoir dans le meilleur état possible et
> de l'accroître autant que possible par des moyens
> honorables et légitimes. »

Nous voilà fixés. Cet Ischomaque n'enseigne que l'art
de s'enrichir. Ces fameuses vertus qu'il veut inculquer
à sa femme ne sont que des qualités de bonne intendante : sobriété, docilité, activité, parcimonie, ordre avant
tout, ordre dans le rangement, la conservation des biens
et des provisions, ordre dans l'établissement du budget
et la répartition des dépenses, ordre dans la distribu-
tion des tâches, la surveillance des serviteurs et des esclaves — jusqu'à celle du verrou qui sépare l'appartement des hommes de celui des femmes, car il ne con-

vient pas que les esclaves aient un enfant sans permis-
sion! Aussi est-ce le partage des attributions qui domine
toute l'économie de ce mariage. Xénophon ne craint pas
de le justifier par un finalisme moins naïf que madré.
C'est la prévoyance divine qui, après examen appro-
fondi, a adapté la nature du mâle aux travaux exté-
rieurs et celle de la femme aux travaux de la maison.
Ne faut-il pas en effet quelqu'un pour labourer, semer,
planter, mener paître le bétail — toutes choses dont se
chargeait sans doute le riche Ischomaque! — et quelqu'un d'autre pour conserver les provisions, élever les
nouveau-nés, tisser les étoffes, faire partir les serviteurs dont le travail est au-dehors, distribuer ce que
l'on devra dépenser, quand on apportera de la laine veiller à ce qu'on en fasse des vêtements pour ceux qui en
ont besoin.

Ai-je tort de songer à cette autre intendante là-
bas en Judée qui « se lève avant le jour et distribue la
pitance à la famille, la besogne aux servantes », qui,
« pareille au vaisseau du marchand, de loin fait rentrer
sa subsistance », qui « se procure de la laine et du lin
et travaille de bon cœur avec ses mains » de sorte que
« toute sa famille est vêtue splendidement ? » Au reste,
elle aurait tort de se fâcher, cette jeune femme d'Ischomaque, d'avoir plus à faire, pour gérer la fortune de
son mari, que si elle se trouvait à son service. Elle
trouvera plaisir à certaines occupations : doubler le ren-
dement des esclaves, récompenser les serviteurs qui ont
une bonne conduite, châtier les autres! Mais rien n'éga-
lera celui de devenir une bonne associée, de plus en plus
considérée par son mari à mesure qu'elle vieillira, « car
ce n'est pas la grâce et la beauté, mais les vertus utiles
à la vie qui font croître le bien et le bonheur parmi les
hommes ». Et l'écho biblique répond à nouveau : « Ses
fils se lèvent et la bénissent, son mari fait son éloge »
car « la grâce est trompeuse et la beauté passe ».

C'est à cette institution, axée sur la gestion du patrimoine et des biens matériels, qu'Aristote va prêter le
support d'une philosophie politique et morale, à vrai
dire peu cohérente, mais qui n'en servira pas moins la
confusion des vertus familiales et de l'économie domestique. Sans doute, il n'invente pas le mariage de
raison, il ne fait qu'y ajouter sa réglementation tatil-
lonne et les prescriptions minutieuses de son eugénique
(âges propres à la génération, écart à observer entre
eux, saisons et vents favorables à l'acte sexuel, limita-
tion politique des naissances, avortement obligatoire en
certains cas, exposition des enfants mal conformés).
L'institution était dans les mœurs. Et puisque la philosophie est faite par les hommes, toutes les écoles s'accor-
deront finalement à la consacrer. Mystiques ou moralistes, érotiques ou puritains, philosophes de l'Académie, du
Lycée, du Jardin, tout ce monde va s'entendre au moins
sur un point et c'est l'incompatibilité d'Eros et de l'u-
nion conjugale. Tantôt c'est la hauteur même où prétend l'érotique qui s'oppose à y comprendre la femme,
tantôt la crainte ou la haine, non seulement de l'amour
mais de tout ce qui élève, de tout ce qui dépasse, au
nom d'un retour moins à la nature, au naturel humain,
qu'à la chiennerie. Mais qu'il s'agisse de défendre Eros
contre le mariage ou le mariage contre Eros, le résultat est le même, c'est la dissociation de l'union conjugale et de l'amour véritable.

Si l'on songe que ces attitudes doctrinales étaient
appuyées par des institutions féroces — à Athènes
répudiation obligatoire de la femme infidèle avec pri-
vation des droits civiques pour le mari en cas de
non-répudiation, autorisation en cas de flagrant délit
d'abattre le complice, interdiction à la femme adultère

d'accéder aux autels, de se vêtir selon son rang,
de porter bijoux ou parures —, sans compter les
sanctions de l'opinion, aussi impitoyable à l'égard du
moindre écart de conduite de l'épouse qu'indulgente aux
incartades du mari, l'on s'aperçoit que l'on se trouve
devant un système admirablement organisé pour réserver l'amour à l'homme. Ce système n'est pas propre
à la Grèce. Il s'agit d'une très antique appropriation
réalisée par le sexe masculin. Maître de la femme-
épouse, l'homme n'entendait pas pour autant se priver
de caprices sexuels. Il se divertissait avec ses esclaves,
avec des hétaïres ou recourait à la polygamie. Il semble que se soit affirmée très tôt la distinction entre la
femme instrument de plaisir et la femme domestique
et que l'homme ait toujours répugné — en mélangeant
les deux rôles — à donner à la compagne le redoutable
ascendant de l'amante.

En Grèce, le système ne s'appuie pas seulement sur
les institutions mais sur la coutume religieuse. C'est
le père de la jeune fille, à son défaut le frère, qui choisit le mari parmi les prétendants. Non-intervention
dans le choix, obligation d'accéder vierge au mariage,
engagement de stricte fidélité, ce triple cadenas aurait dû suffire, semble-t-il, à bannir l'amour de la vie
des femmes. Or, il n'en fut pas ainsi. Malgré la sévérité des lois, en dépit de la réclusion à laquelle les
femmes étaient contraintes (c'est pour elles que Phidias représentera la Vénus des Eléens le pied posé sur
une tortue, ce qui signifie que leur devoir était de rester
à la maison et de se taire), toutes ne se résignaient pas
à l'effacement. Au reste, il y avait l'imprévisible, les
guerres, la chasse aux captives, les enlèvements — sans
compter la finesse des amants. L'Iliade n'est-elle pas
l'épopée d'un rapt? Car dans Homère déjà, il y a les
deux amours. Celui de la femme-butin — que de pil-
lages, que de saccages dans ces campagnes dont l'attrait

est de chasser la femme en même temps que l'esclave et le bétail! Sensuel, voluptueux, friand de délices charnelles, jamais spirituelles (que l'on songe à la scène fameuse où Hélène, guidée par Aphrodite, pénètre sous la tente dans laquelle Pâris, tel un amant des Mille et Une Nuits, repose, tout paré sur une couche parfumée), c'est déjà l'amour romanesque. A côté, il y a l'amour régulier, il y a la compagne. Et sans doute ce général ou ce soldat qui assiège Troie, comme ce matelot qui ronchonne sur son bateau que retiennent les tempêtes d'hiver, soupire après la sienne, mais derrière cette nostalgie il y a celle, plus puissante, du foyer — maison ou palais — dont la femme est à la fois gardienne et servante, accessoire et symbole. Ce qui fait languir Ulysse chez Calypso (qui tout de même réussit à le retenir pendant sept ans) ce n'est pas seulement Pénélope, c'est « le désir de voir *en son logis* la journée du retour ». Certes, comme le dit Achille, « tout homme qui a du cœur et de la cervelle aime sa femme. Et il lui donne sa protection ». Aussi pleure-t-il Briséis. Mais les grandes lamentations sont pour Patrocle et c'est pour venger celui-ci qu'il se fera tuer. Est-ce à dire qu'il n'y eut pas d'homme en Grèce pour aimer une femme passionnément ? Bien au contraire. Mais ils ne s'en vantaient pas et nul ne songeait à les en complimenter. Dès qu'un Grec s'abandonne à l'amour passionné d'une femme, il est perdu pour la communauté, car il se dévirilise — comme Pâris qui n'est qu'un efféminé.

Ce qui rachète l'amour aux yeux des Grecs, c'est la conception de la femme-objet. Le guerrier ne s'avilit pas dans l'amour-délassement. Pas plus qu'il ne s'amoindrit en prenant une compagne, mais à condition de la commander, d'en être le chef, de lui dicter sa loi, comme il était de règle dans ces familles primitives dont Homère cite l'exemple. Donc l'amour conjugal sera raisonnable. Du moins de la part de l'époux. Car la fable retient et

célèbre la dévotion d'Alceste pour Admète. L'esprit de
sacrifice de la femme, loin de le ruiner, consolide le
système. Aucun homme ne songera à blâmer les pythagoriciennes de pousser le dévouement envers l'époux jusqu'à la mystique conjugale.

Une pareille politique impliquait la prostitution (car
la licence avec la femme ou la fille d'autrui compro-
met les institutions) ou la pratique de l'homosexualité.
Les Grecs avaient l'une et l'autre. Mais il arrive qu'une
politique se retourne. Celle-ci allait priver l'Occident
d'une érotique hétérosexuelle. C'est à l'avilissante conception de la femme-objet qu'il faut attribuer le fait énorme
que la doctrine de l'amour divinisant, de l'amour *voie*
s'élabore en dehors de la femme, sinon contre elle. Mais
du même coup, c'est la dissociation de l'érotique et de
la fonction sexuelle, c'est la désintégration même de l'a-
mour. L'événement est d'une gravité, d'un poids extrême.
On a beau tourner et retourner les choses, on se trouve
là — et paradoxalement, car enfin l'éros platonicien est
essentiellement démonisme, communication, liaison —
devant la première et précoce désintégration de l'éros,
d'autant plus redoutable qu'elle se fait au niveau du
sublime.

Ce n'est pas tout. Le fait que les Grecs — dans
la mesure même où leur amour vise haut — se trouvent réduits à un type de relations qui ne fut jamais accepté totalement par l'opinion, place les philosophes dans une situation fausse. Socrate et Platon savent
bien que la chasteté qu'ils se proposent et que vraisemblablement ils pratiquent, n'est pour d'autres qu'une parade. Est-ce à dire qu'il faille les rejeter, les considérer
comme des porcs ou des boucs immondes ? Non, répond
Platon avec netteté[1], si du moins ils se sont unis par

1. *Phèdre*, 256, c, d, e.

amour véritable. Un flottement subsiste néanmoins chez les commentateurs, souvent intéressés à durcir ce verdict. Le platonisme mal compris va, pour toujours, charger la conscience occidentale de la réprobation dualiste de la chair. Le faux idéalisme bourgeois trouve là son origine. Désormais va triompher l'opinion qu'il est plus noble d'aimer avec le cœur ou le cerveau qu'avec les sens, d'aimer *platoniquement* que d'aimer totalement, alors que l'idée centrale du platonisme — maintes fois affirmée dans le *Banquet* et *Phèdre* — avait été que l'on peut, soulevé par le désir amoureux, s'élever à partir des sens et de la chair.

Sans doute la purification platonicienne demeure-t-elle expérience privilégiée. La plupart des Grecs aimeront sous l'invocation de Pan plutôt que d'Eros. Mais Pan, fils d'Hermès, a une double nature. Une partie rugueuse, hérissée, naturelle (qu'il tient du bouc), tournée vers les hommes et une partie lisse, douce, tournée vers les dieux. Socrate ne craignait pas de le prier : « O cher Pan, donnez-moi la beauté intérieure », et quant à Platon, « même dans les mœurs infâmes il voyait briller la promesse du pur amour[1] ».

La même politique qui évinçait la femme de l'éros et favorisait la pédérastie, était propice aussi à l'amour de la femme pour la femme. Bien avant Socrate et Platon, une voix féminine avait donné une anticipation de leur doctrine. Les Grecs comparaient l'*art d'amour* de Sappho à celui de Socrate. Comme le sien, c'était d'a-

1. Cf. Flacelière, *L'Amour en Grèce*, p. 159, Hachette, Paris, 1960.

bord une pédagogie. Les fragments très mutilés qui nous
sont parvenus suffisent à établir que Sappho fut un
grand poète de l'amour passionné, mais permettent-ils
vraiment d'aller plus loin et de parler de l'érotique de
Sappho ?

Socrate, Platon, l'empereur Julien, tous la louè-
rent, Strabon l'appelle un merveilleux prodige et Anti-
pater un Homère féminin. Veuve et mère, elle présidait
aux destinées d'une grande école et formait des jeunes
filles à la danse, au chant, au jeu de la lyre. Mario
Meunier et André Bonnard estiment qu'elle les préparait tout simplement au mariage et que son école était
une sorte de Saint-Cyr. Car — à la différence de ce qui
se passe pour Platon — la tendance ces derniers temps
est en faveur de la pureté des mœurs de Sappho. Dirai-
je le fond de ma pensée ? Je crois que ce point d'anecdote importe peu. Le vrai problème — comme pour Platon — est moins un problème de pureté qu'un problème
de purification. Il paraît bien difficile de nier que Sappho a tout connu d'Eros « briseur de membres ». Il
n'est pas moins évident qu'elle a dépassé le plaisir,
vaincu la chair et atteint quelque chose que l'on peut
sans crainte nommer divin. A cet égard nous possédons
une preuve formelle, c'est l'argumentation du beau livre
de Jérôme Carcopino sur la basilique païenne de la Porte
Majeure à Rome. Le fait que le saut de Leucade figure
au-dessus de l'autel de l'austère secte pythagoricienne
comme symbole de régénération, de nouvelle naissance,
nous garantit que, par un chemin peut-être ardu, Sappho avait atteint le terme de son initiation. Son œuvre
n'en consacre pas moins, elle aussi, la séparation des
sexes, la rupture d'Eros et du couple, la dissociation
de la fonction sexuelle et de l'amour divinisant.

Il se trouvera des Grecs pour s'aviser du danger et pour défendre l'amour normal. L'effort le plus considérable sera fait par Plutarque. Voulant récupérer l'éros au profit du mariage, il entreprendra de prouver que les femmes peuvent l'inspirer et l'éprouver tout comme les garçons. Et bien que le statut de la femme se soit amélioré, il faut croire, à voir le soin que Plutarque met à étayer son argumentation de citations et d'exemples, que la chose n'allait pas de soi, même en ce début du II° siècle après Jésus-Christ.

Critiquant le mariage de raison, blâmant les hommes « peu soucieux d'aimer et d'être aimés », dont les uns

> attirent à eux de malheureuses femmes par l'appât d'un petit avoir, les jettent avec leur argent dans les soins du ménage et, tout au long des jours se querellent avec elles, les tiennent en main comme des servantes, tandis que les autres fécondent en hâte la première venue et, plus désireux d'avoir des enfants qu'une femme, font comme le mâle de la cigale qui dépose sa semence sur un oignon ou tout autre légume,

Plutarque, dans l'*Eroticos*, plaide pour le mariage d'amour. La scène est à Thespies au moment des *Erotides*, fête de l'Amour célébrée tous les quatre ans, et l'on apprend tout de suite que Plutarque est venu jadis au même endroit sacrifier à Eros avec sa jeune femme. En dépit de ces circonstances favorables, le dialogue ne s'élève jamais jusqu'au sacré. En revanche on y trouve quelque chose de l'atmosphère de religiosité superficielle et de l'animation des lieux

de pèlerinage, animation qui atteint son comble lorsque la foule, abandonnant les concours et les réjouis-
sances traditionnels, se masse devant la maison d'Isménodore, jeune et belle veuve qui vient de faire enlever un éphèbe dont elle est éprise. Parmi les inter-
locuteurs (deux d'entre eux sont des *érastes* de l'éphèbe),
les uns prennent parti pour la pédérastie et traitent de
haut « cet autre amour efféminé et bâtard, amollissant
et casanier qui s'attache aux robes et aux lits des femmes, toujours à la recherche de voluptés et de plaisirs
indignes d'un homme », les autres, dont Plutarque,
mettent en doute le désintéressement de l'amour viril :

> si l'amour des garçons renie la volupté, c'est qu'il a
> honte et craint le châtiment; comme il a besoin d'un
> prétexte honnête pour s'approcher des beaux jeunes
> gens, il met en avant l'amitié et la vertu. Il se couvre
> de poussière dans l'arène, prend des bains froids,
> fronce les sourcils; à l'extérieur, il se donne l'air
> d'un philosophe et d'un sage, à cause de la loi, puis
> la nuit quand tout repose,

> douce est la cueillette en l'absence du gardien!

Mais si l'amour charnel contre nature laisse subsister
la tendresse amoureuse, à plus forte raison, dit Plutarque, l'amour de l'homme pour la femme. Au reste, il n'y
a qu'un seul amour. Qu'Eros, triomphant de l'individua-
lité, unisse donc les âmes des époux par une fusion
si intime « qu'elles ne veulent plus ni ne croient plus
être deux ». Ainsi s'efforce-t-il d'étendre le grandiose
thème platonicien de la complémentarité à l'amour conjugal. S'il réussissait, ce serait un événement considérable, ce serait la réintégration de tous les éléments
de l'amour, ce serait la récupération du mythe au profit de l'amour normal, ce serait la réhabilitation de

l'union conjugale et du couple. Hélas! s'il déborde de
bonnes intentions, il manque de génie. Il faut l'entendre aux deux sens. Il n'est certes pas grand philosophe. Il n'est pas davantage — comme Socrate ou
Platon — un démonique. Et moins que jamais à
l'époque où il compose l'*Eroticos*, soit dans les dix
dernières années de sa vie. A la liberté de ses premiers ouvrages s'est substitué un dualisme proche
des gnostiques qu'il pense, à tort, pouvoir détruire d'un
passage des *Lois*. Le pontife du polythéisme officiel
a évincé l'épopte d'Eleusis, le théologien a supplanté
le mystique. En vain se référera-t-il, tout le long de
l'*Eroticos*, à la pensée de Platon, en vain rappellerat-il les thèmes de l'amour ailé, *Eros Pteros*, et de l'amour-réminiscence, en vain évoque-t-il la théorie des
quatre délires (mais par quelle déchéance la *mania* divine se trouve-t-elle associée au coup de force de cette
Isménodore faisant enlever un jeune homme à peine
nubile pour imposer leur mariage à l'opinion ?), quelque chose d'essentiel manque à l'éros de Plutarque et
c'est la grande découverte socratique et platonicienne du
désir amoureux comme ressort de la purification et
de la connaissance, c'est le démonisme de l'éros divinisant. Aussi peut-on dire que la tentative d'étendre
l'érotique platonicienne au couple a échoué. Elle porte
sur un éros amputé de sa dimension métaphysique
et mystique. Et certes la plupart des couples s'en passeront allégrement. Il n'en est pas moins regrettable que
l'amour normal n'ait pas une fois osé ou pu se réclamer
de la haute doctrine platonicienne.

Cependant l'amour de Plutarque — en progrès sur
la philia d'Aristote — est un vrai amour des sens et du
cœur. C'est plutôt du côté de l'esprit qu'est la carence.
Plutarque n'a pas pratiqué la méthode de Diotime. Il ne
s'est pas haussé peu à peu du sensible à l'intelligible,
voire à quelque chose de plus auguste encore. Cepen-

dant, sans aller jusqu'à explorer cette région de communication, il a eu conscience que c'est en elle que se situe
le mystère de l'amour. « L'union physique avec une
épouse, a-t-il écrit, est source d'amitié et comme une
participation en commun à de grands mystères. » On
s'est émerveillé de la ressemblance de ce *hieron mega-
lon* avec le *mysterion mega* de saint Paul. Et il est
vrai que la coïncidence (car ce n'est rien d'autre) est
frappante. Nous n'en restons pas moins sur notre faim.
La pensée de Plutarque tourne court. Platon a trouvé
d'autres mots, d'autres accents pour nous transporter et
nous introduire au cœur même de ces Mystères. Le
Banquet et *Phèdre* ne seront jamais égalés et c'est en
fin de compte à l'amour des garçons que nous sommes
redevables de la seule grande érotique occidentale. Tout
de même, grâce à Plutarque, pour la première fois,
l'amour de l'homme et de la femme a été traité avec
honneur.

Est-ce vraiment la première fois ? Les Grecs n'ont-ils
pas connu et pratiqué une mystique du mariage et du
foyer ? Et cette éthique sacrée n'est-elle pas, en grande
partie, œuvre féminine, donc doublement intéressante ?

Il est vrai qu'il y a eu une mystique pythagoricienne
du mariage. Ce n'est pas une mystique de l'amour ou
du couple mais une *mystique de service*. Bien que les
fragments de traités ou de lettres attribués aux femmes
pythagoriciennes[1] soient tardifs, on y retrouve les grands
thèmes de l'Ecole, l'ordre, la proportion, l'harmonie. Les
sectes pythagoriciennes se servent (comme le platonisme)

---

1. *Femmes pythagoriciennes, Fragments et Lettres,* trad. de
Mario Meunier, L'Artisan du Livre, Paris, 1932.

de l'image mystique du poste de garde dont l'homme n'a pas plus le droit de s'évader qu'un soldat. Mais le pessimisme pythagoricien met l'accent sur l'idée de subordination et de service. Elle pèsera lourdement sur l'épouse, en dépit de l'attention libérale que le pythagorisme voue à la condition féminine. C'est qu'à l'exemple du cosmos, la famille, comme l'Etat, doit être gouvernée. Or ce rôle revient à l'homme par droit naturel et mandat divin. Quant à la femme, elle sera la prêtresse de ce temple de sainteté qu'est pour les Pythagoriciens un foyer familial.

Comme on voit, les choses n'ont guère changé. De quelque côté qu'il lui vienne, le lot de la femme est toujours la soumission. Mais parce que cette fois, l'homme n'obéit pas à de sordides considérations d'intérêt camouflées sous la duperie d'une religion de convenance (comme Ischomaque obligeant sa jeune femme à promettre devant les dieux « de devenir telle qu'elle devait être »), mais qu'il se réclame d'une religion sincère, vivante, où l'épouse — bien que modestement — se sentira intégrée, parce que le pythagorisme va conférer à sa subordination une justification mystique, la femme s'y ralliera avec enthousiasme. On la verra même surenchérir et, dans une sorte d'émulation d'ascétisme, élaborer le plus austère des catéchismes conjugaux.

Tous les lieux communs de l'éthique traditionnelle y reparaissent. Pour être sacrée, la vocation de la femme ne s'en accomplit pas moins sous le signe de la retenue, de la réserve, de la modestie. On songe à ces nains (dont parle l'auteur du *Traité du Sublime*) que l'on enfermait dans des boîtes pour les empêcher de grandir. Chez la femme pythagoricienne, la connaissance et la religion seront elles-mêmes bridées. Prétend-elle à la philosophie, que ce soit avec le dessein d'acquérir une plus juste conscience de ses devoirs conjugaux. A l'intelligence, que ce soit alors de l'intelligence *appliquée*.

A la piété, que ce soit en faveur des dieux traditionnels, fondateurs de la cité, des dieux *sages* (car
chez ces femmes fortes prévaut la notion du sexe débile
qu'il faut à la fois soutenir et freiner. Phintys enseigne qu'il y a des vertus pour l'homme et des vertus
pour la femme, des occupations différentes pour l'un et
pour l'autre (on voit le recul sur Socrate et Platon) !
Aux femmes, il appartient de veiller sur leur maison, de
rester chez elles, d'attendre et de servir leur mari. Phintys énumère les cas dans lesquels la femme pourra sortir de sa demeure : « Ce ne sera ni à la tombée de la
nuit, ni vers le soir, mais lorsque l'agora sera pleine
que la femme devra sortir ostensiblement de chez elle,
soit pour se rendre à quelque solennité ou aux emplettes
domestiques, décemment conduite par une servante ou
tout au plus par deux. » Après la réclusion, le silence.
Pythagore avait demandé aux femmes de « ne proférer
que de salutaires paroles ». Mais Théano enseigne que
la parole d'une femme retenue ne doit pas être à tout
le monde et qu'il convient qu'elle « se garde comme
de se mettre nue en face des étrangers, de faire à tous
entendre sa voix. Dans la voix, en effet, transparais-
sent le sentiment, le caractère et la disposition de celle
qui parle ».

Honorer les dieux, professe Périctioné, honorer les parents, sans doute. Mais avant tout, s'appliquer à préserver et conserver sa couche. Le principal des devoirs
de la femme est là. Qu'elle supporte tout ce qui arrive
à son époux, soit qu'il tombe dans l'infortune, soit que
par méprise, par faiblesse ou excès de boisson, il vienne
à faillir, soit qu'il noue des rapports avec d'autres femmes. Une telle défaillance est pardonnée aux hommes,
elle ne l'est point aux femmes, et le châtiment est, pour
elles, imminent. Il sied de se rappeler cette concession
d'usage, et de ne pas se laisser emporter par la jalousie,
mais de supporter aussi la colère, la parcimonie, les

doléances, la jalousie et les reproches de son époux, et tout autre défaut qu'il puisse avoir par nature.

Sainteté et piété au lit, prêche encore Phintys, décence dans la façon de se vêtir, réserve dans les sorties hors de sa demeure, abstention des fêtes orgiastiques et de la Mère des Dieux, exactitude et modération dans les sacrifices faits à la divinité. Mais le premier principe, celui qui enferme tous les autres est de « se garder incorruptible à l'égard de son lit ». Ce qui est faiblesse chez l'homme devient crime chez la femme. Phintys rappelle qu'en certains cas le législateur, à bon droit, le punit de mort.

L'on possède plusieurs lettres de consolation adressées par des pythagoriciennes à des amies dont le mari s'est épris d'une courtisane. Le thème en est identique : la vertu d'une épouse ne consiste pas à espionner son mari, mais à être sa compagne indulgente, et à supporter sa folie. Pythagore pourtant avait recommandé la fidélité réciproque. Il avait aussi conseillé aux femmes la simplicité de mœurs, de mise et la discrétion de la parure. Ici encore, les pythagoriciennes vont surenchérir. Périctioné appliquera ce principe à la nourriture, aux vêtements, aux bains, à l'arrangement des cheveux. Les femmes

qui mangent, qui boivent et, pour se vêtir et les porter sur elles, usent de choses trop coûteuses, sont prêtes à tomber dans l'égarement d'une perversion totale, et à mal se conduire à l'égard de leurs lits et de bien d'autres choses. Pour la faim et la soif, il convient donc de ne viser qu'à leur apaisement et encore par des moyens frugaux, et quant au froid, il suffira pour s'en garer d'une toison ou d'un sayon de poils. Se vêtir de vêtements trop ténus et de couleurs provenant de la teinte marine d'un coquillage, ou de quelque autre somptueuse coloration est une grande folie. Le corps ne demande en effet qu'à ne

pas avoir froid, et par décence, à ne pas être nu; il
n'a besoin de rien d'autre... Aussi la femme ne por-
tera-t-elle ni or, ni pierre venant de l'Inde ou d'une
autre contrée; elle ne tressera point ses cheveux à
grands frais d'artifices, ne s'oindra pas de parfums
exhalant l'odeur de l'Arabie, ne s'enduira point le
visage en le blanchissant ou en le rougissant, ne se
noircira pas les sourcils et les yeux, ne teindra pas
d'une autre couleur ses cheveux blancs, et n'usera
point fréquemment de bains. La femme qui poursuit
de tels raffinements cherche un admirateur du dérè-
glement féminin. C'est la beauté qui vient de la
mesure, et non point celle résultant de ces fards,
qui plaît aux femmes bien nées.

Et Phintys (avec une minutie bien pythagoricienne)
précise :

Il faut que la femme soit vêtue avec simplicité et
sans superfluité. Elle y parviendra, si elle n'emploie
point, pour se vêtir le corps, de voiles transparents,
bigarrés et tissés en soie, mais si elle se sert de tissus
modestes de couleur blanche. Ainsi faisant, elle évi-
tera la magnificence, le luxe et la coquetterie, et
n'inspirera point une jalousie perverse aux autres
femmes. Elle renoncera absolument à porter sur elle
de l'or ou de l'émeraude... Il ne faut pas que son
visage soit rehaussé par un coloris emprunté et
étranger, mais par le teint naturel de la peau, que
la seule eau doit servir à laver. La pudeur le parera
mieux, et la femme ainsi attirera, sur le compagnon
de sa vie et sur elle-même, la considération.

D'autre part, « la femme ne tiendra et n'écoutera que
d'honnêtes propos, elle s'adaptera aux parents de son
mari, n'aura d'autres amis que les siens. Elle vivra avec
lui en conformité d'opinions et regardera comme douces

et amères les mêmes choses... » « Enfin, elle doit vivre si conformément à l'usage et avec un cœur si sincère qu'*elle ne doit rien penser pour son particulier.* »

Oblation, esprit de subordination, réclusion, silence, fidélité absolue, effacement et circonspection jusque dans la piété, simplicité de mœurs, sobriété, décence du langage, austérité de l'habillement, générosité illimitée à l'égard des défaillances de l'époux, je demande s'il y a quelque chose dans cette haute et sévère morale conjugale qui n'entre dans la conception de l'épouse chrétienne. On songe au saint Paul des Corinthiens et de l'Epître à Timothée, à l'Homélie pour le choix d'une épouse de saint Jean Chrysostome (sauf qu'il y a plus de sérénité chez les pythagoriciennes : la comparaison accuse le ton vexatoire des premiers Pères de l'Eglise). Or nous nous trouvons devant une pensée et une morale purement païennes, conformes au pythagorisme primitif qui n'a jamais cessé de se transmettre oralement, secrètement, fidèlement dans les confraternités. Mais il y a aggravation dans la sujétion de l'épouse. Est-ce peut-être qu'en la poussant jusqu'à l'ascétisme, la femme avait le sentiment d'en faire sa chose propre, de la revendiquer au lieu de la subir ? De sorte qu'elle pouvait croire sa dignité sauve ? De toute façon le principe demeure. *L'ordre divin veut que la femme soit subordonnée.* Se soumettre est pour elle la façon naturelle de se régler sur la Loi et de respecter le Serment. Avais-je tort de parler d'une mystique de service ?

Au reste le pythagorisme — tout comme le platonisme — ne se propose rien d'autre que l'union à Dieu par la purification. Mais les pythagoriciens n'ont pas, comme Platon, fait confiance à l'amour purificateur. On sait qu'ils pratiquaient une mystique des nombres qui n'était accessible qu'à quelques disciples. Les autres obéissaient aux *acousmata*, sorte de préceptes qui réglaient avec minutie le détail de la vie (et quelquefois de l'amour : faire des enfants pour laisser des serviteurs aux dieux, ne pas faire l'amour dans un temple, ne pas faire d'enfant à une « femme qui porte de l'or », c'est-à-dire une courtisane, faire l'amour l'hiver plutôt que l'été). Mais une morale hétéronome n'est pas une morale *pure*. La purification est essentiellement séparation, élimination. Et une chose qui s'ajoute, même s'il s'agit d'une règle de conduite, compose déjà en une certaine mesure avec ce mensonge qu'est la matière et peut même contribuer à prêter une sorte de structure à sa négativité. Le pythagorisme aura tendance à dégénérer en moralisme et sa méfiance envers la nature humaine donnera à ce moralisme le caractère de l'austérité. Platon, philosophe de l'amour, pensait que « nos pires désirs sont un élan vers le bien que nous dirigeons mal ». Mais les Pythagoriciens, à la question rituelle « Que peut-on dire de plus vrai ? » répondaient « Que méchants sont les hommes ». Cette méfiance s'exercera contre la femme. En dépit de son désintéressement, de sa pureté d'intentions, le pythagorisme — par une disgrâce pareille à celle du christianisme et propre, semble-t-il, aux religions — servira la politique. Il consacrera le régime matrimonial d'oppression et d'humiliation de la femme. Et la parfaite épouse pythagoricienne prendra pour objet de sa dilection mystique une situation qui n'est autre que celle de l'associée : « Ne fonde point l'amitié que tu dois à ton mari sur sa vertu parfaite », est-il dit dans un de ces fragments, « car c'est le bienfait de l'association qui en est le principe ».

Je ne sais si l'on s'en est avisé, c'est à l'épouse, non à la femme que le pythagorisme, toujours comme le christianisme, impose la subordination. Comme Jésus qui s'entoure de femmes, Pythagore les admet dans ses *hétaïries*. Parmi les noms de pythagoriciens illustres, Jamblique cite ceux de dix-sept femmes (sans doute non mariées, car comment eussent-elles — épouses — concilié l'existence semi-communautaire des Frères avec la règle de réclusion ?). Le pythagorisme ici ne sort pas des sentiers battus. Même dans l'Athènes du Vᵉ siècle — où le statut de la femme n'était pas plus enviable que celui du métèque — on admettait qu'il y eût des prêtresses, des purificatrices, des femmes philosophes, célibataires et de préférence étrangères. Ce qui est inconvenant, c'est l'ascendant donné par l'amour à la compagne — surtout s'il se trouve qu'elle est une femme brillante. Périclès en fera l'expérience à ses dépens. Son amour pour Aspasie, leur union parfaite ne lui furent jamais pardonnés. Lui-même n'était pas dégagé du préjugé. Il y retombait dès qu'il n'était pas aveuglé par l'amour — comme en témoigne sa conduite à l'égard d'Elpinice, la sœur de Cimon, une Athénienne intelligente et courageuse qui, bravant l'opinion, se mêlait à la politique. Il se moqua d'elle, écrit finement Marie Delcourt, « sur le même ton que prenaient ses ennemis pour dénigrer Aspasie, et il traita ses propos en radotages de vieille femme ».

L'austère morale pythagoricienne n'excluait pas une certaine forme d'amour conjugal. Dès l'origine, les pythagoriciens avaient enseigné aux femmes qu'il était juste d'aimer l'époux bien plus que les parents (et l'on sait que ceux-ci étaient vénérés dans cette secte à l'égal des dieux). Aux hommes, ils recommandaient de chérir leur compagne, de respecter la convention faite avec elle et, dans le mariage, de mettre tout en commun. En fait, l'affection conjugale s'incorporait ainsi dans la grandiose conception communautaire de l'amitié pythagoricienne. Cet amour si peu amoureux — plus proche de ce que les chrétiens nommeront *caritas* ou *agapè* que de l'éros des philosophes —, présente une grave insuffisance. C'est un amour *consacré*, non sacré — à la différence de l'éros qui, loin de tenir son caractère religieux d'un rite ou d'une cérémonie, est lui-même sacrement, non seulement sacré mais *sacral*, apte à communiquer le sacré. Dans le mariage pythagoricien comme dans le sacrement chrétien, la consécration résulte de l'engagement pris devant Dieu. Pour être opérante, elle exige l'adhésion sincère et persévérante de l'un au moins des époux. La morale des femmes pythagoriciennes montrera que, par l'oblation constante, l'affection conjugale peut devenir religieuse par une autre voie que l'éros. Mais cette ascèse est une réussite solitaire, celle d'une vocation quasi monastique accomplie dans le mariage. Une fois encore, c'est une mystique de service, d'engagement, d'obéissance à Dieu, tout ce qu'on voudra, sauf une mystique de l'amour.

La légende veut que Pythagore lui-même ait aimé frénétiquement Théano, la fille de son esprit, sa femme et son disciple. En tout cas nous devons à cette Théano une curieuse recommandation. Suivant Diogène Laërce, « elle conseillait à une femme qui doit s'unir à son mari de se dépouiller de sa réserve en même temps que de ses habits, mais de la reprendre dès qu'elle se lève, en même temps que ses habits ». Il y a là un contraste — sinon un effet — qui relève de l'érotisme plutôt que de l'érotique. Plutarque en fut choqué. « La femme, dit-il, doit se faire, jusque dans l'amour, un vêtement de sa réserve même. Plus deux époux s'aiment tendrement, plus ils professent à l'égard l'un de l'autre un respect qui est le gage de cette tendresse. » C'est aussi au nom du respect qu'il a pour sa femme que l'homme s'enivre avec une autre ou s'ébat avec quelque petite servante [1]. Le respect chez Plutarque menait loin!

---

1. Plutarque, *Les préceptes de mariage* (XIV).

Parce que j'ai accroché au passage quelques similitudes, on pourrait se méprendre sur mes intentions. Elles ne sont pas d'établir un parallèle entre paganisme et christianisme, mais de montrer que *le différend au sujet de l'amour ne se laisse pas réduire élémentairement à l'opposition païen-chrétien.* La division qui règne dans la morale païenne, devrait, semble-t-il, décourager toute simplification de ce genre.

En résumé, la Grèce a élaboré une doctrine complète, cohérente de l'amour total, dit éros, autrement dit une érotique. J'ai montré, je pense, que cette merveille de la pensée civilisée s'appuie constamment sur les notions toutes primitives, sacrées et préreligieuses du *pur,* de l'*impur,* de la *purification.* J'ai dit aussi qu'à la suite de circonstances historiques qu'il faut déplorer, la femme a été exclue de cette érotique, avec le résultat d'une désagrégation précoce de l'amour, d'une rupture de la sexualité et de la spiritualité. Mal compris, le platonisme va engager la pensée occidentale dans le malentendu d'un idéalisme de fuite et d'évasion.

A l'érotique des platoniciens, s'oppose le mariage de raison des couples-associés. Cette institution présente des variantes — qui vont de la simple association économique au pieux mariage pythagoricien — et un invariant, le principe de subordination de la femme. Poussé par certaines pythagoriciennes jusqu'à l'abnégation, il nous vaudra les premiers retentissements d'une mystique conjugale antiérotique. Fourvoyé dans le mariage pythagoricien, Eros ne pourrait que triompher de son moralisme ou vaincu par lui, moralisé, cesser d'être Eros.

Le paganisme a donc connu les deux amours, le raisonnable et l'autre qui n'a jamais été concédé aux épouses. Sacré, sacral, purificateur, divinisant, l'éros est

avant tout démonique, reliant l'inférieur et le supérieur,
l'homme et le divin, l'esprit et la chair, celle-ci nécessairement présente — quand ce ne serait qu'à l'état d'aspiration, de désir, de transport, de motricité, car sans
la chair l'amour ne trouverait pas de quoi exercer son
activité purificatrice et l'âme ne se sentirait pas engre-
née dans le mouvement universel, mue par la Loi, con-
frontée avec le divin. Cette tension salutaire entre l'esprit et la chair confère à celle-ci un rôle qui est propre
au platonisme et que le christianisme ne lui concédera
jamais. Suspecte aux chrétiens, mais pouvant cependant
être sanctifiée par le sacrement de mariage, la chair
pour les manichéens, les gnostiques et plus tard les Ca-
thares, deviendra le mal en soi que rien ne peut rendre
licite, pas même le sacrement. La morale de ces extré-
mistes sera une abstention désespérée ou un recours à
l'orgie où le corps, « vêtement de la honte est foulé aux
pieds ». Telle est l'alternative d'un dualisme rigide, d'un
pessimisme auxquels le platonisme mieux encore que
le christianisme a su échapper. Dans le secret de l'âme
platonicienne, la chair elle-même mène au divin.

Si Eros est tout ce que nous avons dit, s'il n'est pas
un dieu mort ou une belle invention de philosophe, il
ne saurait disparaître. Et même dans un monde soumis
à l'absolue primauté d'une religion anti-érotique, il trouvera quelque façon de survivre. Il aura ses avatars, ses
épiphanies. Choisissons une époque, une société ayant
subi profondément l'imprégnation des dogmes et voyons
si dans le dur grain du marbre catholique, nous pouvons
suivre la veine érotique.

LE MOMENT CHRÉTIEN

> « *Je suis de chair, asservi au péché.* »
>
> « *Dans ma chair il n'habite rien de bon.* »
>
> Saint PAUL.

HÉLOÏSE OU L'ÉROS REBELLE

On n'y pense pas assez, l'amour moderne n'est pas né avec Tristan mais avec Héloïse et Abélard et c'était un amour conjugal. Il est vrai que ces époux furent persécutés. Tous les mariages ne sont pas en pantoufles. Qu'on relise les lettres admirables, on leur trouvera l'accent le plus actuel. Alors que la Fable nous enseigne la façon de sortir de la vie (mais c'est une sortie sur le néant, non sur l'être) — grand mythe de la mort mais faux mythe du couple, sorte de leurre romanesque proposé à l'émulation des amants, toujours se dérobant à mesure qu'ils s'en approchent —, l'amour d'Héloïse et d'Abélard est affamé de réel. Héloïse plus encore qu'Abélard prétend vivre son amour temporellement. Elle s'y

jette, elle s'y engage tout entière. C'est le premier amour
existentiel. Iseut appartient à la légende, mais Héloïse
est une des figures les plus hautes de l'histoire. La première avec Abélard dans les temps modernes à analyser
l'amour (avant Dante, observe Nordström qui en tire
une des pièces maîtresses de sa réfutation de Burck-
hardt), elle est seule à proclamer une morale de l'amour
et à jeter du cloître où Abélard l'a reléguée les cris les
plus rebelles qu'une femme ait poussés : « Si c'est un
crime d'aimer ainsi, j'aime le crime et je suis innocente
aujourd'hui bien malgré moi ! » « Si j'en ai de la douleur
(il s'agit de ses péchés), ce n'est pas de les avoir commis
mais de ne les plus commettre. » « Moi, Dieu seul le
sait, je n'aurais pas hésité à te suivre ou à te précéder
en enfer, si tu m'en avais donné l'ordre. » Que l'on
songe que nous sommes dans la première moitié du
XII⁰ siècle et qu'Héloïse était alors Abbesse du Paraclet !

Elle s'était d'abord refusée au mariage, mais aucune
équivoque ne subsiste là-dessus, il s'agissait d'éviter
cette déchéance à Abélard (sans être interdit, le mariage pour un clerc, chanoine de Notre-Dame, était loin
d'être honorable) — tellement épouse déjà dans son
souci de la gloire d'Abélard, dans sa docilité à ses déci-
sions, qu'il s'agisse de l'épouser, de le quitter, de courir à des rendez-vous clandestins ou de s'enfermer dans
un cloître. Et lui ! Tellement mari lorsqu'il écrit ingénument « qu'elle prit le voile spontanément sur son
ordre » (*Illa tamen prius ad imperium nostrum sponte
velata!*) ! Soyons juste, il sut l'être aussi plus grandement; il lui cédera son cher Paraclet, il ne cessera de
la protéger, de la diriger, de l'entraîner vers ces hau-
teurs spirituelles qu'il finira par atteindre lui-même.
Elle, toutefois demeure farouchement fidèle à l'amour
humain. Le seul sacrifice qu'il en obtiendra, c'est le
silence. Or il se fait qu'elle est une femme d'une culture
et d'une intelligence exceptionnelles (elle a réussi à

étonner saint Bernard) et qu'elle était considérée comme une merveille de science, pouvant traiter d'égal à égal avec les plus grands théologiens. Du jour cependant où elle rencontre Abélard, cette intellectuelle, cette savante, cette lettrée lui subordonne tout. Mais cette subordination n'a rien de servile. Lorsqu'elle s'humilie devant lui (« Tu possèdes une science éminente, je n'ai que l'humilité de mon ignorance »), lorsqu'elle se dit sa servante ou l'assure qu'au nom d'épouse elle trouve moins de douceur qu'à celui de maîtresse, voire de catin, on comprend tout de suite qu'elle ne parle pas sérieusement. Ce sont les astuces élémentaires de l'amour féminin que ces prosternations fictives, que cet écrasement qui augmente illusoirement la distance à couvrir par l'amour, qui rassurent sur son étoffe, combien plus exemplaires si la femme qui se ravale ainsi est une femme supérieure, combien plus révélateurs de la nature purement amoureuse de sa soumission. En vérité, Héloïse dessine là les grands traits de la condition féminine. Elle témoigne que la grande affaire des femmes est dans l'amour d'un seul. Il est la suprême valeur. On lui doit sacrifier et subordonner tout le reste.

Cet amour d'Héloïse et d'Abélard fut une passion charnelle intégralement vécue. Les lettres ne permettent pas d'en douter et même certains aveux laissent rêveur. Je ne puis m'empêcher de trouver que la contrition d'Abélard laisse percer un peu de complaisance lorsqu'il écrit à sa femme : « De tous les degrés de l'amour nous n'en négligeâmes aucun et nous y ajoutâmes les plus étranges trouvailles que l'amour pût inventer. » Et que dire de ces coups qu'il donnait à Héloïse « par amour, non par colère et qui dépassaient de loin la saveur de tous les baumes », ou de ce péché qu'ils commirent « le plus honteusement possible » dans le réfectoire du couvent d'Argenteuil, lieu hautement vénérable et consacré. Ce grand amour n'ignore qu'une dimension : la dimension mystique. Héloïse et Abélard demeurent des réalistes — grandes et fortes natures mais terrestres. Abélard ira à Dieu par le raisonnement, non par la mystique. Quant à elle, allant à Dieu, elle craindrait de distraire quelque chose d'un amour qu'elle veut tout entier à Abélard. Il n'y a pas chez Héloïse une seule effusion véritablement chrétienne. C'est la tragédie de cette âme passionnée qu'elle ne pouvait approcher Dieu qu'à travers l'amour humain. Or, cette voie, Héloïse la trouve barrée. Abélard, usant de sa triple autorité d'époux, de supérieur hiérarchique et de théologien, lui ordonne de tourner le dos à l'amour et l'engage dans cette vie monastique à laquelle elle n'était pas appelée, à laquelle elle se résigne. Car Héloïse a véritablement sacrifié sa vie à celui qu'elle nomme « mon Unique ». Quelquefois on entrevoit chez l'Abbesse du Paraclet une sorte de désespoir à la pensée d'avoir fait un marché de dupe. « Que me reste-t-il à espérer maintenant que je t'ai perdu ? » « ... seul un ordre de toi et non la piété m'a livrée dès la première jeunesse aux rigueurs de la vie monastique. Si par là je n'ai pas acquis un mérite nouveau envers toi, *juge de la vanité de mon sacrifice!* » écrit-elle lucidement à son mari. « Je n'ai pas à attendre de récompense divine, puisque ce n'est pas l'amour de Dieu qui m'a poussée. »

Hélas! il n'y a pas, il n'y a jamais eu de commune mesure entre l'amour d'Abélard et celui d'Héloïse. Alors qu'Abélard a toujours subordonné l'amour à sa carrière et à sa propre gloire (il y a chez Abélard une suffisance insupportable : « Mon talent théologique égalait mon génie de philosophe » et sa femme lui donne bien entendu la réplique : « Quel roi, quel philosophe pouvait égaler ta gloire ? »), qu'il renie sans cesse son passé, se réjouissant d'avoir été tiré « des saletés où il se plongeait comme dans la fange », Héloïse subordonne tout à l'amour et — bien qu'abbesse — consi-

dère que, d'un rang sublime — celui d'amante et d'é-
pouse d'Abélard — elle a été *précipitée*! Le sort « après
l'avoir portée à des joies inouïes » a fait d'elle « le plus
misérable des êtres » car « plus haut on s'élève, plus
lourde est la chute! » En vain, Abélard s'efforce de
l'enflammer pour son nouvel état, Héloïse lui dit une fois
pour toutes ce qui en est de sa piété :

> On vante ma chasteté, parce qu'on ignore à quel
> point je suis fausse... Je brûle de toutes les flammes
> qu'attisent en moi les ardeurs de la chair... Les plai-
> sirs amoureux que nous avons goûtés ensemble ont
> pour moi tant de douceur que je ne parviens pas à
> les détester, ni même à les chasser de mon souvenir.
> Où que j'aille, ils se présentent à mes yeux et éveil-
> lent mes désirs. Leur illusion n'épargne pas mon
> sommeil. Au cours même des solennités de la messe,
> où la prière devrait être plus pure encore, des images
> obscènes assaillent ma pauvre âme et l'occupent bien
> plus que l'office... Nos gestes ne sont pas seuls restés
> gravés, profondément, avec ton image dans mon
> souvenir, mais les lieux, les heures qui en furent
> témoins, au point que je m'y retrouve avec toi,
> répétant ces gestes et ne trouve pas même de repos
> dans mon lit. Parfois les mouvements de mon
> corps trahissent mes pensées, des mots révélateurs
> m'échappent...

Ces actes, ces gestes dont le souvenir est si cher, si
doux à Héloïse, Abélard va entreprendre de lui démontrer qu'ils sont infâmes. Or, avec ce sens profond, cette
intelligence qu'elle a de l'amour, Héloïse ne peut s'empêcher de le tenir pour saint, de le vénérer autant qu'Abélard lui-même. Dans la mesure où elle aime, elle sera dé-
chirée. Plus Abélard cherche à lui donner mauvaise cons-

cience, plus elle se révolte, plus elle blasphème, plus elle se déclare incapable du moindre repentir.

Au reste, peut-on dire que l'âme fait pénitence — quelle que soit la mortification que l'on impose au corps — quand elle conserve le goût du péché et brûle de ses anciens désirs ?... La vraie continence relève moins de la chair que de l'esprit. Les hommes répètent mes louanges, mais je n'ai aucun mérite aux yeux de Dieu qui sonde les reins et les cœurs et à qui rien ne demeure caché. On me juge pieuse, certes, mais de nos jours la religion n'est plus, pour une grande part, qu'hypocrisie, et l'on fait une réputation de sainteté à qui ne heurte point les préjugés du monde... A quoi bon d'ailleurs s'abstenir du mal si on ne fait pas réellement le bien ? « Eloigne-toi du mal, dit l'Ecriture, et fais le bien. » Mais en vain suivrait-on ce conseil — même à la lettre — *si on ne le fait pas par amour pour Dieu.* » Or, « dans tous les états où la vie m'a conduite, Dieu le sait, c'est toi plus que lui que j'ai craint d'offenser. C'est à toi plus qu'à lui que j'ai cherché à plaire. C'est sur ton ordre que j'ai pris l'habit, non par vocation divine. »

Que de fois elle le lui rappelle (au point qu'Abélard la prie sèchement de cesser « cette vieille plainte », « d'abandonner ses récriminations »...) ! Héloïse n'a jamais aimé, n'a jamais servi qu'Abélard.

Dramatique confession. Celle d'un échec, d'une déroute. Ultime protestation d'un amour doublement condamné. Dans sa vocation terrestre : Héloïse enceinte est aussitôt éloignée d'Abélard, obligée à dissimuler sa grossesse sous des vêtements de religieuse, elle se voit arracher son fils qui mourra en bas âge, elle ne portera

jamais le nom de son époux — car la réputation d'Abélard voulait que le mariage fût tenu secret!... Condamné aussi dans sa vocation surnaturelle, dans sa sublimation. Toute âme véritablement amoureuse est déjà
— par le fait même — engagée dans l'aventure de Dieu,
une aventure de communication et d'union. Héloïse non
moins qu'une autre. Ce n'est pas une âme inerte, im-
propre à l'effusion, au transport, mais une nature passionnée, généreuse. En même temps, une intelligence
éprise de vérité et de savoir. Bref, une *érotique*. Sa vocation est de se frayer chemin à travers l'amour humain.
La tragédie d'Héloïse — bien plus navrante que celle
d'Abélard car Héloïse a été mutilée dans l'esprit — est
de trouver ce *passage barré*. Tout concourt à décourager l'abbesse de chercher Dieu selon son cœur, tout
concerte pour lui dissimuler l'existence d'une issue, d'un
débouchement de l'amour humain sur l'autre. L'ascendant d'Abélard s'ajoute ici à la profonde imprégnation
catholique du siècle. Or Héloïse n'a jamais été une
hérétique. Elle ne discutera jamais le fond d'une
doctrine qu'Abélard incarne avec l'autorité que l'on sait
(et quelle autorité plus grande que l'autorité amoureuse).
Enfin Héloïse a la charge du Paraclet. Elle est engagée
dans le catholicisme. De sorte que — toute rebelle qu'elle
soit — elle représente exemplairement le conflit de l'éros
et du christianisme, l'alternative à laquelle il accule de
la rébellion et de la douleur. Nordström avait raison.
Ces lettres d'Héloïse inaugurent une époque nouvelle
dans l'histoire de l'homme occidental. Elles préfigurent
les deux attitudes fondamentales de l'amour moderne.
Erigeons ces attitudes en méthode ou en parti pris. Nous
verrons poindre à l'horizon l'esprit libertin et la délectation masochiste, deux déviations majeures de l'éros
refoulé par le christianisme.

Une religion d'amour

Comment une religion d'amour a-t-elle pu opposer une barrière à ce qu'il y a de plus religieux dans l'amour païen, son démonisme, sa relation à Dieu, sa mystique ? L'amour chrétien — tout comme celui de Socrate, de Platon et plus tard de Plotin — ne cherche-t-il pas à se rendre semblable autant que faire se peut à Dieu (comme Paul le montre et développe dans sa grandiose allégorie de la croissance où l'amour, tout comme au *Banquet,* est tenu pour moyen de liaison et d'ascension amoureuse) ? Mais si Paul recommande l'imitation de Dieu, il a soin d'en proposer un modèle en la personne du Christ et il ne faut pas réfléchir longuement pour s'aviser qu'il y a loin de l'amour selon Jésus, amour de Dieu qu'il nous est demandé et commandé de réverbérer en quelque sorte sur tous les hommes, amis et de préférence ennemis, à l'amour selon Platon qui, tout au moins au départ, est un amour d'élection pour une personne déterminée, vénérée dans sa scandaleuse singularité, un amour qui compte sur l'élan du désir amoureux, sur le délire où il nous jette pour nous remémorer Dieu et nous introduire à l'expérience intérieure du divin. En somme, dans l'amour chrétien, le détachement est au départ. La caritas agapè va d'emblée contre notre nature. Au contraire, l'éros commence par aller selon la nature. Il se laisse enchanter, captiver par la chair avant de la sublimer. Le détachement est progressif. Il est l'effet de cette purification érotique dont Diotime nous décrit la gradation. Déjà nous voyons que la caritas agapè part et se réclame de l'amour de Dieu alors que l'éros y mène. La première est en vertu de la loi, le second *est* loi. L'une passe à côté de l'amour passionnel quand l'autre s'élance à travers lui.

Or le mystère du Couple est dans cette traversée et dans le renversement de valeurs qui s'y produit. C'est là que, la chair se délivrant de l'esprit, la promotion se fait du profane au sacré. Ce mystère, le christianisme ne pourra tout à fait l'ignorer. Il sera cité une fois dans le texte fameux des *Ephésiens.* Mais un mot, quel que soit son scintillement, ne remplace pas une doctrine et celui de *mysterion* que les chrétiens — même s'ils vont lui donner un sens nouveau — doivent aux Grecs est destiné à éblouir plutôt qu'à éclairer. On ne peut s'empêcher de penser qu'il favorise la confusion entre le mystère christique et le mystère érotique, entre l'amour du prochain et l'amour passionnel — confusion qui sera exploitée : toutes les fois que l'on voudra décomprimer un peu l'agapè du côté sexuel, l'apôtre sera cité : « Et voici que l'homme quittera son père et sa mère pour s'attacher à la femme et les deux seront une seule chair. Ce mystère est grand. » Or, Paul a eu soin d'en préciser la portée : « Moi, je l'interprète du Christ et de l'Eglise. » Ce mystère relève de la caritas agapè, mystère d'amour sans doute, mais non du Couple, et en tant que fondement du mariage, tout de même un pis-aller. Cette méconnaissance de l'éros est spécifiquement chrétienne. L'amour des sexes est pour ainsi dire absent des Evangiles — tout au plus entrevu de biais, ici ou là, à propos du mariage, de la chasteté, toujours préférée (ainsi qu'il appert du texte de Matthieu sur les eunuques volontaires, texte qu'Origène eut le malheur d'entendre à la lettre), de l'adultère et des sanctions de la loi mosaïque.

Platon nous avait appris que l'amour qui se propose la

perpétuation de l'espèce est sacré, quoique en une moindre mesure que celui qui se propose d'enfanter selon l'esprit. Le mariage dans l'Evangile est tout au plus un état honorable qui ne bénéficie pas d'une grande faveur, non plus d'ailleurs que les liens familiaux. L'amour humain, même sanctifié par le sacrement, demeure voie secondaire. Quant à l'amour hors mariage, il n'est pas question qu'il soit accès au divin. Rien n'est plus étranger à l'esprit évangélique que d'admettre que le désir de la créature soit dans le fond désir de Dieu et puisse nous y mener. Rien sinon — plus éloignée encore — cette étrange et douteuse familiarité avec la chair d'un Socrate, sa conception érotique d'une chasteté militant à la frontière du pur et de l'impur, sa pratique d'une maîtrise sexuelle constamment éprouvée par la tentation. Cette attitude de défi apparaîtra quelquefois dans le christianisme. Elle sera toujours tenue pour hérétique[1]. Il est remarquable que, dans la tentation du Christ au désert, le diable se serve de tous les moyens, sauf de la tentation charnelle. Le Christ apparaît là comme l'anti-Socrate. Certes, comme Socrate de mauvais garçons, Jésus s'entoure de gens mal famés, de pécheresses au grand cœur. Mais dans ce déchet social qu'il amasse comme la limaille, Jésus ne choisit pas. Et s'il est moins sévère, somme toute, pour les filles de joie que pour les autres pécheurs, c'est qu'elles montrent moins d'arrogance ou qu'elles sont déjà durement frappées par la Loi. Le moins qu'on puisse dire est qu'il n'y a chez Jésus aucune attention pour le péché de chair, aucune pré-

---

1. En dépit du charmant *Banquet des dix Vierges* où saint Méthode s'efforçant de hausser la toise concluait que « celui qui, au milieu des troubles de la concupiscence, reste continent, est donc meilleur et plus vertueux que celui qui, n'étant agité d'aucun désir, reste victorieux en toute tranquillité dans le camp de la chasteté ». Mais saint Méthode, tout martyr qu'il fût, sentait un peu le fagot. La position des grands docteurs fut toujours de prudence et non de prouesse.

dilection pour son ambiguïté, sa contradiction fondamentale, pour le choix qu'il offre de la perdition ou du
salut.

Ainsi s'affirme la différence fondamentale entre la
conception chrétienne et païenne de la pureté, la première étant absention, la seconde émulation et récupération. Mais ce qui n'était qu'abstention va devenir réprobation avec saint Paul, son obsession de la chair, son
pessimisme, sa misogynie. Alors que l'Evangile avait
relevé la dignité sinon la condition de la femme (car
le Christ en donnant à la femme — comme aux esclaves
— de meilleures raisons d'obéir, consacrait en fait la
subordination de l'une comme la soumission des autres),
saint Paul l'accable durement en faisant peser sur elle
la responsabilité du péché originel. Le thème de la
femme tentatrice et corruptrice va servir de prétexte à
un avilissement de sa condition. (Ce n'est pas Adam qui
fut séduit mais la femme, que les femmes se taisent
donc et demeurent voilées. D'ailleurs l'homme n'a pas
été créé pour la femme, mais la femme l'a été pour
l'homme, c'est pour cela qu'elle doit avoir sur la tête un
signe de sa dépendance).

Autre durcissement de la morale évangélique, le péché
de chair devient le péché exemplaire. C'est Paul qui
établit une gradation entre péchés commis hors du corps
et ceux, beaucoup plus graves, commis avec le corps. Or
le corps est le temple de l'Esprit-Saint : « Ne savez-
vous pas, demande l'Apôtre, que vos corps sont des
membres du Christ ? Prendrai-je donc les membres du
Christ pour en faire les membres d'une prostituée ?...
Ne savez-vous pas que celui qui s'attache à une prostituée
est avec elle un même corps ? Car il est dit : « Les deux
deviendront une seule chair. » Au contraire celui qui
s'attache au Seigneur est avec lui un seul esprit. Fuyez
l'impudicité. »

Cette antithèse de l'union spirituelle et de l'union char-

nelle tenue pour infamante nous fait retomber dans le
dualisme. Mais s'y ajoute une notion nouvelle : celle que
le corps ne nous appartient pas : « Le corps n'est point
fait pour le libertinage; il est pour le Seigneur et le Seigneur est pour le corps et Dieu qui a ressuscité le Seigneur nous ressuscitera aussi par sa puissance... Glori-
fiez Dieu dans votre corps. » Voilà qui est clair. L'amour
physique est une profanation et la citation de la Genèse
étend cette condamnation à tout rapport sexuel. Même
au mariage, opinait Tertullien, commentant le texte de
l'apôtre. Le mariage, selon lui, n'est qu'un moyen d'éluder les tentations diaboliques. « Il vaut mieux se marier
que brûler », « unissez-vous » prêche Paul aux maris et
aux femmes, « pour que le diable ne vous tente point par
suite de votre incontinence », « je vous dis cela par forme
de concession et non comme un commandement; je dési-
rerais que tous fussent comme moi », « il est bon que
l'homme ne touche point à la femme ». « Si tu es lié à
une femme, ne cherche pas à rompre ce lien, si tu n'es
pas lié à une femme n'en recherche pas. » « Celui qui
marie sa fille fait bien, celui qui ne la marie pas fait
mieux, car la vierge se soucie de ce qui regarde le Seigneur, mais la femme mariée se soucie de plaire à son
mari. » Tant que l'apôtre se borne à enseigner que le
mariage ne favorise pas la vocation spirituelle, il de-
demeure dans la ligne des Evangiles, mais lorsqu'il en
vient à la conception avilissante d'un mariage prophylactique, lorsqu'il fait du péché charnel le péché même, lorsque sa haine de la chair déborde en injures, imprécations,
menaces contre les « impudiques », alors il force l'esprit
évangélique, et d'une religion qui ignorait l'amour passionnel et n'empruntait pas la voie érotique, il fait une
religion anti-érotique.

Hélas! la théologie de Paul deviendra doctrine chrétienne et dans son enseignement, c'est justement le rude
dogmatisme des *Romains* et des *Corinthiens* qui l'em-

portera sur l'ample symbolisme des Epîtres de la
captivité. L'esprit étroit des premières inspirera trop
souvent la prédication des premiers Pères de l'Eglise.
Surenchérissant sur la sévérité de Paul, saint Jérôme,
saint Ambroise, saint Jean Chrysostome vont lutter
âprement pour faire reconnaître l'absolue supériorité de
la virginité et de la viduité sur l'état de mariage. Chez
saint Jérôme, l'attaque est si véhémente qu'il se voit
accusé de manichéisme. Certes, on est là bien loin de
l'éros. Mais ces querelles de théologiens, ces échanges de
lettres persiflantes ou acides (que saint Augustin dé-
plore) nous déportent loin aussi de l'agapè. Ce qu'il y
avait de neuf, d'inouï dans l'enseignement évangélique,
l'amour (« A ceci l'on reconnaîtra que vous êtes mes
disciples, si vous vous aimez les uns les autres ») —
un autre, bien sûr, que celui du couple — est oublié ou
refoulé dans l'ardeur de la polémique.

De la vie conjugale, les Pères, avec une verve qu'il faut
bien admirer, vont dresser le tableau affligeant. C'est
saint Jean énumérant les tracas du mariage : grossesse,
douleurs de la parturition, allaitement et maladies qui en
sont la séquelle et flétrissent le corps, amour « sans piquant », union charnelle qui finit par écœurer. C'est saint
Jérôme : « Le sein se gonfle, l'enfant vagit, la domesticité
agace, le souci du ménage importune, puis tous ces bon-
heurs qu'on a imaginés, la mort enfin les fauche[1]. »
Toujours cette critique de l'état conjugal a pour objet
d'en décourager, toujours elle a pour pendant un éloge
de l'ascétisme monastique. Dans le christianisme des
Pères, il se fait donc une sous-évaluation (c'est le jugement le plus bénin que l'on puisse porter) de l'amour

---

1. Contre le mariage, saint Jérôme invoque un curieux argu-
ment : « L'apôtre Paul nous engage à prier sans cesse, or celui
qui accomplit son devoir conjugal ne peut prier pendant ce
temps. » Comme on voit, Jérôme ne fait pas grand cas du
mysterion des deux qui ne font qu'une seule chair.

et de l'union conjugale et une surévaluation de la chasteté, véritable diapason de la morale chrétienne sur lequel tout se règle et s'ordonne (et non, comme dans le platonisme, degré éminent dans la domination du sensible auquel sans doute chacun doit tendre mais qui, en fait, ne dut être atteinte que par quelques sages souvent au terme de leur vie), une chasteté généralisée, regardée comme normale, comme naturelle. « Sache que la virginité, c'est l'état de nature, le mariage n'est venu qu'après[1] », écrit à Eustochie saint Jérôme, mêlant dans sa robustesse la plus savoureuse grossièreté à la poésie : « Sois la cigale des nuits, que tes larmes arrosent ta couche, veille et sois comme le passereau au désert », mais aussi « quant tu te lèves la nuit pour prier, que ce ne soit pas l'indigestion qui te fasse roter, mais l'inanition ». A l'ascétisme modéré qui avait été celui de Socrate et Platon, et un siècle et demi avant Jérôme, celui de Plotin, un ascétisme qui « plutôt que de contraindre le corps évite de diriger l'attention sur le corps », se substituent des macérations et des mortifications qui font violence au corps autant qu'à l'âme. Et si la pratique du jeûne devient féroce, c'est qu'elle a moins pour objet d'enseigner à dominer ses appétits que de les affaiblir et de donner moins de prise à la concupiscence. « Ce n'est pas que Dieu trouve plaisir au rugissement de nos intestins, écrit Jérôme, au vide de l'estomac, à la brûlure des poumons. Mais c'est qu'autrement la pureté ne saurait être en sécurité. »

Une religion qui ne prétendait pas gouverner le corps mais le navrer, le briser, l'écraser, devait provoquer de terribles réactions. Les débordements qui se produisirent dès les premiers siècles dans les rangs de ceux qui s'é-

---

1. De même saint Jean Chrysostome : « Le mariage est le fruit de la désobéissance du premier couple, de la malédiction et de la mort », « Dieu n'a pas institué le mariage, il n'en est que le *nomothète* ».

taient voués au célibat (moines et « vierges ») comme parmi les *agapètes* (dont Jérôme dénonce le fléau, *agapetarum pestis*), prouvent que l'ascétisme n'a pas étouffé la vitalité des foules chrétiennes. A côté de la mortification exemplaire de quelques saints, de quelques martyrs, de quelques anachorètes et d'une minorité de fidèles appliqués et sincères, il suscite un extraordinaire grouillement de débauchés, de licencieux, et surtout d'hypocrites. Certes, il y a toujours eu des désordonnés, des impudiques, comme aussi des héros et des sages. Mais dans le conflit éternel de la chair et de l'esprit, l'écart entre les termes a été considérablement étiré. Et le croyant se trouve écartelé entre les exigences de sa nature et celles d'un antinaturalisme féroce. Comme un arc qui se détend d'autant plus violemment qu'il a été plus tendu, comme une fronde dont la corde brusquement se relâche, il se voit souvent basculé subitement de la vertu austère dans le péché immonde. Certains préservent les apparences et forniquent en bravant la menace de damnation. Mais d'autres vont remettre en question l'enseignement même de l'Eglise et en tirer les conséquences les plus aberrantes. Dès le IIe siècle, surgit autour du christianisme un véritable foisonnement d'hérésies gnostiques. Disciples de Simon, montanistes, messaliens, adamites, carpocratiens, borborites barbélognostiques opposent à l'excellence absolue de l'esprit l'ignominie de la matière et de la chair, de la procréation, du mariage et du sacrement qui en constitue la trompeuse sanctification. En principe, les gnostiques comme les chrétiens orthodoxes, recommandent la continence totale. Cependant, le véritable péché gnostique étant de mélanger et même de lier l'esprit et la chair — conception qui va à contre-pied du démonisme platonicien, il faut y insister, car il n'est pas rare de voir rapprocher gnostiques, platoniciens et néo-platoniciens dans une confusion dont Plotin a fait justice — l'idée ne

va pas tarder à se répandre dans plusieurs de ces sectes
hérétiques que l'acte sexuel, pour autant qu'il n'implique pas procréation et n'entame pas l'esprit, qu'il n'em-
piète pas sur la *gnosis,* la connaissance, est indifférent
et même moral. Non seulement il consacre la séparation
dualiste du mal et du bien mais il humilie la chair, la
foule aux pieds et procure à l'homme un salubre sentiment de déchéance. Celui qui a péché est censé recevoir
l'illumination de son propre esprit. Au reste cette voie
de ténèbres figure dans d'autres religions, tantôt sous
forme d'hérésie, tantôt reconnue (comme par exemple,
la voie shivaïte de la main gauche dans l'hindouisme).
Mais dans certaines sectes gnostiques, elle s'est outrée
et durcie, se faisant à la fois plus ascétique et plus ab-
jecte. Apparaît alors une vue nouvelle de l'univers, celle
d'un monde de déchéance et de perdition où le péché
acquiert une valeur positive. Se fait entendre alors ce
ton tragique du pessimisme oriental que la sagesse hellénique mieux que le christianisme avait su endiguer et
qui déferle maintenant, emportant pêle-mêle dans sa crue
les divinités populaires du polythéisme et ces grands
repères mystiques de la pensée grecque, Eros, Apollon,
Dionysos. Ce qui sépare paganisme et christianisme, plus
encore que les doctrines, c'est une dramatisation du
sentiment religieux. Déjà saint Paul, anticipant sur ce
baroquisme, s'exclamait : « Qui me délivrera de ce
corps de mort ? » Sans doute, Platon, lui aussi, avait
enseigné que se purifier, c'était pour l'âme, se dépouiller de la corporéité. Mais ce dépouillement était mental.
L'âme platonicienne était délivrée dès que la pensée
avait remis les choses en place. Avec saint Paul, le ton
se dégrade de la pensée au cri, de la sérénité au pathétique — ce pathétique si étranger au platonisme (que
l'on songe au récit fervent mais contenu de la mort de
Socrate dans *Phédon*) et qui pourrait bien être la conséquence d'une insuffisance métaphysique. Un dualisme

farouche, dur, statique, venu d'Orient, s'oppose nette-
ment ici au dualisme critique d'un platonisme toujours
en instance de conversion. Pas de drame, pas d'angoisse
du salut dans la pensée platonicienne (le mal est déjà
dominé par le seul fait qu'il est distingué, connu). Au
contraire, tout est drame dans le christianisme, expia-
tion, damnation, rédemption, Passion. Le péché n'est pas
faute, erreur, mais désobéissance, révolte. Et dès lors que
le péché de chair devient le péché exemplaire et l'acte
charnel une profanation (sauf concession résignée au
mariage), que la virginité est l'état excellent, c'est sur la
chair et l'amour que l'angoisse va peser. On assiste au
paradoxe d'une religion méprisant la chair et en culti-
vant l'obsession (que l'on songe aux aveux de Paul, à
son « écharde dans la chair », aux rêves de saint Augustin). Jusque dans le mariage, l'amour physique subira
la réglementation indiscrète de l'Eglise, il sera obligé de
se conformer à ses commandements. L'éros dans le monde
issu du christianisme sera essentiellement tourmenté,
déchiré, écartelé entre sa propre loi et la religion. L'a-
mour va devenir un problème. Au lieu d'une doctrine
sacrée de l'amour, au lieu d'une érotique, il y aura désormais une casuistique.

Or, si la religion nouvelle échoue dans sa lutte contre
la licence, en revanche elle triomphe dans le conflit
qu'elle engage avec l'éros philosophique. Mais en dres-
sant son barrage sur la voie purificatrice et divinisante
de l'éros, elle rejette l'homme vers la créature et n'abou-
tit le plus souvent qu'à lui faire reporter sur celle-ci
une exigence que l'être humain ne saurait combler. D'où
ce désespoir latent du « grand amour » dans le monde
catholique. Sur ce désespoir, nous avons entendu un
témoignage décisif : celui d'Héloïse rejetée de Dieu, dans
la mesure même où elle s'y trouvait appelée! Dans la
dernière lettre de l'abbesse, le thème de la douleur pré-
domine en même temps qu'apparaissent les images néan-

tistes et masochistes (« la pensée de ta mort est déjà
pour nous une sorte de mort », « retiens des paroles
qui transpercent notre âme d'un glaive de mort », « elle
(la destinée) a vidé sur moi son carquois... Lui fût-il
demeuré une seule flèche qu'elle eût plutôt cherché sur
moi où faire une nouvelle blessure »). La répétition
des mots *frapper, traits, coups* alterne avec les grandes
lamentations doloristes : « O malheureuse entre les mal-
heureuses! Infortunée entre les infortunées!... Je me con-
sume en plaintes... Je cède à l'amertume du regret, mes
voluptés s'achèvent dans un accablement de tristesse »!
Héloïse a découvert le plaisir de souffrir. Nous n'en sau-
rons pas plus. Les lettres qui suivent seront strictement,
ostensiblement professionnelles. Ultime repentir ? Vocation tardive ? Elle en eût avisé Abélard qui l'y avait
poussée! Il semble bien que le lot de l'abbesse fut l'ari-
dité. Les joies de l'amour sublime — lorsqu'il se dégage
de tout obstacle à l'union — trouveront pour s'exprimer
d'autres grandes voix féminines. Mais ce ne sera pas
dans le cadre de l'amour humain. C'est l'Epoux divin
que l'amante rejoindra dans la chambre des Noces. Cependant — de la chair à l'esprit — sous le déguisement
chrétien, Eros est là, tout entier. L'amour, pour ne pas
mourir, s'est fait clandestin.

Hadewych, ou l'Eros clandestin

Quel est ce brame qui déchire la nuit, quelle est cette
voix qui tantôt s'épure jusqu'à muer limpidement en
chant de rossignol et tantôt s'enroue et s'enraie comme

à bout de forces mais reprend aussitôt, de plus en plus monotone et obsédée? C'est Hadewych qui chante *Minne*, l'amour, mais l'amant qu'elle sollicite est cet Autre dont nous sommes en quête, double céleste de notre être terrestre, avec lequel nous aspirons à recomposer le Couple mystique avant de nous engloutir dans l'Unité. L'effervescence de cette âme est telle qu'elle se fraie intrépidement chemin, s'avançant là où nul de son peuple ne l'avait osé et qu'elle invente, pour célébrer son *aventure*, une langue proprement inouïe et des accents dont nulle traduction ne peut rendre les allitérations passionnées. Cent ans avant Ruusbroec et près de cinquante avant Eckhart, elle représente magnifiquement la grande école du Nord — qui n'est qu'une province de la mystique universelle, mais singulièrement dessinée[1]. On commence à peine à mesurer la grandeur de cette figure qui se détache sur l'arrière-fond religieux de l'agitation des beggards et béguines. Le mouvement surtout féminin, d'où peut-être la prédominance du caractère visionnaire et extatique, est représenté en Flandre par une série de femmes inspirées, Marie d'Oignies, Christine de Saint-Trond, Ludgarde de Tongres, Beatrys de Nazareth, Bloemardinne l'hérétique, et en pays rhénan par Hildegarde von Bingen, Elisabeth von Schönau, Mechtilde de Magdebourg, Margaretha Ebner. Aucune de ces figures cependant n'a la pureté, la rigueur de celle de Hadewych.

On sait peu de choses sur sa vie. Il semble qu'elle ait dirigé à Nivelles un rassemblement de deux mille

1. Sur l'originalité et le génie de Hadewych (comme sur le problème d'une seconde Hadewych), consulter les travaux du P. van Mierlo qui lui a consacré sa vie. Voir aussi *Hadewych d'Anvers*, par J.-B. P., Paris, Seuil, 1954, et ses remarquables commentaires, ainsi que l'essai intelligent et agréablement subversif de Marie-Hélène van der Zeyde, *Hadewych*, Wolters, Groningue, 1934.

béguines et, comme Thérèse d'Avila, qu'elle ait su concilier les exigences de la vie active avec celles de l'ascèse et de la contemplation. Grand poète, écrivain de génie (« la géniale Hadewych d'Anvers », écrit Jeanne Ancelet), intelligence intrépide, âme turbulente, impétueuse, c'est aussi un être de chair, aussi ardent à vivre qu'à s'abîmer, aux prises, comme Héloïse, avec un amour dévorant, mais cette fois un amour licite, autorisé et non contrarié par la religion, un amour qui atteint son difficile mais splendide développement, somme toute un amour heureux. Pas de prédilection doloriste chez Hadewych — encore qu'elle écrive : « Ce que l'Amour a de plus doux, ce sont ses violences. » Ce qui est savouré ici, c'est moins le plaisir de souffrir que celui de se savoir travaillée par l'amour. C'est l'expérience amoureuse. C'est Dieu appréhendé sous forme de *Loi*.

On sait que suivant certains auteurs, notamment Anders Nygren (dans *Eros et Agapè* [1], un ouvrage qui a ouvert le débat moderne sur l'amour), toute la mystique serait érotique et d'origine païenne. Mais alors, il n'y aurait pas de mystique de l'agapè ? Saint Paul ne serait pas un mystique ? Ou, s'il est un mystique, Paul serait un érotique ! un païen ! Je ne veux pas entrer dans cette querelle. Je ne fais pas le procès de la mystique (bien au contraire). Ce procès a été fait, tant au nom de la science que de l'orthodoxie. Les uns ont donné dans le travers de réduire toute la mystique à la pathologie. Les autres, par purisme, en voulant purger la religion de ce qu'ils tenaient pour une survivance ou une résurgence de la pensée grecque — mais pourquoi pas une rencontre ? — n'ont réussi qu'à l'appauvrir. D'autres nuancent et distinguent. Il y aurait deux mystiques. L'une orthodoxe et recommandable. L'autre hérétique et détes-

---

1. Anders Nygren, *Eros et Agapè*, Paris, Aubier, 1944-1952.

table. Malheureusement, certains (comme Huxley), proscrivent comme érotique la mystique sensualiste, affective, souvent exprimée sous forme épithalamique ou
nuptiale. D'autres (comme Rougemont), rattachent au
contraire la mystique des Noces à l'agapè chrétienne et
condamnent une mystique intellectualiste, unitive, déri-
vée de l'éros, arbitrairement rattaché à la mystique orientale et à l'hérésie cathare!

En fait, mystique nuptiale et mystique unitive ne
s'excluent nullement et l'une souvent servira de départ
à l'autre. Mais une fois encore, je n'ai pas à intervenir
dans cette controverse. Il me suffit de montrer qu'une
branche authentique de la mystique chrétienne coïncide
avec l'érotique platonicienne ou avec l'exégèse qu'en
donne Plotin, pour troubler peut-être les esprits rétifs
à reconnaître l'aptitude divinisante et le démonisme d'é-
ros. Dans la mesure où je saurai emporter sur ce point
la conviction du lecteur, les pages — trop ramassées —
que je vais consacrer à Hadewych trouvent leur place
dans un ouvrage qui voudrait mettre quelque provocation dans son plaidoyer pour une resacralisation de l'a-
mour humain et du Couple.

Rien ne serait plus simple, pour commencer, que de
prendre avantage des analogies de vocabulaire entre l'a-
mour humain et l'amour divin, des images souvent cho-
quantes que celui-ci emprunte à celui-là, voire de certaines confusions du charnel et du spirituel qui s'opèrent au niveau de la sensualité et rebutent dans l'expérience d'une Marguerite-Marie Alacoque et de tant d'autres saintes ou nonnes. Il faut dire que le *Cantique* et
surtout les usages auxquels on l'a plié, ont fait beaucoup pour cette confusion. Selon Guitton, il a été le
syllabaire de ceux qui refusent de séparer l'amour humain de l'amour divin. Saint Bernard en fera le thème
dominant de la mystique médiévale. Mais l'idée de l'âme
fiancée au Christ se rencontre déjà dans les Evangiles.

Elle reparaît chez saint Jean Chrysostome et chez saint Jérôme. Et l'on peut dire que le décor de la mystique nuptiale, qui devait connaître une si grande faveur, se trouve déjà tout dressé dans la lettre à Eustochie. « Que toujours te garde le secret de la chambre, que toujours à l'intérieur l'Epoux y joue avec toi. Tu pries, c'est parler à l'Epoux. Tu lis, c'est lui qui te parle. Puis quand le sommeil t'aura accablée, il viendra derrière la cloison, passera la main par le guichet, et touchera ton corps. Alors tu te lèveras frissonnante, et tu diras : « Je suis blessée d'amour », puis tu l'entendras encore : « C'est un jardin clos, ma sœur et mon épouse, un jardin clos, une source scellée. »

Des images du Cantique, saint Jérôme a choisi la plus hardie pour célébrer la virginité. On aurait tort d'y voir malice. Saint Jean de la Croix, qui n'est pas suspect, ira plus loin encore dans le symbolisme sexuel. Mais le thème des Noces ou même celui de la défloration peut être traité à différents niveaux. Il peut être grossièrement sensuel comme purement allégorique et abstrait ou, au contraire, concrètement revécu, encore que transsubstantié dans l'expérience mystique.

L'intérêt du cas Hadewych est que, sans tomber dans la confusion du charnel et du spirituel, son expérience *suppose* le charnel. Certes, il n'y a guère chez elle cet érotisme facile qui enlèverait toute valeur à la démonstration — ou s'il y en a, il est aussitôt dépassé. L'érotisme de Hadewych est érotisme au sens grec, intellectualisme sur fond affectif. Aussi le thème des noces y est-il toujours finalement *épuré* (ce qui fait dire parfois que sa mystique n'est pas une vraie mystique des Noces), non sans que Hadewych ait parcouru les différents étages. Tantôt subi comme une réalité physiologique, tantôt exprimé allégoriquement (par une concession au langage du temps, à la mode courtoise), tantôt porté à la haute température de brasier de l'*union*, de sorte que le chemin de la chair à l'esprit et au-delà de l'esprit est sans cesse parcouru par cette âme toujours en passage du sensible à l'intelligible et de l'intelligible à ce que Hadewych nomme elle-même (avant Eckhart) *godheit* (et non God), la *déité,* distincte de Dieu ou comme Plotin, *enicheit,* l'Unité[1]. Rien de plus sensuel, de plus passionné à la base, rien de plus dépouillé, de plus raréfié au sommet. Nulle part cet écart n'est mesuré comme dans les *Visions,* rédigées à l'intention d'un directeur de conscience, sorte de procès-verbal du sublime qui ne nous laisse rien ignorer des tourments ou des délices du pauvre corps navré ou comblé tandis que l'intelligence s'élance hardiment vers sa conquête, se forçant à l'attention et se retenant un moment, dans un souci encore humain de conscience, avant de sombrer dans l'*union.* Ces deux phases sont distinguées dès la première Vision :

> Ce fut un dimanche de l'octave de Pentecôte que l'on m'apporta secrètement Notre-Seigneur au lit parce que je sentais au-dedans un grand travail de mon esprit qu'au-dehors parmi les gens je n'eusse pas senti également. Et cette exigence que j'avais en moi était d'être une avec Dieu et d'en jouir[2].

Mais Hadewych ne l'a compris que plus tard. Elle était trop jeune encore et trop imparfaite pour une si haute dignité. Cependant, dès ce jour, elle connaît une expérience privilégiée :

> Lorsque j'eus reçu Notre-Seigneur, lui à son tour

1. « Ce que l'on peut nommer *cela n'est pas Dieu* car si les hommes pouvaient le comprendre avec leurs sens et leurs idées, Dieu serait moins qu'eux et ainsi on en aurait vite fini de l'aimer. » Hadewych, *Lettres,* XII, 33-37.
2. *Visioenen* (van Mierlo, Louvain, 1924). Les traductions des Visions sont de l'auteur. Celles des poèmes sont de J.-B. P., *ouvrage cité.*

me reçut au ciel de telle façon qu'il me ravit en
esprit au-delà de toutes choses étrangères, afin que
je puisse jouir de lui dans l'unité. Et je fus transportée comme dans un champ, dans une plaine qui
se nommait la plaine de la parfaite vertu.

Comme « la plaine de vérité » de Platon, celle de
Hadewych est le lieu où, les erreurs des sens abjurées,
l'âme atteint Dieu en esprit, *non au-delà de l'esprit.* Car
l'*union* ne sera pas consommée. Et loin de s'engloutir
dans cet abîme innommé, sans modes ni raisons, dans
ce trépas fruitif où s'éteignent le savoir, le voir, l'entendre, Hadewych résiste à l'immersion, singulièrement lucide. Elle écoute, elle regarde, elle décrit, développant,
à la manière de son temps, une vaste allégorie des vertus
figurées par des arbres, des racines, des fleurs. Mais
cette première Vision n'est qu'un prélude d'orgue : « Un
jour de mai, pendant la messe de saint Jacques et au
moment précis de la lecture de l'épître » (toujours Hadewych a recours à des repères concrets pour *arrimer* ses
Visions, selon le mot de Thérèse d'Avila), ses sens sont
comme aspirés au-dedans d'elle-même « par la traction
violente d'un terrible esprit ». Notons au passage la ressemblance de cet esprit avec les *génies* du néo-platonisme et le démon de Socrate. Si cette quatrième Vision
est grandiose — avec son évocation d'Apocalypse, ses
astres et ses planètes, les uns après les autres immobilisés
aux claquements des ailes de l'Ange —, si elle nous apprend que la vie mystique est identification à l'Amant
par élimination de tout ce qui nous en sépare (et ici nous
pensons à la purification), c'est dans les cinquième et
surtout sixième Visions que Hadewych franchit cons-
ciemment l'intervalle qui sépare les deux degrés de l'extase. Et le soin qu'elle met à nous instruire positivement
du premier n'a d'égal que sa prudence à ne point quali-

fier le second, à le définir seulement par ce qu'il n'est
pas, à le cerner de significations négatives. Ayant atteint
Celui dont elle est en quête, « ayant contemplé en lui l'ordre où chacun reçoit son dû et où tout est à sa place,
ayant vu le ciel et les bienheureux, l'enfer et les dam-
nés, et la grandeur de Dieu bafouée et son humilité
redressée et son immensité contenue dans toutes choses
et sa présence dissimulée, ayant entendu ses raisons »,
Hadewych s'émerveille tellement qu'elle en perd le sens
et qu'échappant à l'esprit et à elle-même, à tout ce qu'il
lui a été donné de contempler et à « son amant terrible
et ineffablement doux », elle tombe et se perd « dans
la fruition de son sein amoureux ».

> Je demeurai là, comme engloutie, inconsciente de
> quoi que ce soit, de savoir, de voir ou de comprendre,
> sauf d'être une avec lui et d'en jouir. Je demeurai
> ainsi une petite demi-heure.

Même lorsque la vision est entachée au départ de sensualisme, lorsque Hadewych la personnifie (ce qui est
rare chez elle) comme dans la VIIe vision, le passage au
plan métaphysique se fait infailliblement. Avec ce souci
d'exactitude clinique propre aux grands mystiques (les
lucides), Hadewych note :

> Mon cœur et mes artères et tous mes membres
> tressautaient et tremblaient de désir et — comme
> il m'est arrivé souvent — je me sentais si violem-
> ment et si effroyablement éprouvée qu'il me parut
> que si je ne donnais pas satisfaction à mon amant
> et lui-même ne répondait pas à mon désir, j'allais
> mourir de fureur et mourir furieuse. J'étais si ter-
> riblement et si douloureusement tourmentée par le
> désir amoureux qu'il semblait que mes membres

s'en allassent morceau par morceau et que chacune
de mes artères fût en travail. Mon désir était si
ineffable que personne ne saurait l'exprimer. Tout
ce que j'en pourrais dire ne saurait être compris de
ceux qui n'ont pas l'expérience de l'amour ni de sa
fatigue par le désir. Voici néanmoins ce que j'en
dirai : je désirais posséder mon amant tout entier,
le connaître et le goûter dans toutes ses parties, sa
personne jouissant de la mienne et la mienne demeu-
rant là, attentive à ne pas tomber dans l'imperfec-
tion, de manière à le contenter lui, la perfection
même, en tout et pleinement.

Généralement l'amant de Hadewych est amorphe, c'est
une abstraction. Ou bien, c'est un bel ange comme dans
la Vision quatrième. Mais ici il paraît sous la forme
du Christ :

Alors il vint. Doux et beau et splendide de visage
et m'approchant avec soumission, comme quelqu'un
qui appartient tout entier à un autre. Et il se donna
à moi comme d'habitude sous la forme du sacrement,
puis me fit boire du calice. Puis il vint lui-même à
moi et me prit tout à fait dans ses bras et me serra
contre lui et tous mes membres éprouvaient le contact des siens aussi complètement que, suivant mon
cœur, l'avait désiré ma personne. Ainsi extérieurement je fus satisfaite et assouvie. Un court moment,
j'eus la force de le supporter, mais bientôt je perdis
de vue les formes de ce bel homme et je le vis tout
à fait disparaître. Si subitement s'évanouir et se fondre qu'au dehors de moi, je ne pouvais plus l'apercevoir ni au-dedans le distinguer. A ce moment nous
étions unis sans différence (*deuxième degré*). C'était
ainsi : au-dehors (*premier degré*) voir, goûter, sentir
comme on goûte extérieurement le sacrement qu'on
reçoit, une sensation externe, comme celle de l'amant

avec l'amante, se donnant l'un à l'autre dans le plein
contentement de regarder, d'entendre et de se mêler.
Après cela je demeurai mêlée à mon amant jusqu'à
me fondre tout entière en lui (*deuxième degré*) de
façon que de moi-même, il ne me restait plus rien.

Voilà qui est clair. Cette effusion de Hadewych est
une effusion amoureuse. Minne n'est pas l'agapè. C'est
l'éros dont les mystiques du Nord viennent de retrouver la voie, et si les deux convergent au même point,
le parcours est différent. Hadewych, dont cependant on
ne discute pas l'orthodoxie[1], est mue comme Socrate et
Platon par le désir amoureux, et pour atteindre l'objet
de son désir elle use du même procédé cathartique.
C'est par le dépouillement progressif et méthodique de
tout ce qui revêt et masque le divin toujours présent
en l'âme, que Hadewych finit par l'atteindre. D'où une
activité incessante de triage et de rejet qui est une activité critique[2]. Cette mystique nuptiale se purifie jusqu'à
devenir une mystique intellectualiste. Mais elle ira plus
haut encore. C'est à dessein que j'ai reproduit un extrait de la Vision VII, la plus charnelle, afin d'illustrer
la transmutation qui ne cesse de se faire chez cette mystique, afin que ne demeure aucun doute sur l'origine
physiologique et, disons-le, sexuelle du transport qui la
mène à reconstituer le Couple mystique. Mais Hadewych

1. Sur l'orthodoxie de Hadewych, je m'en réfère à l'avis
autorisé du Fr. J.-B. P., *ouvrage cité*, p. 31. « La doctrine spirituelle que Hadewych enseigne, dont elle décrit les épreuves
dans ces visions et les lettres (comme aussi dans les poèmes,
mais nous reviendrons sur ceux-ci), a été trouvée saine et complète, avec raison croyons-nous, par les juges qui l'ont étudiée
depuis une trentaine d'années, notamment par le R. P. van
Mierlo, S. J., et le R. P. Axters, O.F. »
2. A ma connaissance, c'est Jean Trouillard (*ouvrages cités*)
qui a attiré l'attention sur la paradoxale coïncidence, dans la
pensée unitive, de l'activité critique et mystique.

ne s'attarde jamais dans le sensualisme. Quelque chose l'arrache à ces préliminaires et la pousse vers les altitudes. C'est l'*onghedueren,* l'impatience des limites, la nostalgie de ce qui est à la fois réminiscence et destin. C'est pourquoi on ne trouve chez elle aucune complaisance à décrire caresses ou *minebette* comme chez Mechtilde de Magdebourg. Aucune non plus de ces images merveilleusement concrètes comme celle du dard qui transperce Thérèse d'Avila ou celle-ci de Ruusbroec : « Faites votre demeure dans les cavités de ses plaies comme le pigeon de roche dans la falaise. » Hadewych toujours s'active à se séparer de ce qui est corporel, à lui substituer le mental. Et cet intellectualisme, loin de nous gâter sa mystique, au contraire a pour résultat de l'approfondir et de l'accidenter de toute la distance à chaque instant si vivement franchie de la chair à l'esprit, du sensible à l'intelligible.

Mais ce n'est là qu'un des étages de l'ascension. Le but de Hadewych, ce n'est pas seulement d'être unie en esprit dans la parfaite Connaissance, ce sommet de l'intelligible, c'est par-delà l'esprit et les Essences, loin de tout savoir et de tout comprendre, de ne plus rien savoir de ne plus rien entendre. Car le plus haut ciel de Hadewych, « *de hogere hemel* », loin d'être un Paradis fraangélesque d'anges et de bienheureux se tenant par la main et dansant sur des prairies drues et fleuries, est une cime âpre, dénudée, un de ces déserts d'altitude où l'âme est bue par le soleil, dans l'éblouissement métaphysique de la Nuit devenue Jour. C'est la plus haute pointe de la vie spirituelle et c'est ici que nous apparaît la merveille : cette mystique flamande de la première moitié du XIIIe siècle recoupe à chaque instant la grande mystique grecque jusque dans son expression métaphysique. Les deux degrés de l'*union* chez Hadewych, c'est la double transcendance platonicienne et néo-platonicienne de la pensée par rapport à la raison empirique, de l'extase vis-à-vis de la pensée, c'est la réalité de l'Un transcendant les Essences. Non seulement Hadewych, donnant congé à *l'intelligence aux calmes désirs,* atteint cette dernière cime, non seulement par son aptitude et son aisance à s'y mouvoir, elle vérifie la distinction des trois ordres, mais sa motion procède de la même dynamique et s'exerce suivant la même méthode de négation purificatrice. Comme Plotin, évoquant un rite des Mystères et comparant l'âme qui se dévêt aux initiés dépouillant un à un leurs vêtements à mesure qu'ils montent vers les sanctuaires des temples, Hadewych, elle aussi, et d'une manière presque obsédante, recourt à l'image de la dénudation. Dieu continuellement présent[1]. Il suffit pour le trouver d'écarter le reste. C'est la présence d'absence. « Sachez, dit Hadewych, que l'on n'en peut rien dire, sinon qu'il faut écarter le tumulte des raisons, des formes et des images, si l'on veut de l'intérieur non pas comprendre, mais connaître tout ceci. »

... Ceux qui ne se dispersent point en d'autres œuvres que celle ici décrite,
reviennent à l'unité dans leur Principe,

et cette unité qu'ils possèdent est telle,
que rien de tel ici-bas ne peut se faire de deux êtres.

Dans l'intimité de l'Un, ces âmes sont pures et nues intérieurement, sans images, sans figures,

comme libérées du temps, incréées, dégagées de leurs limites dans la silencieuse latitude.

Et ici je m'arrête, ne trouvant plus ni fin, ni com-

---

1. Cette présence, en termes chrétiens, se nomme la Grâce naturelle, prévenante : il n'y a pas à l'époque, par exemple chez un saint Bernard ou un Guillaume de Saint-Thierry, cette opposition de nature et grâce qui prévaudra chez les théologiens protestants et aussi catholiques après le Concile de Trente.

mencement, ni comparaison qui puisse justifier les
paroles [1]...

L'unité, l'Un ? Il n'y a donc plus de spécification
chrétienne chez cette chrétienne orthodoxe ? C'était la
grande hardiesse de cette mystique de postuler que
l'âme peut, au sommet, rejoindre l'unicité divine au-delà
même des personnes. Pour les chrétiens, le problème
est de savoir si l'humanité du Christ doit, elle aussi, être
dépassée. La question a longtemps déchiré sainte Thérèse. Elle a dressé l'un contre l'autre Fénelon et Bos-
suet. Les mystiques du Nord répondent en général par
l'affirmative (tout en tenant l'humanité du Christ pour
la voie excellente). Pour eux — comme pour les néo-
platoniciens — le sommet de la vie spirituelle est la
participation à une simplicité absolue qui ne peut être
définie non plus que nommée. Aussi ne trouve-t-on pas
chez Hadewych une grande ferveur ni même un intérêt
réel pour le Jésus historique. Peu d'allusions dans cette
œuvre à la Passion, peu de références aux Evangiles,
même aux Synoptiques. Pas de mystique de l'Enfant
Jésus ni de l'Homme des douleurs. Ni tendresse pour
l'un, ni pitié pour l'autre. Pas de masochisme de la
croix, des plaies, du sang. Le mot Dieu lui-même n'apparaît qu'occasionnellement dans son œuvre. Encore
est-ce souvent dans un contexte qui lui enlève toute
valeur : *goddank*, Dieu merci, *god geve*, Dieu veuille,
god weet, Dieu sait. En revanche, *godheit*, la déité, est
appréhendée comme le fond des choses (avant Eckhart),
avec des images admirables empruntées à ce mot *gront*
que Maître Eckhart reprendra (allemand *grunt*). Jouant,
toujours comme Eckhart, sur le double sens du mot (à

---

1. Sur l'attribution possible de ce poème à une seconde
Hadewych, issue du même milieu, voir l'*ouvrage cité* du
Fr. J.-B. P., pp. 45 et suiv.

la fois base, solidité, et profondeur, abîme), elle parlera
de la déité comme d'un fond sans fond (*grondeloze
gront*) ou d'une profondeur qu'il faut gravir — image
traduisant l'expérience cinesthésique d'un espace intérieur et d'une profondeur à l'envers [1].

Comme Platon et Plotin, Hadewych s'engage hardiment dans les paradoxes de la voie négative. Le Principe
échappe dans la mesure où on veut le saisir. Il faut le
cerner par la négation. Et même cette méthode est cause
que Hadewych le nomme une fois le *Rien*.

> Elle est isolée dans l'éternité sans rivages,
> dilatée, sauvée par l'Unité qui l'absorbe,
>
> l'intelligence aux calmes désirs,
> vouée à la perte totale dans la totalité de l'immense :
>
> et là, chose simple lui est révélée,
> qui ne peut l'être, le Rien pur et nu.

Mais ce Rien est aussi l'*Un* dans l'intimité duquel les
âmes sont comme *incréées* (car l'Un est devant nous
mais aussi derrière, il est notre origine, notre état le
plus profond et notre fin), *dégagées de leurs limites
dans la silencieuse latitude*. Et ici la liberté est nommée, rejointe à la même pointe que chez Plotin.

Or quels sont-ils, ceux qui se hâtent vers cette joie si
haute ? Ceux dont *le désir pénètre toujours plus avant
dans la haute connaissance de l'amour pur*, ceux qui
désirent pour *connaître* qu'ils désirent, ceux qui *aiment*

1. Qu'on retrouve chez Rilke, chez Michaux, chez maint surréaliste, mais aussi chez Platon et Plotin, car « s'évader d'ici-
bas vers là-haut » c'est fuir en soi, « ce n'est pas avec nos
pieds qu'il faut fuir », mais « fermer les yeux, changer ce
regard pour un autre, et réveiller cette vision que tous possèdent mais que si peu exercent ».

aimer afin de se sentir mus, agis par Dieu, par sa
Loi. Ce sont les mêmes, nous dira Hadewych dans un
autre poème, qui connaissent le délire d'amour, l'*orewout*,
la fureur originelle (mot magnifique dans lequel le pré-
fixe *or* (allemand *ùr*) introduit la dimension du mythe).

Le génie mystique de Hadewych a réalisé ce qu'aujourd'hui encore atteignent si difficilement philosophes
et historiens les plus savants : assimiler le sens profond
de la doctrine platonicienne et néo-platonicienne [1]. Rencontre, consanguinité plutôt qu'influence. Cette question
des influences païennes transmises à Hadewych à travers Denys l'Aéropagite et Guillaume de Saint-Thierry
a été bien agitée et jamais résolue (le Père Van Mierlo,
non sans amertume, va jusqu'à parler d'influences or-
phiques!). Le piètre résultat des recherches prouve assez
leur stérilité. Dès l'instant qu'on accepte l'érotique pour
une voie naturelle, authentique (et non pour un système
surgi tout armé d'un cerveau de philosophe), il ne faut
pas s'étonner de la voir reparaître. Hadewych d'ailleurs
n'est pas la seule à l'avoir empruntée dans cette école du
Nord dont elle n'est que la figure la plus attachante. Le
phénomène est celui d'une rentrée en scène d'éros sous
le couvert de la mystique chrétienne. Or, qu'enseignait
la grande érotique grecque ? Que *tout amour est déjà
virtuellement amour de Dieu*. En récupérant l'éros, la religion reprenait en somme son bien. On ne peut lui reprocher que d'en avoir renié les parentés.

---

1. « La pensée chrétienne n'a rencontré du platonisme ou du
néo-platonisme que des formes exotériques, sinon des interpré-
tations inexactes, qu'elle ait cru y reconnaître d'ailleurs un allié
ou un ennemi. Sa confrontation avec ce qu'il y a de plus décisif
dans ces doctrines est encore à faire pour la plus grande part. »
Trouillard, *Purification*, p. 131. Dans le même sens, Gilson, *Le
Christianisme et la tradition philosophique*, in *Revue des sciences philosophiques et théologiques*, 41-42, vol. II, p. 252.

L'AMOUR COURTOIS, ÉROS D'ÉVASION

Si la mystique unitive récupérait l'éros au bénéfice
de la religion, elle consacrait la séparation de la chair
et de l'amour sublime et contribuait au préjugé idéaliste. Plus que jamais l'idée s'impose qu'il est plus
noble d'aimer avec l'esprit ou l'âme qu'avec le cœur ou
les sens (et l'on devine les confusions auxquelles prêtait
ici la mystique). Depuis un siècle, un autre avatar de
l'éros, l'amour courtois, favorisait, lui aussi, sa disloca-
tion.

Deux motifs retiennent de parler de ce phénomène
prodigieux comme on en serait tenté. C'est d'une part
qu'il en a été parlé beaucoup, de l'autre qu'il est vaste
et complexe — de sorte que l'on se trouve dans l'alternative ou de le traiter à fond et d'écrire un livre sur la
courtoisie, ou de ranger arbitrairement des tendances
différentes et même divergentes sous une même rubri-
que. Si l'on songe que l'on fait entrer dans l'amour
courtois le rituel de la féodalité et la scolastique amoureuse, la lyrique provençale et les jugements de la
Cour de Champagne, le culte « platonique » de la *Dame*
et la poésie réaliste d'un Marcabru qui chante crûment
le plaisir et se déchaîne contre le sexe, *l'amour de prin-*
cesse lointaine d'un Rudel et les rites d'approche charnelle et d'*amor interruptus* d'un André le Chapelain,
la mystique mariale d'un saint Bernard et la mystique
essentialiste du Nord[1], l'hérésie des béguins de saint

1. En réalité sur-essentialiste. Cf. page 130.

François (qui prétendaient aguerrir la chair en se mettant au lit avec une femme nue) et la rude et sévère
autorité des *parfaits*, le néantisme enfin des amants du
Liebestod mais aussi l'amour existentiel d'une Héloïse,
on commencera d'entrevoir la diversité d'un phénomène
dont le moins qu'on puisse dire est qu'il ne favorise
pas la rigueur des déductions. Et l'émerveillement gran-
dira si l'on s'avise qu'un des livres les plus estimés et
les plus riches de notre siècle attribue l'invention de
l'amour-passion du type Tristan et Iseut à la civilisation courtoise et lui assigne pour date de naissance la
liaison d'Abélard et d'Héloïse[1]! Mais on connaît la thèse
fameuse de M. de Rougemont. L'amour est né au
XIIe siècle et se rattache à une hérésie bien connue, le
catharisme. Je n'entreprendrai pas la critique de cette
œuvre séduisante. Il y faudrait une autorité et des
connaissances qui me font défaut. Ceux que la chose
intéresse liront avec profit les pages magnifiques que
Sartre a consacrées à cet ouvrage dans *Situations*[2].
J'en dirai seulement qu'il est piquant de voir Rougemont
repris par Sartre sur un excès d'historisme. Pour nous,
qui ne considérons pas l'amour comme un phénomène
historique, qui ne croyons pas que l'homme ait eu à l'inventer, mais qui le tenons au contraire pour une « donnée primitive de la condition humaine », nous ne serons pas exposés à tomber dans le sophisme qui consiste à réduire l'éros éternel au passionisme historique
(ce qui mène à combattre injustement le premier avec
des arguments qui ne valent que pour le second). Non
plus que dans l'erreur qui consiste à assigner une
place (et quelle place ? la première!) à l'amour d'Héloïse et d'Abélard dans le phénomène courtois repré-

---

1. Denis de Rougemont, *L'Amour et l'Occident,* pp. 68 et 69,
n. 1, Plon, Paris, 1946.
2. J.-P. Sartre, *Situations I,* N.R.F., Paris, 1947.

senté par Tristan et Iseut. Ce phénomène, nous l'avons vu, est touffu, difficile, hétérogène. Si l'on peut toutefois lui reconnaître quelque constance, c'est sur deux points essentiels. Il est anticonjugal et il spécule sur la chasteté. Anticonjugale, la belle légende de la passion mortelle que Rougemont nomme « le grand mythe occidental de l'adultère » ! Anticonjugal, le *Tractatus de Amore* d'André le Chapelain comme la juridiction des cours d'Amour. On connaît le jugement fameux de Marie de Champagne (« Nous disons et assurons par les présentes que l'amour ne peut étendre ses droits sur deux personnes mariées. En effet, les amants s'accordent tout, mutuellement et gratuitement sans être contraints par aucun motif de nécessité, tandis que les époux sont tenus par devoir de subir réciproquement leurs volontés et de ne se refuser rien les uns aux autres. ») Or, non seulement Héloïse et Abélard se marient, mais ils mettent au monde un enfant. Lorsque Héloïse s'avise qu'elle est enceinte, elle l'annonce à Abélard avec des transports de joie. Dans l'intérêt d'Abélard, Héloïse était prête à se passer du mariage. Son amour n'avait besoin d'aucune consécration. Cependant, elle ne renie pas le sacrement. Loin que le mariage religieux soit pour Abélard et Héloïse dépourvu de valeur sanctifiante, ils ne cesseront de s'en prévaloir. Abélard : « Nous sommes un dans le Christ, une seule chair par la loi du mariage. » Et Héloïse : « Tu sais quel lien nous attache et t'oblige, et que le sacrement nuptial t'unit à moi d'une manière d'autant plus étroite que je t'ai toujours à la face du monde aimé d'un amour sans mesure. »

Mais il y a aussi dans l'amour courtois un très curieux rituel magique de la chasteté. Or l'amour d'Abélard et d'Héloïse a été puissamment charnel. Il faut bien le dire malgré le caractère déplaisant de la remarque, c'est surtout depuis le moment qu'il y était obligé

qu'Abélard a vanté la chasteté. La chair pour lui est
péché, lorsqu'on s'y adonne avec perversité ou de manière
extravagante, dans un lieu consacré ou à l'encontre
du vœu de chasteté. Il n'y a chez Abélard ni vénéra-
tion pour la chasteté en soi ni curiosité pour ses
prouesses, ni prédilection pour ces situations scabreu-
ses où la résistance de l'âme est éprouvée téméraire-
ment. Au contraire, on relève dans les *Lettres* un passage
où se trouvent dénoncées « les vierges folles infatuées de
leur pureté corporelle et qui se dessèchent au feu des
tentations ». Abélard plaint « ceux qui se privent ainsi
des douceurs terrestres et perdent à la fois le temps
et l'éternité ».

A lui seul ce grand couple suffit à attester l'existence, en plein amour courtois, d'un autre amour, passionnel sans doute mais non passioniste. Il ruine la
thèse de Rougemont. L'amour-passion n'est pas une invention du XIIᵉ siècle.

Ce qui est vrai, c'est qu'il y a dans l'amour moderne
quelque chose de dramatique, de déchiré qu'on ne trouve
pas dans l'éros grec. On ne pouvait s'attendre à le voir
apparaître sous une forme identique dans l'Athènes du
IVᵉ siècle avant Jésus-Christ et dans la France profondément chrétienne du douzième. L'histoire se réduit à
ce conditionnement et à cette spécification morphologique. Le christianisme et le gnosticisme, chacun à leur
façon, ont pesé sur l'amour. Le discrédit jeté sur la
chair, le drame du péché, le pessimisme des Pères, le
dualisme tranchant, farouche des hérésies devaient provoquer à tout le moins un gauchissement de l'éros. Cette
déformation sera poussée à l'extrême dans le passionisme
doloriste et masochiste. De sorte que la généalogie
de l'amour sera de plus en plus malaisée à établir — d'autant qu'on s'évertue aussi à dénaturer l'éros païen, à
l'affadir et l'édulcorer, à le réduire à l'image anacréon-
tique de l'enfant ailé. On croit rêver lorsqu'on lit que

pour les Anciens, « Eros était un dieu ailé, charmant et secondaire ! »[1] (alors que pour Platon non seulement l'amour est principe individuel de réunion de l'âme à Dieu mais principe cosmique, Loi du monde, Eros cosmogonique[2], comme déjà chez Héraclite, Hésiode, Empédocle, Parménide). C'est à peu près comme si l'on réduisait Dieu, Père, Fils et Esprit au « petit Jésus » conté aux enfants du catéchisme.

Cependant, les routines de l'esprit sont si engageantes qu'il arrive aux écrivains les plus honnêtes, les plus libres de s'y laisser prendre. On s'étonne d'entendre affirmer par Nelli que, dans toute l'antiquité gréco-romaine, on n'enregistre pas un seul cas d'amour-passion, sinon comme « cas pathologique ». Or la Grèce a fait par amour des guerres longues et coûteuses, d'innombrables guerriers ont donné leur vie pour arracher un simple regard d'admiration à leurs *aimés* (au point que l'on fit des bataillons d'amants, tant était grande leur valeur) ; d'autres ont tué et assassiné pour les défendre et les venger (il est vrai que l'histoire a pudiquement travesti ces crimes passionnels en exploits civiques ou patriotiques) ; d'autres encore se sont suicidés par désespoir d'amour comme on peut le lire dans Platon et Aristote[3]. Quelques-uns, par passion, ont compromis leur popularité et le succès de leur politique, comme Périclès à qui le peuple athénien n'a jamais pardonné son amour pour Aspasie. C'est une Grecque qui a noté les symptômes somatiques de la passion avec une telle précision clinique que Racine, après beaucoup d'autres — jugeant sans doute qu'on ne pouvait faire mieux — s'en est servi pour décrire les fureurs de Phèdre. C'est un Athénien qui, transporté par

1. Denis de Rougemont, *Comme toi-même,* p. 12, Paris, 1961.
2. « Peut-être Platon tendait-il à voir dans l'Amour la loi universelle qui anime tout le réel, qui fait vivre la nature, qui meut l'âme du monde... » Robin, *ouvrage cité,* p. 228.
3. *Phédon,* 68 a, *Ethique à Nicomaque,* III, 13.

le sentiment qu'il vouait à un jeune prince aussi beau
que sage, a élaboré notre seule doctrine sacrée de l'a-
mour. Il est vrai que Platon ne faisait cas de l'amour
que pour autant qu'il aidât l'homme à se purifier et à se
diviniser. Il est vrai aussi que — tout en reconnaissant
la valeur détersive de la douleur — les Grecs eussent
tenu pour pervers de la rechercher. Ils savaient tout de
l'amour, les astuces les plus subtiles de la chair et les
plus surprenantes revanches de l'esprit. Mais ils ne con-
naissaient ni le dolorisme ni le masochisme. Et peut-
être eussent-ils regardé Tristan avec mépris. Non pour
avoir désiré charnellement Iseut ni même pour l'avoir
possédée. Non pour avoir connu le délire amoureux,
mais pour s'y être perdu. Pour avoir préféré l'hallucination à la présence d'esprit, la démence à la sagesse,
la magie au sacré. Pour avoir sacrifié la *philosophie*
à l'étrange et nouveau plaisir de s'abîmer (l'étonnement
eût été en outre que cette grande passion fût inspirée
par une femme).

Mais Tristan est un cas extrême de reddition à la
magie. Le rituel courtois avait précisément pour effet
de s'approprier magiquement la puissance sexuelle et
surtout le pouvoir maléfique de la femme. Selon Nelli
(qui a parlé si justement du phénomène courtois)[1], cette
religion de l'amour avait codifié, sous la forme superficielle du cérémonial féodal, des croyances beaucoup plus anciennes. C'est ainsi que la *merci*, sorte
d'échange des cœurs par le baiser, par l'échange des
souffles et des salives, correspondait à un très vieux
rite de communion animique au cours duquel le cœur
de l'homme était censé se loger dans le sein de l'amie
et celui de la femme dans la poitrine de l'ami, dont elle
assurait ainsi la protection. Tantôt cet échange demeu-

1. René Nelli, *L'Amour et les mythes du cœur*, Hachette,
Paris, 1952.

rait symbolique, tantôt il postulait une union plus intime, se jouant sur un fond de sensualité et impliquant cette exaltation charnelle qui rend la magie plus efficace. Pour André le Chapelain, l'amour pouvait aller jusqu'à la contemplation de la dame nue et aux caresses hardies, à condition que l'acte qui tue l'amour n'ait jamais lieu.

En tout cas, l'idée ancestrale, itérative (on la voit apparaître dans les civilisations les plus disparates) que l'élan sexuel refréné accroît la puissance de l'homme, émerge à nouveau de cet étonnant XII⁰ siècle chrétien, tant chez les troubadours qui s'exposent au contact des membres nus de l'amie que dans l'hérésie des béguins de saint François. Si Chrétien de Troyes avait été plus au fait des secrets provençaux, écrit Nelli, il aurait sûrement mis Lancelot (dans le Conte de la Charrette) dans le lit de la demoiselle. Et il compare cet héroïsme à celui de Socrate couchant auprès du bel Alcibiade.

Des pratiques analogues sont connues de la Chine taoïste, du soufisme et surtout du tantrisme bouddhiste ou visnuïte. Tantôt la méthode, liée à la maîtrise du souffle, de la pensée, de la semence, a pour objet d'atteindre la transposition mystique de l'union sexuelle, c'est le *maithuna* du tantrisme (avec ses recettes précises : servir la femme pendant les quatre premiers mois comme un domestique, dormir dans la même chambre, puis à ses pieds, puis quatre mois encore dans le même lit, du côté gauche, puis quatre mois du côté droit, puis dormir enlacés). Tantôt c'est une hygiène à tonalité magique — comme dans le Tao : apprendre à jouir de la femme sans jamais lui abandonner ce qui est principe de salut physique et d'immortalité, sans pénétrer dans son univers maléfique et mortel (celui précisément dans lequel Tristan ne demande qu'à s'engloutir) [1].

---

1. De même Tristan concentre sa passion sur Iseut quand le

Jusqu'à quel point l'amour courtois était-il conscient
de ces significations ? Les troubadours les ont-ils accor-
dées au culte de la Femme et de la Vierge-Mère ou à la
Sophia des gnostiques ? Aux principes d'un saint Bernard qui enseigne que la *caritas* n'est qu'élan charnel
transmué ? Ou, en dépit de Tristan, à la crainte ancestrale de la Femme, représentante de la Nuit prénatale et
de la Mort, contre laquelle le rituel instituait une magie
de protection ? Ont-ils établi la relation avec l'idée cathare
et surtout gnostique que l'acte charnel, s'il n'expose pas
à la procréation et s'il n'engage pas l'esprit, n'est pas
immoral ? De toute façon cette chasteté, héroïque mais
scabreuse, ne ressemble guère à la prudente abstention
chrétienne ni même à la sérénité d'un Socrate. Sans doute
elle se situe dans un même éclairage de prouesse. Mais
Socrate *acceptait* l'épreuve de la tentation. Il n'est pas
prouvé qu'il en fit une habitude ni surtout une sensation.
Le plaisir de se priver, l'orgueil de résister apparaissent
déjà dans les attitudes courtoises. Socrate ne pensait pas
que la chasteté fût autre chose pour le philosophe qu'un
test. Elle permettait de voir où l'on en était dans la purification, dans le départage critique du pur et de l'impur,
de la Beauté réelle et de ses apparences sensibles. D'où
sa curiosité pour ces confins, ces zones frontières confu-
ses, inexplorées, incomplètement délimitées où sa nature
aventureuse s'éprouve d'autant mieux qu'elle est plus
exposée. Cependant Socrate ne circule pas à côté d'un
abîme, comme le chrétien que la moindre erreur de calcul précipite dans le mal et la damnation. Il est toujours
en mesure de rectifier sa position et sa perspective.
L'*impur* n'est qu'une confusion. Le *Mal* est un pouvoir,
quand il n'est pas le Principe de ce monde. Le dualisme,
qui sous-tend toutes les situations dans le monde chré-

Tao enseigne à se défendre de la Femme par *les* femmes; il est
recommandé d'user de plusieurs d'entre elles dans la même nuit.

tien, fait que le héros courtois est exposé à basculer
brusquement des cimes dans l'abîme. D'où cette nuance
hérétique, occulte ou même sacrilège de ses exploits, ce
recours à la magie comme au surnaturel du Mal opposé
à celui du Bien.

C'est dans cet éclairage qu'il faut situer la légende
de Tristan ainsi qu'en témoigne éloquemment l'épisode
du jugement de Dieu dans la version de Gottfried de
Strasbourg.

> Amen! dit la belle Iseut.
> Au nom de Dieu elle prit le fer
> Et le porta sans que sa main fût brûlée.
> Ce fut ainsi une chose manifeste
> Et avérée devant tout le monde,
> Que le très glorieux Christ
> Se plie comme une étoffe dont on s'habille;
> Il se plie et s'arrange,
> Pour qui sait se plier d'après lui,
> Aussi exactement et aussi parfaitement
> Qu'on peut le désirer,
> Il se prête au gré de tous,
> Soit à la sincérité, soit à la tromperie,
> Il est toujours ce qu'on veut qu'il soit,
> Et ne se refuse à aucun jeu, sérieux ou plaisant.
> On put s'en convaincre
> En voyant cette reine adroite
> Se sauver par sa duplicité,
> Et par le faux serment
> Qu'elle adressa à Dieu.

Loin qu'il les mène à Dieu, l'amour de Tristan et
Iseut les oppose à Dieu (même lorsqu'ils en appellent
à « sa courtoisie »!). Il n'est pas religion, mais magie
(*schrecklicher Zauber* dira Wagner) et ces amants lé-
gendaires ne sont pas des pécheurs, mais des maudits.

Tristan, dès sa naissance, est voué à l'adversité (d'où son nom, « le Triste »). Dans sa confession à l'ermite Ogrin, il nomme lui-même son amour *péchié* et péché dans l'ancien français, nous apprend Vinaver, veut aussi dire malheur. « Que Dieu se repente de nous avoir fait naître! » s'écrie Brangien, car c'est elle qui a commis l'erreur fatale et les amants ont bu « la destruction et la mort » dans le vin herbé. Ce bel amour est d'abord un amour funeste. Tristan et Iseut ne pensent pas que leur amour soit autre chose qu'ensorcellement et maléfice. Au reste ils ne *pensent* jamais. Ils pâtissent et jouissent, indiscernablement. Malheur ou bonheur, le malentendu est pareil. C'est toujours celui de l'amour fermé. La grande tare du passionisme est d'être un hédonisme. Alors que le platonisme s'efforce à l'eudémonisme. Platon veut être en paix avec son démon, Tristan ne veut que l'anesthésier.

On nous dit que cet amour, c'est l'éros païen[1]. Mais l'éros, nous savons ce qu'il était. Toujours virtuellement amour du divin, il se connaissait pour tel, il était essentiellement lucide. Prise de conscience alors que le passionisme est perte de conscience. Tout est mémoire dans l'éros, la prédestination qui est une nostalgie, la beauté qui est réminiscence, la sagesse qui est une fidélité, le délire amoureux qui est grâce. Alors que dans le passionisme tout est oubli, sommeil, mensonge, la prédestination qui devient fatalité inexplicable, la beauté qui est remplacée par le sortilège, le délire divin par l'hallucination. Ainsi l'un est attention et présence, l'autre absence et refuge. C'est l'amour-évasion, amour passionnel sans doute, mais qui se replie sur la créature au lieu de s'ouvrir et de s'épanouir au-delà d'elle surnaturelle-

---

1. On ne voit pas bien d'ailleurs comment on peut concilier la thèse que l'amour-passion serait né au XII* siècle avec celle de son origine païenne.

ment. Eros peut-être, mais qui renie et trahit sa *vocation*.
Il n'assume rien, pas même la durée. Ne nous laissons pas
abuser par les délais que Tristan se donne. Il n'y a
chez « les beaux amants » aucun effort d'épuiser le destin d'un amour qui, pas plus que les autres choses de ce
monde, ne devrait rester immobile. Tristan et Iseut demeurent au point fixe. Mais en renouvelant sans cesse
les obstacles à leur désir, ils se donnent l'illusion du
mouvement par un phénomène analogue à celui que l'on
éprouve dans un train à l'arrêt en voyant défiler les
compartiments d'un train voisin qui se met à rouler en
sens inverse.

Faut-il insister ? Ne voit-on pas que l'érotique païenne
est une érotique de salut quand l'autre est une érotique
de perdition, que l'une et l'autre convoitent l'extase mais
que l'une débouche sur ce que Diotime nomme le
réel, et l'autre sur le néant. Encore n'est-ce pas un néant
qui s'éprouve, définissant son insuffisance. C'est une
sensation savourée. Il n'est pire erreur que d'approcher
le but de si près et de le manquer. Hérésie chrétienne, a-t-on dit. A coup sûr hérésie érotique. L'amour
courtois est un genre littéraire, un code, un rituel, une
magie, une ascèse, tout ce qu'on voudra sauf une *voie*.
Il n'est pas plus une mystique qu'une philosophie. Ce
prolongement et cette élucidation seront tentés trois siècles plus tard par Marsile Ficin[1]. Mais ce prêtre qui se
promet de ramener les fidèles au Christ grâce à Platon et qui espère enflammer les âmes grâce aux séduc-
tions de l'éros, abordera le sujet avec un autre préjugé :
celui de l'identité de l'éros et de l'agapè. Infidèle aux
deux, sa philosophie de l'amour chaste sera un échec.

---

1. Sur le lien entre l'érotique courtoise, Pétrarque et la philosophie de Ficin, voir Festugière, *La philosophie de Marsile
Ficin*, Vrin, Paris, 1947.

Incomplète, faussée, l'érotique courtoise, en revanche,
impliquait la femme. C'est la grande nouveauté de
l'amour courtois que cette exaltation du Féminin, objet
pour l'homme de sentiments contradictoires. Méfiance,
terreur, mais aussi fascination, passion, culte. Dans un
monde où la loi de l'Eglise pèse lourdement sur ce sexe
et sur l'amour (qu'elle réglemente jusque dans les rapports conjugaux), l'amour courtois extra-conjugal réta-
blissait fictivement l'égalité. Le *joi d'amour* conférait
à la femme une liberté qui, pour être imaginaire, n'en
était que plus merveilleuse.

Sur le plan pratique les conséquences furent moins
réjouissantes. Les *dames* qui avaient applaudi à l'ano-
blissement de l'amour, à la séparation de la chair et de
l'âme, ne devaient pas toujours en bénéficier. Beaucoup
de ces poètes courtois seront homosexuels. Quelques-uns,
à côté de leur *maîtresse métaphysique* ou de leur dame
« *mystique* » en auront une autre qui le sera moins. En
fait la division de l'amour aboutissait généralement à se
servir sur plusieurs plans et avec des personnes différentes. L'érotique courtoise allait précipiter la désagrégation
de l'amour et la dispersion de ses éléments. Cette tendance centrifuge s'accuse à mesure que l'amour courtois
vieillit. De plus en plus, il se déploie en nuances, en varié-
tés. Il finira par se décomposer « comme la lumière
dans le prisme en ses éléments constitutifs ». Or cette
désagrégation, c'est la condamnation d'éros, c'est la
négation de l'érotique de *liaison*. René Nelli le reconnaît, l'érotique courtoise a été impuissante à unir l'âme
et le corps dans la même passion.

Mais la tendance désagrégeante de l'amour courtois
s'étend aussi au social. Ce fruit de serre d'une civilisation littéraire et mondaine ne saurait mûrir en dehors

du cercle d'une aristocratie de classe et de ceux qui gravitent autour d'elle. On le verra bien quand cette culture dégénérera en poncif littéraire. La postérité de l'amour courtois, ce sera Mlle de Scudéry, ce sera l'*Astrée*, ce seront, remplaçant les cours d'amour, les premiers salons des Précieuses. Le phénomène courtois — avec sa notion tenace du privilège de classe, avec ses deux morales (dont une à l'usage exclusif de l'aristocratie), avec son préjugé contre le mariage et son indulgence à l'adultère —, se survivra dans la galanterie mondaine du XVIII° siècle et dans la sécheresse de l'amour-goût.

Culture de classe, culture de clan, qui sépare plutôt qu'elle ne relie, proposant de surcroît un amour quintessencié — le phénomène courtois devait, dès son apparition, susciter des réactions populaires somme toute salubres. Déjà au XII° siècle, les chants des Goliards avaient célébré le vin, le jeu, les filles. Abélard s'était mêlé à ces révolutionnaires qui mettaient en cause l'ordre social et critiquaient les clercs. C'est à ces chansons — et non à sa théologie — qu'il dut ses premiers succès et sa véritable popularité. Presque à la même époque éclate, en Allemagne, la jubilation des *Carmina Burana*. Assemblage hétéroclite de chansons à boire et de chansons d'amour écrites dans un mélange de bas latin et d'allemand et réunies au XIII° siècle par un anonyme, elles célèbrent avec une verve bouffonne la *Venus Generosa*, déesse de la Fortune, sorte de réplique florissante à l'amour courtois. Tournant le dos à la mystique essentialiste ou sur-essentialiste, le sensualisme des cantiques se met, lui aussi, à chanter la joie de vivre, le vin, les baisers. Tandis que sur un rythme de chanson, le fameux *Jubilus* appelle naïvement Jésus aux « baisers plus forts que les coupes de miel », le petit cantique bachique des nonnes du Bas-Rhin[1] nous

---

1. Petit cantique bachique des Nonnes du Bas-Rhin, par

le montre s'épanouissant dans les roses sous forme de
vin de Chypre et nous convie à vider les coupes :

> Videz, remplissez les coupes à la ronde
> Dans les roses.
> Qu'il nous soit donné de repartir joyeux,
> Et de passer, ô gué! notre temps de vie
> Dans les roses.

Vulgaire, cynique est la réaction *gauloise* des fabliaux [1], des contes, des bourdes ou soties. Pour la
grande joie des foules apparaissent alors un personnage
de femme rusée, sournoise, sorte de négatif de la *Dame*
de l'amour courtois, et son complément, le mari berné et
trompé. Le mot *cocu* inaugure une faveur qui ne connaîtra pas d'éclipses. L'amour, descendu de son socle, est
ravalé et piétiné dans une sorte de grossière ivresse de
revanche. Reste le plaisir des sens et la bonne économie
de l'existence. Reste le mariage que la bourgeoisie est
bien décidée à préserver de l'amour. On s'étonne, sur ce
fumier du matérialisme absolu, de trouver comme une
fleur insolite, la touchante figure de Griseldis, image
de la fausse mystique conjugale. C'est un bourgeois de
Paris qui en 1393 propose à sa toute jeune épouse
(quinze ans) ce *Miroir des Dames mariées*.

Anne de Cologne. Voir Jean Chuzeville, *Les Mystiques allemands
du XIIIᵉ au XIVᵉ siècle*, Grasset, Paris, 1957.
   1. Pour Per Nykrog (*Les Fabliaux*, Munksgaard, Copenhague),
les fabliaux seraient un genre burlesque courtois en style bas.
Prenant systématiquement le contrepied de l'amour courtois, ils
s'adressent au même public que les romans. Mais tandis que
ceux-ci concentrent tout ce que les nobles tiennent pour aristo-
cratique (le courage, l'amour sublime, la beauté physique), le
monde des contes à rire — aussi *idéal,* aussi factice que le
monde romanesque — se réserve tout ce que la noblesse attribue
aux roturiers, « vulgarité, paillardise, bêtise, bas instincts, laideur et saleté ». Dans cette hypothèse comme dans l'autre, le
genre courtois favorise la désagrégation de l'amour et l'étend
au social.

GRISELDIS, OU L'ÉROS CRUEL

L'auteur du *Ménagier* tient le récit de Pétrarque qui, lui-même, l'a tiré de Boccace. Mais si j'en crois Robert Guiette, Pétrarque devait le connaître avant de le lire dans le *Décaméron*[1]. On en connaît l'essentiel. Le marquis de Saluce a grand-peur dans le mariage d'aliéner sa liberté. Sur les instances de ses barons, il se résigne cependant à prendre femme, mais afin de s'assurer l'entière et aveugle soumission de la sienne, il choisit la pauvre Griseldis, fille du vieux serf Jehannicola, assez belle de corps, mais plus encore de vertu et de mœurs, humble, nourrie de petite vie, n'ayant jamais goûté viandes délicieuses ni autres délicatesses et dont la quenouille filait continuellement. Le marquis fait promettre à Griseldis de lui obéir à son entière volonté et en silence, *sans résonance ni contredit, en fait n'en dit, en signe ni en pensée*, il exige qu'elle n'emporte avec elle aucune relique de sa vie passée, l'emmène au château dans ses guenilles, la fait mettre toute nue par les dames et matrones et revêtir de somptueux vêtements de noces. Les premiers mois se passent sans histoire. Griseldis, par sa douceur, sa sagesse, sa diligence, fait l'admiration de tous. Vient le jour où elle met au monde une fille. Pour la première fois le marquis est tourmenté du désir d'éprouver son épouse. Simulant le cour-

1. C'est à la belle version de Robert Guiette, *Le Miroir des Dames mariées*, que j'emprunte cette moralité exemplaire. Ed. du Cercle d'Art, Bruxelles, 1944.

roux, il lui fait croire que ses vassaux, dépités qu'il ait
lignée d'une fille de basse condition, l'obligent à « faire
de son enfant telle chose que nulle ne lui pourrait être
plus douloureuse au cœur » et qu'il espère que Griseldis supportera avec la patience qu'elle lui a promise.

Bien qu'elle ait le cœur percé, la pauvre Griseldis ne
montre aucune tristesse et dit à son mari : « Moi
et cette petite fille sommes tiennes. Fais de nous
ce que tu voudras. » Le marquis se réjouit mais se
garde bien de le montrer. Il fait porter l'enfant chez
sa sœur, à Boulogne la Grasse. Quatre années se passent. Bien que souvent le marquis observe sa femme,
qu'il épie son visage, sa manière, sa contenance, il ne
peut surprendre en elle le moindre signe de douleur. Au
terme de ces quatre ans, Griseldis met au jour un
enfant mâle de merveilleuse beauté. Et voilà le marquis tenté derechef. Mais il fera l'épreuve plus cruelle
encore, puisqu'il attend que l'enfant ait deux ans pour
l'enlever à la mère — non sans lui avoir tenu le même
discours auquel la dame mêmement répond : « De
moi et mes enfants, tu es seigneur. Lorsque j'entrai en
ton palais, je me dévêtis de mes pauvres robes et de
ma propre volonté et affection et je revêtis les tiennes. »
Le marquis s'émerveille en son cœur (un peu honteux
tout de même puisqu'il s'en va la tête basse) et fait porter son fils au même lieu que sa fille. Encore qu'elle
tienne les enfants pour morts, la patience de Griseldis ne
se dément pas. De jour en jour, le marquis la trouve
plus amoureuse et plus obéissante. Et s'il sent toujours
le besoin de l'éprouver, c'est sans doute qu'il est engagé
dans un chemin où l'on s'arrête malaisément. Douze ans
ont passé lorsque le marquis de Saluce feint de demander et d'obtenir l'annulation de son mariage. Cependant qu'il fait venir secrètement ses enfants, il appelle
Griseldis et devant ses vassaux lui annonce son intention de prendre en mariage une autre **femme**. Et

Griseldis de répondre humblement : « Je pensais bien qu'entre ta magnificence et ma pauvreté, il n'y avait pas de proportion. Je te rends grâces du temps que j'ai passé avec toi. Pour le reste, je me tiens prête à retourner chez mon père aussi pauvrement que j'en suis venue. Cependant, comme il ne sied pas que celle qui fut ta femme s'en retourne toute nue, je te prie de commander qu'une chemise me soit laissée. » Devant tant d'humilité, le marquis ne peut s'empêcher de pleurer sous cape. Il ne renonce pourtant pas à son projet, laisse partir Griseldis qui retourne à sa chaumière et à ses guenilles, cependant que son époux prépare les noces. Lorsque enfin sa fille et son fils approchent de Saluce, il envoie à nouveau chercher Griseldis, la priant de s'occuper de recevoir la pucelle, son frère et les seigneurs qui les accompagnent. Et Griseldis revient, vêtue de sa pauvre robe que nul cette fois ne songe à lui ôter. Elle fait nettoyer le palais et les étables, dresser les lits et les chambres, tendre les tapis de haute lice, afin que tout soit digne de l'épouse de son seigneur. Le cortège arrive. Et tous de se récrier sur la beauté et la jeunesse de la nouvelle épouse et certains de dire : « Le marquis change sagement son mariage, car cette épouse est plus tendre et plus noble que la fille Jehannicola. » Et Griseldis, *qui à toutes ces choses était présente,* de se montrer toute joyeuse et de se mettre à genoux pour accueillir la jeune fille et son frère. Cependant l'heure vient de se mettre à table. Le marquis fait appeler sa femme et devant tous, à haute voix lui demande : « Que te semble, Griseldis, de mon épouse ? N'est-elle pas belle et honnête ? » Et Griseldis, toujours agenouillée, d'en convenir et de souhaiter à son seigneur joyeuse et honnête vie, le priant seulement de ne pas tenter cette nouvelle épouse comme elle le fut elle-même « car elle est jeune et de grand état et ne le pourrait souffrir. »

Alors le marquis, enfin vaincu par l'amour de Griseldis, ne peut plus se contenir et, en la présence de tous, lui dit son contentement : « O Griseldis, Griseldis, je vois et je connais suffisamment ta foi et loyauté. Il n'y a homme sous le ciel qui ait autant éprouvé son épouse... Autre épouse jamais je n'aurai. Celle-ci est ta fille et celui-ci ton fils. *Sachent tous ceux qui le contraire pensaient que j'ai voulu curieusement et rigoureusement éprouver cette épouse, non la mépriser ou la désespérer.* »

Sur ce la marquise de Saluce tombe à terre, toute pâmée de joie. On la relève, on pleure avec elle, on la rhabille de ses beaux vêtements, on lui fait fête et désormais les époux vivent heureux vingt ans encore avec leurs enfants et petits-enfants. *Ci finist le miroir des Dames mariées : c'est assavoir de la merveilleuse patience et bonté de Griseldis, marquise de Saluce.*

Ce *happy end* n'empêcha pas que la conduite du mari fut trouvée atroce et même inexplicable. Déjà Pétrarque atténue la cruauté de ce dressage conjugal en le revêtant d'une signification symbolique. Ainsi fera le poète français qui, vers 1395, met l'histoire « en vers et par personnages ». Mais c'est aux Pays-Bas, où l'*exemplum* de Griseldis connut une grande faveur, qu'il devint définitivement l'allégorie de l'âme mariée au Seigneur et soumise aux tribulations qui doivent éprouver sa fidélité. Cependant Boccace, qui en a parlé le premier et souligné « la folle bestialité », donne l'histoire pour vraie. Et symbolique ou non, la soumission de Griseldis continuera d'être citée en exemple de vertu conjugale aux femmes. C'est ainsi qu'en usera l'auteur du *Ménagier de Paris* — ce traité de morale et d'économie domestique où l'on apprend comment rendre heureux son mari et comment amender les vins malades, comment s'attourner convenablement et comment faire un coulis de poulet ou un lait d'amandes. Et la preuve que pour l'auteur du *Ménagier* le sens propre de cette histoire exemplaire l'emporte sur le symbole, c'est qu'il l'accompagne d'autres exemples non moins édifiants : celui d'une dame que son mari par trois fois fait sauter, comme un chien savant, au-dessus d'un bâton, d'une autre qui, ayant refusé de l'imiter, en fut cruellement châtiée, d'une autre encore qui, ayant appris que son mari avait au village une maîtresse mal nippée et mal chauffée, lui fit porter draps et bûches, bon lit de duvet, chausses et robelinges nettes — allant même jusqu'à lui proposer de faire prendre régulièrement son linge sale! — de telle façon que l'époux ne connût aucun inconfort dans ses plaisirs. Au reste, le mari du *Ménagier* rassure sa femme : il n'a aucun dessein de l'*essayer*. Il n'est pas marquis et ne l'a pas prise bergère. Mais il est vieux. Elle se remariera. Qu'elle apprenne à se soumettre et, si son sort est d'épouser un homme dur et cruel, qu'elle n'aille se plaindre à personne des mauvais traitements qu'elle en recevrait. Qu'elle se retire plutôt en sa chambre pour pleurer à voix basse et se plaindre à Dieu. « Cette leçon est donnée, nous dit-on, sans élever la voix, du ton modeste d'un vieux bourgeois endoctrinant une jeune épouse pleine de bonnes intentions. » Ce ton, nous le connaissons. Cette bonhomie — sur laquelle on s'extasie — c'est celle d'Ischomaque, le mari de l'*Economique*. C'est la même jouisseuse économie de l'existence, la même autorité faussement débonnaire, le même hypocrite paternalisme exercé sur une toute jeune femme, la même morale terre à terre, intéressée, le même enseignement de ce qu'il faut savoir *pour le prouffit du mesnage accroître* — de l'art d'engager les domestiques à celui de conserver les provisions, remuer le grain, éventer les robes et couvertures. Seule manque chez Xénophon l'allusion aux *esbatements et privetés* dont le bonhomme semble friand, au même titre d'ailleurs que d'être par sa femme déchaussé, lavé, bien abreuvé, bien servi, bien *seignouri*, bien couché dans des draps frais et couvert de bonnes fourrures. Nous sommes loin de Griseldis. Loin aussi de l'éros. On s'en doutait. Le *Ménagier* a beaucoup à nous apprendre sur le mariage d'un bourgeois au XIV⁰ siècle. En revanche, il ne nous éclaire guère l'histoire — non pas charmante mais terrible — du marquis et de la marquise de Saluce. Sur la psychologie de ces étranges personnages, nous en sommes réduits aux hypothèses. L'ascèse outrée, inhumaine, stérile de Griseldis, qui n'est *pas* l'ascèse chrétienne (rien de moins chrétien que cette histoire où Dieu tient si peu de place), pourquoi ne serait-ce pas une ascèse amoureuse? Du marquis de Saluce, nous savons qu'il était jeune, beau, riche, brillant, tout-puissant. Comment la pauvre fille du serf Jehannicola n'en serait-elle pas éprise ? C'est le contraire qui serait stupéfiant. Je me demande s'il n'y a pas à l'origine de la légende, un de ces faits divers érotico-mystiques sur lesquels s'exerce en vain la sagacité du profane. Seul un éros — un éros tourmenté, douloureux, qui stagne et piétine, faute de sortie, et retournant son énergie contre lui-même, s'ingénie à préparer ses propres supplices — peut rendre compte acceptablement de la conduite de cette épouse sacrifiant monstrueusement ses enfants, de cet époux que l'on nous montre détourné pour dissimuler ses larmes, mais qui ne démord pas pour autant de son entreprise. Ascèse aussi — le sadisme peut être ascèse — que cette obstination à tester l'amour qui lui est porté afin peut-être de s'en émerveiller, de *savoir*. Au fond de cette expérience, il n'y a peut-être chez lui que cette curiosité : jusqu'où l'amour peut-il aller ? Chez elle que ce consentement à se dépouiller de toute volonté propre, à se *dénuder* (comme en témoigne le symbole des vêtements abandonnés jusqu'au dernier avant les noces), à s'abîmer dans la négation purificatrice. Ainsi cette histoire sado-masochiste — dans laquelle on pourrait être tenté de trouver comme une préfiguration décente de l'Histoire d'O — prendrait effectivement une tonalité mystique. Mais c'est une fausse mystique que celle qui méconnaît son objet. Certes la conduite de chacun de ces époux prend le caractère d'une aventure de l'âme. L'un et l'autre s'engagent avec intrépidité sur une de ces voies non battues, vierges, où Rilke disait qu'on va « seul comme un minerai ». Dépouillement que cette « cruauté mentale » du marquis qui s'exerce sur l'amour qui lui est porté et qu'il provoque de plus en plus hautement afin de le connaître — et non d'en jouir. Dépouillement que la soumission aveugle de Griseldis qui ne cherche, comme tous les mystiques, qu'à réaliser, par la dénudation absolue, cette vacuité intérieure préalable à l'union. A quoi bon cependant si subsiste le dernier obstacle — le plus opaque. Hadewych connaissait le véritable objet de sa faim et de sa nostalgie — encore que le sachant innommable et définissable seulement par négation. Griseldis, plus loin de Dieu peut-être que son époux, le nomme d'un nom humain. En assignant pour terme à son amour ce qui n'en est que le départ, elle s'abuse. L'éros doit être traversé. Mais la grande leçon platonicienne est oubliée. Et l'histoire de Griseldis, faute de son dénouement naturel, devrait s'achever sur le désespoir et sur la mort. Sa fin heureuse n'est qu'une concession à l'opinion.

De même que des formes naturelles se déforment en changeant d'habitat, donnant naissance à de nouvelles formes, l'éros dans le monde chrétien porte les traces d'une *adaptation au milieu*. Tous ses avatars ont d'une manière ou de l'autre réagi contre la méconnaissance de son aptitude divinisante. Ils portent tous quelque marque d'avoir été brimés dans leur démonisme, *d'avoir trouvé le passage barré*.

Dans tous les cas, il y a désagrégation. L'amour humain, condamné à rester humain, ignore qu'il est aussi religieux. L'amour divin, religieux au départ, se voit obligé de répudier ses attaches humaines. Il se prive de son matériau. Ou s'en sert clandestinement. Dans tous les cas, il y a clôture au lieu qu'il y ait communication. Or l'éros est avant tout échange et transport. Il est *liaison*. De là précisément son caractère religieux. Cette désagrégation est une désacralisation. Certes le reproche que l'on peut faire à l'érotique païenne de s'être élaborée dans l'homosexualité est grave. Je n'ai pas cherché à le dissimuler. Au moins l'amour n'était pas dénaturé, réduit à l'impuissance ou à la clandestinité. Il était exalté comme il ne le fut jamais. Et, il faut bien en convenir, une fois écartée l'anomalie, l'érotique platonicienne s'appliquait admirablement à l'amour de l'homme pour la femme. (comme le prouve l'usage qui n'a cessé d'en être fait). Beaucoup plus désastreuse est la désacralisation. Désormais — au lieu qu'il n'y ait qu'un amour —, il y aura l'amour sacré et l'amour profane. Il est vrai qu'au sacré, l'amour profane a substitué la magie, au religieux le merveilleux. Hélas ! le merveilleux ouvre la porte au romanesque et à la littérature de fuite. De cette fuite, de cette absence au monde, de cette défection poussée jusqu'à la volupté de mourir, l'époque nous a laissé le mythe et le poison. Mais un mythe d'absence ne saurait être un symbole du couple. Il existe un grand mythe — de réintégration et non de fuite. Ce mythe est celui de la complémentarité du Masculin et du Féminin, l'Androgyne.

III

UN MYTHE DU COUPLE
L'ANDROGYNE

L'ANDROGYNAT EN MYTHOLOGIE

*— Quoi, tu dis que Dieu possède
les deux sexes, ô Trismégiste ?*

*— Oui, Asclepius, et non pas Dieu
seulement, mais tous les êtres animaux et végétaux.*

« Il me semble rêver, dit Henri d'Ofterdingen à Mathilde, quand je pense que tu es à moi et pourtant,
ce qui me paraît plus étonnant encore c'est que je ne
t'ai pas toujours eue. » « Et moi, répond Mathilde, il
me semble que je te connais depuis des temps inimagi-
nables. »

Après Novalis, Breton : « Avant de te connaître, allons
donc, ces mots n'ont pas de sens. Tu sais bien qu'en te
voyant la première fois, c'est sans la moindre hésitation
que je t'ai reconnue. »

« Dans quel monde nous étions-nous rencontrés ?
demande Nerval. Par instants je crois ressaisir à travers
les âges et les ténèbres des apparences de notre filiation secrète. Des scènes qui se passaient avant l'apparition des hommes sur la terre me reviennent en mémoire,
et je me vois sous les rameaux d'or de l'Eden assis
auprès d'elle... »

Ceux qui s'aiment se reconnaissent. Ils s'aiment *de toute éternité.*

> Je crois, ma petite fille, lorsqu'on s'aime comme je t'aime que l'on s'est toujours aimé. Comment se reconnaîtrait-on, si l'âme depuis toujours n'en contenait une image, encore que voilée. Nous sommes partagés en deux moitiés : l'une exposée au jour et l'autre plongée dans la nuit, inconsciente. Elles vivent et vont ensemble et communiquent : on l'éprouve quelquefois sans se rendre vraiment compte de cet échange. Où va ce qui jaillit, d'où vient la vague qui nous submerge, notre regard débile ne le voit pas. Jusqu'à ce que l'autre moitié aussi peu à peu s'éclaire et se révèle. Alors non seulement, devant nous, se découvre la plénitude de toute une vie mais, derrière, nous trouvons levée la sombre barrière qui nous cachait la moitié de notre être. Et nous voyons comme ce qui semblait distinct et pourvu de voies séparées était déjà inconsciemment en communication avec le reste.
>
> Je te salue, ma vie, avec tout ce que je suis, j'étais et puis être.
>
> Ton THORBECKE [1].

Ce fiancé que l'amour fait poète et psychologue est un homme d'Etat, un législateur, l'auteur de la Constitution hollandaise! La rencontre, pour lui fatidique, de la jeune et belle Adelheid Solger suffit à l'éveiller à la conscience mythique. L'image voilée mais reconnue de la bien-aimée, c'est l'Eve que tout homme, nouvel Adam androgyne, porte en lui, c'est l'épiphanie dans l'âme du mythe de Genèse et c'est aussi, avec cent ans d'avance, l'entrée en scène de l'*anima* de Jung. La moitié nocturne de nous-même, c'est le royaume

1. Thorbecke, *Lettres à sa fiancée et à sa femme.* Meulenhorff, Amsterdam, 1936.

gœthéen des *mères,* mais aussi l'inconscient collectif. La sombre barrière qui le défend, c'est l'*Ombre* dont la rencontre constitue la première étape de l'initiation jungienne. La lettre de Thorbecke atteste l'innéité d'une mythologie du couple en même temps que sa concordance avec la psychologie des profondeurs.

On sait la singulière fortune du mot *mythe.* Elle n'a d'égale que celle, plus actuelle, du mot *démystification.* Originellement, le mythe est un récit fabuleux et généralement symbolique d'événements ayant eu lieu *in principio,* dans un temps primordial, sacré, non historique.

Apparaissant à l'aube des civilisations, quelquefois à des milliers d'années et de lieues de distance, circulant à travers le monde avec des variantes mais surtout des constantes, les mythes pour les uns constituent une authentique source de connaissance, pour les autres, ils ne sont que fables et superstitions, contes de nourrice d'une humanité à l'état d'enfance. Les premiers pensent (et non les seconds) que certains aspects du réel défient toute tentative d'expression rationnelle. Seule la pensée imageante peut embrasser leur complexité et leurs contradictions. Telle serait la fonction immémoriale des mythes. Cette opinion s'est singulièrement accréditée depuis les dernières découvertes de la psychologie. Aussi la division se fait-elle moins aujourd'hui sur l'importance et l'actualité d'une mythologie que sur le problème de l'origine. Les uns veulent que les mythes soient un simple produit de l'histoire, le résidu des expériences anciennes mais naturelles de l'homme, les autres qu'ils transmettent et révèlent en outre le souvenir de quelque grande expérience surnaturelle et pré-humaine. Pour ceux-ci, le mythe revêt la signification d'un enseignement sacré, d'une voie, d'une approche.

La sécularisation des mythes par les historistes a eu pour conséquence l'extension de la notion à toute une série de phénomènes de fascination collective. En ce sens dérivé, on parlera d'un mythe de Tristan ou de Don Juan, d'un mythe de Paris, d'un mythe du surréalisme; mais aussi d'un mythe Bardot, d'un mythe Sagan. Non sans malice, Jean-Paul Sartre proposait, il n'y a guère, un mythe du mythe. Si l'on songe que le mythe au sens originel est essentiellement un mode d'expression et de transmission d'une vérité fondamentale, alors que le sens nouveau met l'accent sur l'illusion, la fabulation mensongère, l'imposture, on comprendra tout à la fois le zèle que nos contemporains mettent à *démystifier* et la nécessité de distinguer les faux mythes — qu'il est légitime de soumettre à ce traitement — des autres, qu'il faut préserver, sous peine de nous priver de notre plus précieux, de notre plus riche héritage. En particulier, avant de traiter un sujet mythique, il importe de bien séparer les grands mythes fabuleux dont le trait principal est l'intemporalité et ces cristallisations affectives qui se forment autour d'un thème ou d'un personnage auxquels on peut assigner une époque et un habitat, une nationalité, une confession, une condition sociale, voire une date de naissance. Ceux-ci font partie du bagage spécifique d'une culture, d'une société, quelquefois d'un clan. Ils sont dans l'air. Ils ne peuvent se transmettre que du dehors. Les autres peuvent aussi l'être du dedans. Il n'est pas nécessaire de les avoir lus ou écoutés pour les connaître. Ils sommeillent et germent dans notre moi le plus profond sous forme d'images, de symboles, de hantises, d'aspirations.

Certains hommes vivent immergés dans leur moi le plus souterrain comme dans une cloche à plongeur. Ils

en ressentent le moindre courant. D'autres qui vivent à
la surface, dans le présent historique, n'en voient pas
moins remonter de temps à autre, accrochée par une
sensation un peu vive, un peu entamante, quelque bribe
de ce « déchet mythologique » qu'ils portent en eux sans
le savoir et qu'ils ne reconnaissent pas, bien qu'il éveille
une nostalgie, donc une mémoire. Comme dit Eliade,
c'est « l'image du Paradis perdu lâchée tout à coup par la
musique d'un accordéon ».

Dans ce patrimoine ancestral, commun à l'humanité, figure une fable érotico-sacrée des origines, rayon-
nant autour du motif de l'Androgyne. Au commencement
était un être (ou plusieurs : ils sont sept dans le mythe
gnostique, huit dans celui des Dogons, dix mille dans
la tradition chinoise, innombrables dans le *Banquet*)
qui possédait les attributs des deux sexes. Cet être, divisé ou se divisant en deux moitiés, l'une mâle, l'autre
femelle, qui s'unissent l'une à l'autre, donne naissance
aux hommes. « Il divisa son corps en deux moitiés. L'une
était mâle, l'autre était femelle. Le mâle dans cette femelle procréa l'Univers[1]. »
Toujours l'Androgyne appartient aux temps primordiaux, non historiques. Toujours l'histoire de l'humanité
commence au moment où l'Unité, représentée par l'Androgyne, fait place à la dualité sous l'apparence de la
sexualité. Dans tous les grands systèmes où l'Unité est au
départ et au terme de la vie, où tout en est issu et tout
y retourne, cette rupture de l'indistinction originelle,
cette apparition de la dualité constitue en outre une déchéance par rapport à un état dont l'homme conserve

1. **Manu Smriti, I, 32**, cité par Alain Daniélou, *Le Polythéisme
hindou*, Corrêa, Paris, 1960, p. 313.

la nostalgie — mal du retour — et auquel effectivement
il retourne, retour symbolisé par le désir et l'union des
sexes.

Un des mythes les plus augustes de l'Androgyne est
celui de l'antique shivaïsme [1] qui a survécu en Inde, non
seulement comme religion du petit peuple, mais comme
véhicule des plus hautes spéculations métaphysiques et
d'un ésotérisme grâce auquel a pu être conservée et
transmise la sagesse millénaire de cette civilisation. Dans
le non-manifesté, Shiva est sans sexe — comme il est
sans corps — mais il contient les sexes puisqu'il contient toutes les formes et qu'il unit les contraires [2]. Mais
dès que Shiva se dédouble, apparaît le désir qui est
l'attraction des contraires et du désir naissent les mondes. L'union de Shiva et de Shakti (sa manifestation)
est représentée par l'hermaphrodite, Ardhanâri-îshvara,
mi-mâle, mi-femelle. Leur existence séparée n'est qu'une
fiction. On sait qu'aujourd'hui encore, dans la religion
populaire, le couple éternel Shiva-Shakti, symbolisé par
le *linga* enserré dans le *yoni*, demeure la représentation
parfaite du divin. Axe primordial, écrit Max-Pol Fouchet, « le *linga* montre, en se joignant au *yoni*, que l'Absolu se développe en pluralité, mais se résout en unicité. L'ensemble *linga-yoni* précise l'antagonisme des
principes mâle et femelle — et il le détruit dans une
non-dualité triomphante. » On ne saurait mieux dire.

L'Androgynat reparaît, associé cette fois à la création
des espèces, dans la Brihadâranyaka Upanishad.

Au commencement, en vérité, rien de tout ceci
n'existait. Du non-être l'être sortit. Cet être se trans-

1. *Ibid.,* ch. v, ch. viii, ch. ix, pp. 371 et suiv.
2. Shiva est représenté sous son aspect androgyne dans une
très belle sculpture du sanctuaire d'Eléphanta, *L'Art amoureux
des Indes,* p. 33, Max-Pol Fouchet, Editions Clairefontaine, Lausanne, 1957.

forme en un Soi. Le Soi existait d'abord sous l'aspect
de la Personne cosmique (*Purusha*). Il regarda et ne
vit que lui-même. Il dit : *je suis...* Il désira un autre.
Il devint aussi gros qu'un homme et une femme
enlacés. Il se divisa en deux. Ainsi il y eut un mari
et une femme. C'est pourquoi chacun n'est qu'un
demi. L'espace vacant est rempli par la femme. Il
s'accoupla à elle. C'est ainsi que les hommes furent
créés.

Et voici l'Androgynat présidant à la création des animaux :

Lorsque le Créateur se fut divisé en un mâle et
une femelle, la femelle pensa : « Comment ose-t-il
copuler avec moi alors qu'il vient de me former d'une
partie de lui-même! Je vais me cacher. » Elle devint
une vache. Il se fit taureau et copula avec elle. C'est
ainsi que naquit le bétail. Elle devint une jument,
il se fit étalon. Elle devint ânesse, il se fit âne, et il
copula avec elle. C'est ainsi que naquirent les animaux à sabots. Elle devint une chèvre, il se fit bouc.
Elle devint brebis, il se fit bélier. C'est ainsi qu'il
créa tout, tout ce qui existe par couple, jusqu'aux
fourmis.

Ainsi le symbole se trouve-t-il associé tantôt à la
multiplication universelle, tantôt à l'indistinction originelle et divine. Le divin, c'est le non-duel. Il a été défini
« *ce en quoi les contraires coexistent* ». Dès que surgit une tendance à la manifestation, elle apparaît
comme une dualité qui se polarise en deux champs
de force (positif et négatif, actif et passif) et s'étend
à toute la création dans la distinction des aspects mâle
et femelle. C'est le désir, l'attraction entre ces contraires

distincts mais inséparables qui fournit la cheville entre
les deux implications [1].

Toujours lié à la problématique des contraires,
nous retrouvons le thème dans la tradition sacrée des
Grecs. Au commencement naissent Chaos, Gaïa (la Terre)
et, à côté d'elle, Eros, le plus beau des dieux. Or, les
premières parturitions se font sans lui. Nyx, la Nuit,
fille de Chaos, est un être gémellaire et bisexué, né
sans union amoureuse, par scissiparité, en même temps
que son jumeau mâle Erebos. Elle-même donne naissance, par le même procédé, au Jour (Ether et Lumière).
Ensuite toujours seule, elle engendre la génération des
Enfants de la Nuit parmi lesquels le Sommeil et la Mort,
deux jumeaux, l'un noir, l'autre blanc. De son côté Gaïa,
sans le secours d'Eros, met au monde Uranus couronné
d'étoiles mais aussi le funeste Pontus.

Ainsi voit-on l'Androgynat présider, dans les cosmogonies, à une double filiation de contraires. La paire
masculin-féminin y figure parmi les autres, Jour-Nuit
ou Lumière-Ténèbres, Impair-Pair, Un-Multiple, Droit-
Gauche et ainsi de suite.

Chez un peuple adonné à la speculation métaphysique,
cette répartition affective des choses en deux files, ne
pouvait manquer de poser la question ontologique. Qu'y
avait-il aux commencements ? Un ou Plusieurs ? Autrement dit, où fallait-il mettre l'Un dans les tables de
contraires ? Dans l'une des colonnes ? Ou en dehors et

---

1. Comparer Karapâtri Lingopâsanâ Rahasya, Siddhânta (Daniélou, *ouvr. cité*, p. 347) : « Le désir, l'attraction des contraires,
né du premier dualisme, de la distinction entre la Personne et la
Nature est l'Eros surnaturel. Lié à la nature par le désir, la
Personne cosmique procrée des Mondes innombrables. »

en tête des colonnes ? Comme l'écrit Clémence Ramnoux dans son bel ouvrage sur Héraclite[1], ce petit problème d'arithmologie soulevait en fait le problème du Mal et de son irréductibilité. La première hypothèse bloquait les contraires. La seconde les reliait par le mouvement dialectique. L'option était entre un monde figé en deux catégories, abandonné de Dieu, un monde de désespoir d'une part et de l'autre un monde d'espoir, le monde religieux de l'enchaînement et de la communication. Sur le plan métaphysique, cette alternative revenait à choisir entre un dualisme statique, définitif, et un dualisme fonctionnel, toujours en instance d'intégration dans l'Unité. En plaçant en tête de sa cosmogonie, le couple irréconciliable (Chaos, la Fente Abismale, et la Terre, Base de Sécurité), procréateur de races incompatibles, et à côté, mis à part, isolé, un Eros qui, né pour unir, se voyait empêché de le faire, Hésiode[2] se situait dans le clan du dualisme absolu. D'où le reproche d'Héraclite au *maître du plus grand nombre* : « Tous croient qu'Hésiode sait le plus de choses, lui qui n'a même pas connu le Jour et la Nuit! Car Jour et Nuit, c'est Un. »

De la part du Sage dont les énigmes ne cessent d'affirmer l'unité des contraires (et qui lui-même aurait mis *l'un, la chose sage* tout à fait à part de tout), cette protestation viserait la conception hésiodique d'un Amour impuissant à réconcilier « la progéniture Ouranienne avec la progéniture de la Nuit », « les puissances de l'ordre avec les puissances de destruction », d'un Eros « inapte *à refaire l'unité de tout* ».

Il va de soi que dans ce radical pessimisme, le mythe d'Androgynat ne pouvait déployer toutes ses implica-

---

1. Clémence Ramnoux, *Héraclite ou l'Homme entre les Choses et les Mots,* Paris, Belles-Lettres, 1959, pp. 373 et suiv.
2. Tout comme Pythagore qui, si l'on en croit le témoignage d'Aristote, plaçait l'Un au troisième rang dans la colonne des lumineux et non au-dessus.

tions. Seuls les systèmes expliquant le mystère du monde et de la vie par la désintégration d'une Unité toujours susceptible d'être réintégrée, le Mal n'étant originellement que la déchéance à s'en écarter, à se *dualiser*, peuvent accorder à l'amour de nous relever de cette déchéance en même temps que de cette dualité, seuls ils donnent au Couple, figuré par l'Androgyne, sa double signification, naturelle et surnaturelle, sa vocation terrestre et sa vocation de salut.

Il appartenait à Platon de reprendre ces implications et de les rétablir dans les perspectives fascinantes d'une métaphysique de nostalgie. On peut blâmer son ingéniosité à étendre le mythe aux amours homosexuelles (reste néanmoins que son explication est conforme aux données les plus récentes de la sexologie), cet élargissement n'altère en rien son contenu. Dans le merveilleux récit que Platon prête à la verve d'Aristophane, le dragonnement de la fabulation ne masque jamais la souche. Comme Héraclite qui nommait Dieu *le grand Rassembleur*, Platon est attiré par la polarité dispersion-rassemblement[1]. Aussi, dans le *Banquet*, le mythe des Androgynes n'est-il pas seulement le récit d'un accident survenu à l'espèce, à la suite duquel chacun de nous serait une fraction complémentaire, une moitié d'homme séparée de son tout, il est révélation sacrée d'un ordre de vérité que l'on ne peut atteindre que dans le symbole. C'est un mythe initiatique. Tout le morceau tourne autour de l'opposition d'une intégrité primordiale

---

1. L'Anthologie d'Empédocle (à laquelle Platon empruntera), avec sa vision chaotique de membres détachés et errant au hasard, bras, jambes, sexes, morceaux de tempes ou d'épaules tombant les uns sur les autres, illustre elle aussi le thème du morcellement et de la dispersion. Il s'agit d'une sorte d'éclatement de la Simplicité originelle. A cette désintégration (dilatation, dira Plotin, « le monde est une dilatation de la bonté divine ») correspond une réintégration. Exitus et reditus sont les aspects complémentaires d'un même processus.

et paradisiaque et de l'avènement funeste d'une dualité
que l'Amour rassembleur, lieur, démonique est seul en
mesure de compenser : « C'est donc sûrement depuis ce
temps lointain » (le temps de la coupure) « qu'au cœur
des hommes est implanté l'amour des uns pour les autres, lui, par qui est rassemblée notre nature première,
lui, dont l'ambition est avec deux êtres, d'en faire un
seul ».

Rien de plus grec que cette hantise de l'Unité, sous-
jacente au songe orphique [1] comme à la grandiose pro-
cession plotinienne. Ce que la sagesse hellénique révère
dans la bisexualité, c'est évidemment le symbole. Elle
exècre le cas d'espèce. Elle encouragera la mise à mort
des enfants présentant cette anomalie cependant que
divers rites de bisexualité, notamment les travestissements sexuels, continueront d'accompagner l'initiation
des adolescents et les cérémonies nuptiales. En pleine
période historique, le thème d'une indistinction des sexes
se concrétisera dans un dieu bisexué, Hermaphrodite.
Dieu de l'union sexuelle et du mariage, il réalise la
jonction de la rêverie unitive et de l'amour au niveau
de l'imagination populaire.

On ne peut envisager d'étudier ni même d'énumérer
ici toutes les variantes du mythe d'Androgynat à travers le temps et l'espace. Une telle étude s'étendrait des
grandes cultures « historiques » aux peuplades dites
primitives. Et par exemple de la pensée chinoise (avec
son couple d'Emblèmes, le Yin et le Yang, commandant

---

1. L'œuf orphique sans germe, non fécondé, donne naissance
en se brisant en deux à Eros androgyne qui reconstitue la non-
dualité.

la sexualisation de tous les aspects du monde et dont
la réunion, symbole à la fois de l'Unité et de la mutipli-
cation, est vénérée sous mille formes, hiérogamies, métaphores musicales, symboles géométriques comme le
diagramme célèbre du T'ai ki) aux incantations millénaires de la Mésopotamie et de celles-ci aux rites magiques de l'Océanie ou de l'Afrique[1]. La matière est d'une
richesse stupéfiante. Quelle qu'en soit la tentation, je
dois abandonner ce sujet à d'autres et me borner à présenter quelques variantes particulièrement riches ou
intéressantes (non sans espérer que mes suggestions
feront germer quelque part le projet d'une mythologie
de l'Androgynat[2]). Tel me paraît être le cas du mythe iranien de Gayomart[3].

Procédant de l'opposition radicale d'Ohrmazd, la Puissance de Lumière, avec Ahriman, la Puissance de Ténèbres, la cosmologie mazdéenne situe l'Androgynat après
« la grande catastrophe » et l'invention du Mal. C'est
en somme le schème hésiodique. Mais la raideur du dualisme iranien est fortement assouplie par l'intervention
continuelle des Anges Fravarti dont le rôle (considérable dans la gnose iranienne) correspond en une cer-

---

1. Par exemple des initiations sexuelles où l'adolescence est
tenue pour un état androgynique auquel met fin la circoncision.
Ou des rites de naissance comme ceux des Dogons : le Nommo
dessine sur le sol, où la parturiente va mettre bas, deux silhouet-
tes, l'une masculine, l'autre féminine, de sorte que les deux âmes
investissant le nouveau-né, il soit seul dans son corps, mais deux
dans le spirituel — car le sexe n'est qu'apparence, c'est la bisexualité qui est réalité. Cf. Marcel Griaule, *Dieu d'eau, Entre-
tiens avec Ogotommeli,* Editions du Chêne, Paris, pp. 185, 186.
2. Ce souhait se trouve déjà réalisé en partie par les ouvrages
si remarquables de Mircea Eliade, *Méphistophélès et l'Androgyne,* Gallimard, 1962, de Marie Delcourt, *Hermaphrodite,
Mythes et Rites de la bisexualité dans l'antiquité classique,*
Presses Universitaires de France, 1958, de Halley des Fontaines,
Contribution à l'étude de l'Androgynie, Paris, 1933.
3. Voir Henry Corbin, *Terre céleste et Corps de résurrection,*
pp. 74 et suiv., Buchet-Chastel, Paris, 1961.

taine mesure au démonisme platonicien. La tradition
veut que lorsque Ahriman réussit à faire pénétrer la
mort en Gayomart, l'homme primordial, celui-ci tomba
sur le côté gauche et comme il était fait de pur métal,
les différents métaux sortirent de son corps, chacun étant
issu du membre auquel il correspondait. L'*or*, le plus
précieux de tous, qui procédait de l'âme même de Gayomart et de sa semence, fut recueilli par Spenta Armaiti,
la Terre ou plutôt l'Archange de la Terre. Quarante ans
elle le garda, au bout desquels germa du sol une plante
extraordinaire constituant le premier couple humain,
Mahryag-Mahryânag, deux êtres inséparables, si semblables, si étroitement unis qu'il était impossible d'y
distinguer, moins encore d'y isoler le masculin du féminin. Sur cet être double, androgyne, descendit une âme.
Mais une race issue d'un être unique n'eût pas été via-
ble dans un monde dominé par la Mort. Par scission,
Mahriag-Mahryânag se fit deux afin de pouvoir donner
naissance à l'humanité historique.

Le mythe iranien complète l'androgynat corporel de
Marhyag-Mahryânag par l'androgynat spirituel du
Saoshyant, le Sauveur né d'une vierge (donc d'un être
unique soustrait à la conjonction biologique du masculin et féminin). Mais l'humanité historique, elle aussi,
est appelée dès ce monde, à reconstituer l'Androgyne en
s'unissant à son double céleste. L'idée iranienne est que
le *moi* n'est qu'une partie de notre être total. De sa
contrepartie transcendante, chaque être porte en soi
l'image sous les espèces de l'Ange Fravarti, figure féminine (puisque l'Avesta ne parle que pour l'homme; la
psychologie des profondeurs comblera partiellement cette
lacune). Cette Fravarti, à la fois son Ange tutélaire, son
guide, son moi céleste, est la préfiguration de l'archétype
jungien de l'*anima*. La conjonction toujours désirée avec
ce double se fait définitivement après la mort dont elle
est le grand espoir. Mais elle peut être réalisée dès cette

vie avec des femmes réelles dans la beauté desquelles *transparait* l'Eternellement Féminin de l'Essence divine. Le soufisme, la religion d'amour des ménestrels d'Iran (dont Zarathoustra fut le prophète) a vécu de ce culte féminin de la Fravarti et de cet amour qui « adosse l'être humain à une lumière qui le transfigure. »

La théophanie, transparence du divin dans l'humain, implique la conspiration du sensible et du spirituel, le *ham-dami* des sens et de l'esprit dans la mystique amoureuse. Shiisme et soufisme ont élevé l'Androgynat jusqu'à la notion métaphysique du Couple en une seule essence. Toute mystique des Noces, fait justement observer Henry Corbin, repose sur une expérience voisine de l'Ange Fravarti iranien. Aussi retrouve-t-on le symbole chez les mystiques chrétiens, avec toutes sortes de variantes allégoriques empruntées à l'union amoureuse[1].

Dans la tradition mosaïque, c'est l'Adam avant la création d'Eve qui représente l'androgyne. Eve est contenue en lui avant de lui être enlevée. Elle est, écrira parfaitement Marie-Jeanne Durry, « la compagne arrachée à sa forme dormante, le double féminin qui gisait en son cœur[2] ». Comme on sait, la Genèse fait coïncider l'apparition de la sexualité avec la révolte satanique

---

1. La IV⁰ vision de Hadewych, dans laquelle Hadewych se décrit enserrée par les ailes du bel Ange incandescent en offre un curieux exemple. Particulièrement, le passage où l'Ange masculin, rappelant à Hadewych qu'il ne fait que remplacer l'Amant véritable, le Christ (comme la Fravarti remplace la Daênâ céleste), lui montre « *entiers ces cieux qu'elle vit distincts et qui sont leur double humanité avant qu'elle se fût jointe par croissance* ».

2. Marie-Jeanne Durry, *Eve parle* (*Le Huitième Jour*), Corti, Paris.

de l'homme contre l'Unité divine. Le premier péché est lié à la connaissance : « Vous serez comme Dieu, connaissant le Bien et le Mal. » Le récit biblique ne fait qu'illustrer une des conséquences de la pensée unitive. Par rapport à l'intégrité absolue du divin, la pensée elle-même est déchéance. Elle s'aventure hors de la simplicité originelle. Elle s'en sépare en se constituant. De cette séparation, la division en sexes est le symbole plutôt que la cause. Aussi cesse-t-elle avec la vie terrestre. « Dans le royaume de Dieu, il n'y aura plus ni hommes ni femmes[1]. »

Même dans la conception chrétienne orthodoxe, nous trouvons donc un androgynat originel (un autre passage de la Genèse : « Et Dieu les créa mâle et femelle » est traduit par certains exégètes : « Et Dieu les créa androgynes ») et un androgynat final. Ce qui manque, c'est le maillon du Couple sacral, à la fois souvenir et préfiguration du Royaume, c'est la reconquête fugitive mais illuminante par Eros d'une Unité qui se trouve à la fois aux commencements et à la fin des Temps. Toute la place est occupée par l'Incarnation. Certes, la mystique des Noces exploitera le mythe de l'Androgynat, mais de façon voilée et comme symbole de la seule union de l'âme et du Christ. Pas de sacralisation du Couple humain par le mythe, pas d'initiation à une voie spécifiquement conjugale de salut.

Dans la gnose chrétienne, le dualisme des deux Principes situe une fois encore le mythe à une place subordonnée. La séparation radicale du monde des Ténèbres et de la Lumière commande, à la manière de la Théo-

---

1. Plus précis, un fragment de l'Evangile des Egyptiens (texte gnostique du IIᵉ siècle) enseigne que le règne de la mort durera jusqu'à ce que le masculin et le féminin ne fassent plus qu'un. Cf. Amadou, Table Ronde, nᵒ 97, p. 48, *Les théories dualistes de la sexualité.*

gonie d'Hésiode, une double filiation, l'une issue du monde divin, l'autre du Chaos de Tiamat, vieille divinité féminine et chtonienne que la gnose avait empruntée à la Mésopotamie en même temps que le mythe des Sept. « Ils sont sept, ils sont sept. Dans les profondeurs de l'océan, dans les demeures, ils ont grandi! Ils ne sont ni mâles ni femelles, ils sont ceux qui secouent la tempête, ils ne prennent pas femmes, ils n'engendrent pas d'enfants [1]... »

La théosophie gnostique favorisait en outre l'idée d'une ambivalence de Dieu, à la fois esprit (principe masculin) et nature (principe féminin), ambivalence projetée dans la distinction de Dieu le Père et de Dieu le Fils et dans la nature androgyne du Fils. Le mythe gnostique nous montre Nous, l'Esprit, descendant sur la terre où il est étreint par Physis, la Nature. De ce couple naissent les premiers hermaphrodites d'où procède le genre humain. A cet hermaphrodisme initial répond l'androgynat spirituel du Sauveur, Fils de Dieu mais aussi l'androgynat réel de l'Anthropos, fils de Tiamat.

L'Alchimie, « cette immense rêverie sexuelle » (Bachelard), « ce courant souterrain qui est au christianisme ce que le rêve est à la connaissance » (Jung), devait reprendre le mythe gnostique en le modifiant. Nous et Physis, après la copulation ne se sont pas séparés. Ils sont devenus un seul esprit dévorateur et bisexué caché dans la *prima natura*. Le symbolisme alchimique

---

1. Roger Caillois et Jean-Clarence Lambert, *Trésor de la Poésie universelle*, p. 40, Gallimard, Paris, 1958.

multiplie les exemples d'androgynat, soit indistinction originelle, soit perfection finale. Symbolisant à la fois l'opposition des contraires et leur réunion, c'est-à-dire l'Unité, l'Androgynat domine toute la vision alchimique de l'Univers. Le divin quaternaire représente, en même temps que la réunion des quatre éléments, l'unité reconstituée de l'impair (masculin) et du pair (féminin) suivant l'axiome : « Un devient deux, deux deviennent trois et du trois sort l'un comme quatrième. » Bisexuée est aussi la pierre philosophale (*rebis*, littéralement la chose double) et l'*homo philosophicus*, doublet de l'*Anthropos* gnostique.

Empruntant à la théosophie de la Gnose (que leur conception d'un monde d'enchaînement et d'harmonie où les contraires s'équilibrent, devait heureusement assouplir, voire à l'occasion contredire), les alchimistes ressuscitent la croyance, à côté du monde divin de l'Unité, d'un *Chaos* et à côté de l'androgynat spirituel du Christ, de l'androgynat réel d'un Fils de ce Chaos[1], d'origine féminine et chtonienne comme Mercure, l'Hermès Psychopompe dont il procède. L'androgynat divin des alchimistes se transmettra aux humanistes de la Renaissance. Ancolie, escargot, lapis, aigle double, licorne, Uroboros continueront d'enluminer la symbolique de leur morphisme géminé. Vinci, qui a mérité d'être nommé le « Maître de l'ancolie » s'en fait l'interprète lorsqu'il dessine cette fleur ou quelque limaçon dans un coin ou au revers de sa toile ou lorsqu'il s'exalte à représenter la beauté ambiguë d'un saint Jean ou d'un Bacchus.

---

1. Jung compare cet Androgyne des Alchimistes au *purusha* des Upanishads « grand comme un homme et une femme accouplés, ayant divisé son *atman* (son *moi*) en deux, il devint mari et femme qui s'unirent et donnèrent naissance à l'humanité ».

Avec la gnose et l'alchimie, le mythe était entré au service de la magie. C'est sous forme de recette — et non plus de récit sacré des origines — qu'il s'était insinué dès le XIIe siècle dans la *courtoisie*. Par l'échange des cœurs, troubadours et amants courtois éveillaient le double féminin qui sommeillait en eux et projetaient ensuite cette image de l'âme sur une femme réelle. « Le couple était ainsi constitué : il ne formait qu'un être unique. Tout ce qu'éprouvait l'un était aussitôt éprouvé par l'autre. L'influence magique féminine était installée au cœur de l'homme et inversement [1]. » Ce rite n'était pas sans analogie avec le culte iranien de la Fravarti. Mais alors que l'évocation du double féminin chez les ménestrels iraniens était essentiellement mystique, qu'elle préparait une théophanie, une transparence du divin à travers l'humain, le rite courtois se propose généralement une fin profane, pratique, voire prophylactique. Il s'agit d'exorciser le pouvoir magique et maléfique de la femme en se l'assimilant et en le convertissant en magie de protection — à moins que l'amant courtois choisisse précisément de s'abandonner à ce maléfice et de s'engloutir dans la nuit chtonienne (cas Tristan). De cette opération magique, Dante a donné dans la *Vita Nuova* une description tout à fait animique. On y voit le Seigneur Amour éveiller la Dame qu'il tenait dans ses bras endormie et nue, à demi enveloppée d'un drap couleur de sang. C'est afin de lui présenter le cœur tout en feu du poète et « à l'aide de toutes sortes d'inventions, lui faire manger cette chose ardente... ce qu'elle ne faisait qu'avec

1. Nelli, *ouvrage cité.*

crainte et répugnance[1] ». Si somptueusement insolite
que soit le texte, il consacre tout de même le glissement
à l'allégorie. Il annonce la sécularisation du mythe.

Echangé, partagé, offert ou capturé, mangé ou dévoré
(selon le sadisme du poète), le thème androgynique du
cœur ne quittera plus la littérature. En vain Marsile
Ficin essaiera de réintégrer l'Androgyne à la philosophie en le régénérant par une transfusion de sang platonicien. Il n'en donnera qu'une version anémiée.
Bembo reprendra le thème dans les Azolains. Mais ces
cœurs « qui changent de maison » n'appartiennent plus
qu'à la rhétorique. L'Androgynat va devenir un motif
littéraire, un lieu commun de la symbolique amoureuse
— quelquefois un alibi pour l'homosexualité comme
dans Londres de l'époque élizabéthaine, où l'on est
accosté dans les rues par des jeunes gens travestis en
femme et où le mot *hermaphrodite* est à la fois le sujet
de prédilection des poètes à la mode et une basse injure
pour stigmatiser les efféminés (l'équivalent, nous dit
Marston, de *milksop*).

Certes il arrive qu'une passion sincère ranime le symbole, comme il advient dans le fameux sonnet de Louise
Labé (« Lors double vie à chacun en suivra, Chacun
en soi et son ami vivra ») qui, au défi des prescriptions
magiques, l'applique à un amour fort peu *interruptus*.
Ou dans *Canonization*, l'admirable poème inspiré à John
Donne par l'amour de Ann Donne, sa femme.

Quant au prestige du mythe, il subsiste en dépit de
l'usure. Une simple anecdote suffit à révéler sa vitalité.
Lorsque Frédéric de Prusse rencontre pour la première
fois Voltaire, parmi tant de sujets dont le roi pourrait
faire le thème d'un entretien longuement désiré et solli-
cité, il choisira d'interroger le grand homme adulé sur

---

1. Cité par Nelli, *L'amour et les mythes du cœur*, Hachette,
Paris, 1952.

les androgynes de Platon. Dans la mesure même où il
inclinait à la mystique unitive, le romantisme allemand
(si attentif au mystère de ce que Gœthe nomme le *Tout-
Un*) s'efforcera à la revalorisation du mythe. Novalis,
Ritter, von Humboldt s'y essaient l'un après l'autre. Mais
c'est Franz von Baader qui en fera le fondement d'une
éthique sacrée du couple. Baader, qui a emprunté à
Jacob Boehme (et donc, à travers celui-là, à l'alchimie)
l'idée d'un androgynat primordial et sacré, enseigne que
le but du mariage comme sacrement « est la restauration de l'image céleste ou angélique de l'homme tel
qu'il devrait être ». L'amour sexuel ne doit pas être
confondu avec l'instinct de reproduction : sa vraie fonction est d' « aider l'homme et la femme à intégrer intérieurement l'image humaine complète », c'est-à-dire l'état
androgynique. *Seraphita* de Balzac (écrit à la demande d'Eveline Hanska et sous l'influence de Sweden-
borg) sera la dernière grande création européenne à traiter de l'Androgynat dans une optique de *purification*
amoureuse. Après Balzac, la littérature ne traitera plus
guère des implications mystiques ou métaphysiques de
l'Androgyne. Recherché par l'érotisme à des fins concrètes autant que compliquées, ravalé au niveau des
curiosa, l'hermaphrodisme, par la substitution grossière du cas particulier au symbole, non seulement perd
tout pouvoir de signifier mais il étend cette tare d'insignifiance à l'amour qu'il prive de ses implications
de complémentarité. Ce n'est pas la dégradation du mythe, c'est son renversement.

L'ANDROGYNAT EN PSYCHOLOGIE

C'est sous les auspices de la science qu'au début de ce siècle, l'Androgynat va faire une rentrée brillante. La psychologie, en la personne de Freud d'abord, de Jung ensuite, va soustraire le thème de l'Androgyne à la littérature pour en faire une nostalgie fondamentale de la psyché. De la part de Freud, cette réhabilitation peut surprendre. Son œuvre est essentiellement démystification, singulièrement quant à l'amour qu'il a voulu réduire à la sexualité « pure » [1]. Mais Freud, qui était intrépide, a eu le courage de se contredire quelquefois comme aussi d'évoluer. Dès 1900, l'idée d'androgynat apparaît dans son œuvre comme essentielle à l'amour. Sous l'influence du Berlinois Fliess (qui pensait avoir découvert le caractère bisexuel de toute cellule vivante) Freud accepte l'hypothèse d'une bisexualité universelle de la matière organique. Dès 1898 il déclarait à Fliess qu'il adoptait son point de vue et considérait cette conception comme fondamentale pour ses travaux. L'année suivante, il lui écrit : « Je m'habitue à considérer tout

1. « Or la sexualité n'a jamais été « pure », elle a été partout et toujours une fonction polyvalente dont la valence première et peut-être suprême a été la fonction cosmologique.» De sorte que « traduire une situation psychique en termes sexuels n'est nullement l'humilier car, sauf pour le monde moderne, la sexualité a été partout et toujours une hiérophanie et l'acte sexuel un acte intégral (donc aussi un moyen de connaissance). » Mircea Eliade, *Images et Symboles*, Gallimard, 1952.

acte sexuel comme un événement impliquant quatre personnes. » Il ne cessera d'appliquer cette conception
dans sa technique psychiatrique.

Le thème de l'Androgynat, accordé à celui du Retour,
apparaîtra plus spectaculairement encore dans *Au-delà
du Principe de Plaisir.* Dans cette œuvre fascinante
Freud entreprend une refonte de sa théorie des instincts.
Alors que, jusqu'à ce jour, il avait défini les instincts en
termes fonctionnels et fondé son système sur l'opposition d'Eros et de Thanatos, les instincts de vie et les instincts de mort, Freud va s'appliquer à exprimer la vie
instinctuelle en termes de direction (*Richtung*). Or il
pense avoir découvert une tendance conservatrice et
même régressive commune à tous les instincts. Il est
sur la trace d'une propriété générale de la vie organique,
d'une tendance « qui pousse tout organisme vivant à
rétablir un état antérieur auquel il a été obligé de renoncer sous l'influence de forces perturbatrices extérieures ».
Dans *Au-delà du Principe de Plaisir,* Freud montre que
son opinion est faite. La tendance qui domine la vie organique est une tendance à retourner à l'inorganique.
L'acte sexuel demeure, certes, le lieu où Eros se mesure
avec Thanatos, mais les victoires de la vie ne sont
jamais que des répits dans l'acheminement vers la mort,
l'équilibre provisoire de la première venant toujours
finalement se défaire dans l'équilibre définitif de la
seconde. L'orbitation de tous les instincts est la mort.

Psychologiquement, ce *Todestrieb* se traduit par le
principe de *Nirvana* qui domine toute notre vie psychique. Le plaisir lui-même ne tend qu'à nous y replon-
ger. Avec son honnêteté coutumière, Freud fait aussitôt
état de sa découverte. Il va jusqu'à parler d'une *élasticité* de la matière organique dont il s'émerveille que
*seuls les grands mythes d'Androgynat dans les Upa-
nishads et dans Platon aient donné une image précise.*
Rappelant le discours du *Banquet,* il se demande si la

substance vivante n'était pas une et indivisible avant
d'avoir été divisée en une multitude de petites parcelles
qui chercheraient à travers l'instinct sexuel à se *réunir*.

Cette conception toute nouvelle de la *libido* comme d'un
effort pour reconstituer une indivision, une indistinction perdues, et de la sexualité comme d'une aspiration
de ce qui a été séparé à se réunir — tendance imagée,
à la satisfaction de Freud, par les mythes antiques —
est présentée comme une hypothèse qui serait aussi
une tentation. Il semble qu'elle doive être mise en rapport avec la fascination exercée sur lui par la mort[1].

On sait que Freud s'est repenti d'avoir cédé à l'ascendant des mythes. Dans son *Abrégé de psychanalyse*,
il raille « les fables de poète que l'histoire de la matière
vivante n'a pas confirmées ». Mais c'est pour susciter
une vision nouvelle du thème mythique et androgynique du Retour. La concurrence dans l'amour des deux
instincts fondamentaux, celui qui pousse à la vie et
celui qui pousse à la mort, le paradoxe d'une « *agression qui tend à l'union la plus étroite* » (telle est sa dernière définition de l'acte sexuel) mène Freud à reporter
le conflit sur un plan où le destin de l'individu se sépare
de celui de l'espèce. Suivant que l'on se tourne vers
celle-ci ou vers celui-là, l'acte tantôt signifie multiplication, progression, vie, tantôt unification, régression
mort. Comme on voit, c'est toujours l'Eros cosmogonique qui engrène et enroule l'homme dans le monstrueux
rouage des générations. Mais pour l'individu, ce mouvement d'horlogerie signifie enroulement, involution, pour
l'espèce évolution.

Freud, une fois encore, cherche à étendre son observa-

---

1. Fascination accompagnée de répulsion, d'angoisse, de *To-
desangst*. Cette ambivalence est celle du sacré. Ernest Jones
estime que la mort avait pour Freud un sens ésotérique. Sortant
un jour d'un évanouissement, ses premiers mots sont (à l'étonnement de Jung) : « Comme il doit être agréable de mourir. »

tion, à en tirer une explication de l'Univers. Cela résulte d'un passage de l'*Abrégé*. Ayant constaté « cet accord et cet antagonisme de nos deux instincts fondamentaux », Freud affirme que « leur analogie outrepassant le domaine des choses animées, nous entraîne dans la région de l'inorganique jusqu'à la paire contrastée de *l'attraction* et de la *répulsion* ». Jung s'emparera de ce couple de contraires et le rattachera au motif de l'Androgyne.

La psychologie des profondeurs, loin de se présenter comme une démystification, réhabilitait la pensée imageante. Comme on sait, Jung partage la psyché en trois zones, le conscient, l'inconscient individuel et l'inconscient collectif, sorte de réservoir héréditaire où les mythes survivent sous forme de symboles et d'images. Car l'âme conserverait des traces fonctionnelles non seulement de ses propres expériences mais de celles de l'espèce. L'inconscient collectif, sous-sol de la psyché, constituerait une sorte de *précipité* des plus archaïques comportements humains. Comme l'homme a vécu seulement quelques millénaires de civilisation et un nombre considérable de siècles d'inculture, ces empreintes sont demeurées vives, fraîches et il suffit d'un rien pour les ranimer. Cet inconscient est toujours prêt à se projeter dans le conscient. Or il se fait — et l'on verra d'emblée quel appui la psychologie de Jung apporte à un fondement mythique du couple — que *l'inconscient a toujours la « teinte » de l'autre sexe.*

Ni l'inconscient ni la bisexualité n'étaient des découvertes de Jung qui avait été précédé par Freud, Fliess, Weininger et d'autres. Mais Jung les a admirablement exploitées. Collectionnant une quantité énorme de références, il étudie théogonies, cosmogonies, religions, hérésies, mystique, magie, gnose et alchimie jusqu'à dégager des schèmes identiques ou du moins analogues qu'il nommera les *archétypes*. Un archétype est

toujours collectif. Il appartient à tous les peuples ou
tout au moins à un grand nombre d'entre eux. Et naturellement Jung rencontre l'archétype de l'Androgyne.
Non seulement il va l'exhumer dans les mythes de Genèse et les grandes fables des Commencements, il va
le trouver dans beaucoup de religions sous forme
de syzygie divine ou dans la nature androgyne des
dieux ou du Sauveur, mais il l'identifie dans le psychisme
de l'homme. Constatant la présence dans son inconscient
d'une figure féminine complémentaire qui joue un grand
rôle dans la vie onirique, il propose de lui donner le
nom d'*anima*. Selon lui, cette figure de sexe opposé
représenterait cette minorité de *gènes* féminins que porte
en lui l'homme le plus viril. Ce qui donne du poids à
cette hypothèse, c'est que cette figure ne se trouve pas
dans l'inconscient de la femme. En revanche Jung y a
trouvé une figure masculine correspondante qu'il nomme
l'*animus*. Anima ou animus, il s'agit d'une sorte de double de l'autre sexe que nous portons en nous et qui serait
l'empreinte des expériences sexuelles faites par des générations d'aïeux et du système d'adaptation psychique
qu'ils ont élaboré. Jung ne manque pas de relier cette
découverte à la problématique des contraires et à la
nécessité pour l'homme de les intégrer au lieu de les
combattre. C'est ce qu'il nommera « assumer la totalité
de son psychisme ».

C'est à l'intensité de cette rêverie de l'*anima* que
Jung attribue la popularité d'œuvres comme *She* de
Ridder Haggard ou l'*Atlantide* de Benoît — conclusion qui semble un peu hâtive si l'on songe que cette
popularité est due pour la majeure partie au public
féminin. Mais un roman comme l'*Atlantide* combine
savamment la nostalgie de l'*anima* et celle du Paradis perdu. Et cette combinaison est conforme à la tradition comme il résulte des mythes et de la psychologie.

Si décidé que fût Jung à se défendre de la tentation

métaphysique et des généralisations de l'esprit visionnaire, il ne pouvait empêcher que cette science nouvelle de la psyché, de son fonctionnement, de ses lois ne
devînt quelquefois une réflexion sur la destinée de
l'homme et un parti pris sur la direction à donner à
sa conduite. Comme Freud, Jung reconnaissait dans le
psychisme humain une tendance à reconstituer un état
de coexistence du masculin et du féminin. C'est dire
qu'il s'engageait dans le même itinéraire que son maître. Mais alors que chez Freud, cette reconnaissance se
fait dans une perspective de régression vers l'inorganique, chez Jung elle prend la forme d'une assumation des
contraires primordiaux et complémentaires du masculin
et du féminin, psychiquement *imaginés* sous la forme
archétype de l'anima-animus.

Jung par inclination était dualiste. On connaît ses
faiblesses pour le gnosticisme, son obstination à commenter le christianisme à travers la théosophie gnostique. Il prétendait tenir le Mal pour Principe en même
temps que réalité animique, et reconnaissait l'existence
d'une voie luciférienne. S'il n'est pas tombé dans l'extré-
misme gnostique, sans doute le doit-il à sa découverte
dans la psyché d'un mécanisme autorégulateur reposant
sur la loi des paires opposées. Cette énergétique des
contraires, Jung laissait entendre volontiers qu'elle devait beaucoup à Héraclite. Gageons qu'elle devait davantage à Freud dont l'œuvre tout entière est traversée
par une espèce très caractéristique de pensée dialectique fondée sur l'action réciproque de deux forces opposées. D'après Jones, l'amour des *paires* reparaissait toujours chez Freud : « Le fait de l'existence dans le psychisme d'un conflit entre deux forces opposées lui
semblait fondamental. »

Quoi qu'il en soit de son origine, la dialectique de
Jung, en dépit des sympathies affichées, le situait dans
le camp opposé aux gnostiques. Sa méthode est une prise

de conscience toujours plus grande de l'identité des contraires, de la relativité de leur opposition, alors que l'attitude gnostique s'appuie sur cette opposition comme sur un roc. L'initiation jungienne — avec ses étapes classiques de dépouillement — consiste à intégrer « toute l'échelle des possibilités que l'on porte en soi ». Dans cette procédure, selon les propres termes de Jung « les valeurs anciennes sont maintenues, mais on reconnaît en même temps la valeur de leur contraire ». C'est-à-dire que l'intégration est mentale. Le Mal est nécessaire — « le monde ne subsiste que parce que ses contrastes tiennent la balance en équilibre » — mais il perd sa virulence, il cesse d'être le Mal dès qu'il est connu, séparé mentalement du Bien, dès qu'il est discriminé. La thérapeutique de Jung s'alignera sur cette conception. Nous ne sommes pas loin de la purification dialectique et critique. Mais ici encore le « dauphin » empruntait la voie de son prédécesseur qui, avec certains de ses malades, s'était servi de cette cathartique qu'une cliente de Breuer nommait le *ramonage de cheminée*.

On voit quelles riches harmoniques le symbole du Couple appelle chez Jung. Son apport en cette matière est d'avoir développé l'idée d'une bisexualité latente dans l'âme humaine et d'avoir relié le thème mythique de l'Androgyne à l'image psychique et onirique de l'*Anima*. Nous l'avons vu, l'existence de ce double n'était pas inconnue : « Moi, dit le Yousouf de Gérard de Nerval, j'ai un rêve qui reparaît sans cesse, toujours le même et toujours varié... Comme au sein de l'infini, j'aperçois une figure céleste plus belle que toutes les créations des poètes, qui me sourit avec une pénétrante douceur, et qui descend des cieux pour venir jusqu'à moi. Est-ce un ange, une péri ? je ne sais... » Mais l'on accorde peu de foi aux intuitions des poètes. En apportant à celle-ci la consécration d'une science à la mode, en la relevant

définitivement du rang inférieur où le bon sens ravale ce
qu'il envie, en donnant un fondement rationnel au thème
nervalien de la vie antérieure et du *déjà vu* (que le
scientisme pensait bien avoir écrasé sous la dénomination de *paramnésie*), Jung contribuait sans nul doute à
la restauration du grand mythe. Si belle, si *angélique*
que soit la figure de l'*Anima* jungienne, il faut bien
reconnaître cependant qu'elle demeure image, représentation d'une aspiration qui, elle-même, est au-dessus de
toute forme. Le mage qui l'évoquait était moins avancé
dans son approche que le visionnaire qui englobait la
sexualité dans un grandiose mouvement de réintégration universelle à l'Unité et dans la nuit profonde de
l'amour humain guettait l'écho du mythe de Retour.

Résidu d'une expérience historique bien que millénaire
de l'espèce ou intuition d'une antériorité ontologique
que l'imagination se représente sous une forme tempo-
relle, le thème du Couple répond à une nostalgie de
complémentarité que l'homme ne peut s'empêcher
d'éprouver comme une mémoire. Le mythe de l'Androgyne est aussi celui du Paradis perdu. L'amour est reconquête d' « un bonheur d'autrefois ». Tel est le sens
qu'il faut donner à la prédestination amoureuse. On reconnaît moins un visage qu'une destinée. Les êtres fatidi-
ques sont ceux qui nous présagent le recommencement
d'une plénitude originelle et remémorée. *L'Androgynal
est un mythe de réintégration.* J'ai déjà dit que seuls les
grands systèmes métaphysiques où tout sort de l'Unité
pour y rentrer, permettent au mythe de déployer ses implications. Au commencement, il y a la Simplicité. Le mal
n'est que la déchéance qui consiste à s'en éloigner. Mais
avec le mal, apparaît le désir de s'en relever. Avec la

dualité, celui de reconstituer l'Unité. Avec l'opposition des contraires, l'attraction des contraires et avec la distinction des sexes, la nostalgie de leur indistinction. Dans ce monde de l'enchaînement, les contraires sont toujours liés. La dualisation n'est que la *décomposition* de l'Unité. La sexualité, c'est d'abord la division de l'espèce en sexes, avec sa suite nécessaire, l'attraction des sexes. L'Androgyne n'est pas seulement le symbole d'un temps hors du temps où deux étaient Un, mais aussi celui d'une fusion, dès ce monde, d'une victoire de l'Unité sur la dualité, signifiée, incarnée dans le Couple.

Rien de tel dans un type de pensée dualiste rigide comme la gnose. Dans cet univers étanche où deux restent deux, l'Androgyne peut être le symbole de l'opposition des contraires et de la dualité, jamais du Couple. Dans le monde gnostique, tout entier livré aux puissances de ténèbres, la sexualité est radicalement mauvaise. Pas de distinction entre la séparation des sexes et leur réunion, entre la Chute dans la dualité et l'amour compensateur et rédempteur, pas non plus entre luxure, mariage, procréation, tenus pour également coupables. D'où une morale de séparation et de refus — au lieu d'une morale de récupération — qui logiquement aurait dû enseigner l'abstention totale et l'a fait quelquefois, mais n'a jamais cessé de recommander, à côté de l'autre, comme une morale du Petit Nombre, une périlleuse doctrine de l'illumination par le péché qui a mené certaines sectes gnostiques à une véritable frénésie d'humiliation corporelle et de débauche. Or, cette doctrine existe toujours. J'en ai trouvé la confirmation inattendue mais singulièrement précise dans un ouvrage récent de Mme Schwaller de Lubicz[1]. Nous y voyons que la con-

---

1. Isha Schwaller de Lubicz, *La lumière du chemin*, La Colombe, Paris, 1960. Voir le chapitre *La Famille, Le Couple*, pp. 146 à 179.

jonction spirituelle (la seule réelle, précise l'auteur), ne
se fait pas avec l'époux ou l'épouse de chair mais avec
le *témoin spirituel*, principe psychique complémentaire,
de nature passive chez l'homme, active chez la femme,
autrement dit, l'Anima-animus de Jung. Nous voilà revenus à l'amour à quatre. Mais nous allons voir quel rôle
limité, voire rebutant, le gnosticisme assigne ici au conjoint terrestre. Etant donné la séparation radicale du
corps et de l'esprit, il n'y a pas de projection de l'Anima-
animus dans la personne charnelle. *Le péché suprême est
le péché de sublimation.* « La recherche de conjonction
spirituelle dont rêvent certains amoureux est une illusion qui les empêche de réaliser *chacun pour soi* la
conjonction avec leur propre témoin spirituel. » La relation conjugale, ne peut, nous dit-on, relever que de l'association. Le seul érotisme concevable dans un tel mariage, précise l'auteur, c'est d'adopter un comportement
sexuel qui suscite chez le conjoint une prise de conscience de l'animalité de l'instinct et la honte d'y être
assujetti. Cette érotique de choc, intéressée à bestiali-
ser la sexualité, c'est l'érotique d'abjection. Il saute aux
yeux qu'elle se fait *contre* le compagnon ou la compagne
terrestre, particulièrement contre la femme qui se trouve
bafouée, ravalée en même temps que l'amour. C'est la
négation du Couple et de sa complémentarité primordiale.

A cette érotique d'abjection s'oppose l'érotique de
sublimation, au pessimisme de la séparation l'optimisme de la liaison et de l'intégration, à la prise de
conscience de la déchéance de l'âme, celle de sa filiation
divine et à la sexualité bestialisée, l'Eros divinisant. Ce
n'est pas sans raison que dans la symbolique du Moyen

Age et de la Renaissance, l'Androgyne figurait l'amour *parfait*. Il est l'amour totalement assumé. Sans doute toute conjonction du Masculin et du Féminin est déjà allusive à ce grand Mystère — un mystère d'Incarnation — car la dualité y est un instant tenue en échec au profit de l'Unité signifiée en même temps que recomposée. A nous de savoir si nous allons nous contenter de cette allusion ou si nous entendons récupérer notre fabuleux héritage de mythes et de symboles. Le laisserons-nous retomber au néant, pareil à ces rêves qu'au matin, faute de courage, nous abandonnons au sommeil, graines prisonnières de leur enveloppe et qui n'auront pas germé. Ou au contraire, choisirons-nous de nous ressaisir et, luttant contre l'ensommeillement, de nous tenir en équilibre sur la ligne de partage de l'inconscient et du conscient, suffisamment captifs encore de l'un pour nous sentir soulevés par ses lames de fond, mais assez soutenus, affermis, équilibrés par l'autre pour ne pas nous laisser engloutir. Là, dressés à la crête même de la vague — pour peu que nous prenions la peine d'ériger notre attention — nous allons voir émerger cette moitié nocturne de notre moi que Thorbecke décrivait à Adelheid Solger. Tel un continent perdu, à la faveur des séismes de l'amour, elle remonte lentement des abîmes de la Nuit vers le Jour.

L'ANDROGYNAT EN BIOLOGIE

Après la science de l'âme, celle de la vie. Nostalgie de la psyché, réalité psychique, l'androgynat est-il aussi une réalité biologique ? Quelle confirmation le thème d'une indistinction fondamentale des sexes trouve-t-il dans l'histoire des êtres vivants ? En d'autres mots, que devient la bisexualité dans la perspective évolutionniste ?

La première observation du profane venant à consulter n'importe quel ouvrage de biologie animale, c'est qu'il y est parlé de l'hermaphrodisme comme d'un phénomène naturel. Assurément la bisexualité est autre chose qu'une monstruosité bonne à exposer dans les foires. Des classes entières d'animaux élémentaires juxtaposent des caractères mâles et femelles. On dit qu'ils sont *naturellement* hermaphrodites. D'autres le sont *accidentellement* — avec une telle fréquence, il est vrai, qu'il faut renoncer à tracer une démarcation avec les premiers.

D'abord simple bivalence sexuelle[1], aptitude d'un même individu à sécréter à la fois des produits mâles et femelles — différenciation fonctionnelle qui ne tardera pas à se traduire par des différences de structure

---

1. On peut regretter que la biologie se serve du même mot *hermaphrodisme* pour désigner la bivalence sexuelle d'animaux élémentaires comme les infusoires et l'hermaphrodisme proprement dit avec double appareil génital d'espèces comme les gastéropodes. La première est antérieure au sexe dont elle semble préparer les voies, alors que le second le suppose.

— la bisexualité, à un stade plus avancé, se rencontre quelquefois sous l'apparence d'un organe unique (l'*ovotestis*), qui annonce la division des sexes, car déjà la sécrétion mâle s'y fait dans une zone et la sécrétion femelle dans une autre. Puis la fonction se dédouble et se partage entre deux organes différents. Enfin, elle se répartit entre deux individus distincts.

Ainsi, dès les premières observations, la sexualisation nous apparaît comme un des aspects de ce déploiement du simple vers le complexe, de l'unité vers la différenciation, la spécialisation et l'adaptation qui caractérisent l'évolution des espèces. En somme, la dualisation s'est faite d'abord en fonctions correspondant au masculin et au féminin, puis cette différence de fonctions s'est étendue à la morphologie, puis elle s'est concrétisée en deux êtres distincts. C'est à ce moment seulement qu'on peut parler d'une véritable sexualité au sens où nous l'entendons communément.

Mais cette séparation des sexes (ou gonochorisme) ne met pas terme à la dualisation. Surenchérissant sur le complexe, la vie invente des espèces à trois et quatre sexes, d'autres qui réunissent plus ou moins complètement l'appareil génital mâle et femelle. Elle suscite ou tolère des phénomènes, des fantaisies. Oiseaux ou insectes composés d'une moitié mâle et d'une moitié femelle ou encore d'une véritable mosaïque sexuelle. Crustacés ou polypes présentent la particularité de commencer leur vie avec un sexe et de l'achever avec l'autre, voire de changer périodiquement de sexe. Ces extravagances peuvent affecter l'espèce humaine. On sait que le devin Tirésias avait passé plusieurs fois de l'état mâle à l'autre et inversement. Peut-être connaît-on aussi la toile étrange où Ribera a représenté un être barbu découvrant un sein gonflé qu'il s'apprête à donner à un nourrisson. Enfin, l'on se souvient sans doute du changement de sexe de l'une ou l'autre championne de course ou de saut, évé-

nement dont s'est emparée la grande presse. Mais ce sont
là des anomalies, du moins en ce qui concerne l'espèce
humaine. C'est dans l'Homme normal qu'il faut s'appliquer à relever les traces d'une bisexualité originelle.

Commençant par l'anatomie, nous constatons que l'appareil génital de l'Homme et celui de la Femme présentent autant d'analogies que de différences. Structurelle-
ment chacun des deux sexes semble avoir conservé comme
une ébauche et un projet de celui de l'autre. En fait,
il s'agit d'un projet abandonné. Pour le comprendre,
il faut remonter le cours de l'ontogénèse jusqu'aux premières phases de la vie embryonnaire. On ne pourra
que s'émerveiller de la lente métamorphose d'un appareil génital identique chez les deux sexes et qui peu à
peu se sexualise, développant chez l'individu mâle une
sorte de bourgeon génital qui demeure atrophié chez la
femelle, laissant fendu chez celle-ci l'orifice qu'il soude
chez celui-là. Aristote inférait de l'anatomie de la femme
qu'elle est un mâle ébauché ou mutilé. Il ne tient qu'aux
femmes de lui rendre la politesse.

Cette métamorphose de l'appareil externe succède chro-
nologiquement à celle des conduits génitaux, elle-même
postérieure à celle des gonades ou glandes génitales.
Pour reproduire le cours normal des choses, disons que
l'embryon, passant par les mêmes étapes que l'espèce
(selon la loi bien connue de Haeckel) connaît d'abord
un état d'indifférenciation avec organe unique. Suivant
qu'il se sexualise dans le sens mâle ou femelle, cet organe
développe sa partie centrale ou médullaire ou sa zone
périphérique ou corticale. La direction donnée à cette
différenciation se fait sous le contrôle des hormones,
substances chimiques sécrétées par les gonades. A la
bisexualité des gonades succède la bisexualité des conduits. Tout embryon, quel que soit son sexe génétique,
possède d'abord une paire de canaux de Wolff, futurs
conduits génitaux mâles et une paire de canaux de Mül-

ler, futurs conduits génitaux femelles. Au cours de sa croissance, il développera les uns et non les autres, et, à une phase plus tardive, les complétera par des annexes qui contribueront à la différenciation morphologique de l'appareil génital externe, non sans laisser subsister une réduction et comme une forme dégénérée des organes du sexe sacrifié. On peut donc affirmer que tout être humain porte en lui des traces d'une bisexualité anatomique, résidu d'une bisexualité embryonnaire.

Il est tentant de se demander si ce caractère bisexuel existe à d'autres niveaux et par exemple à celui de la cellule. J'ai rappelé déjà que vers 1900 des médecins berlinois et autrichiens, Fliess, Freud, Weininger et d'autres pensèrent avoir fait une découverte capitale, celle de la bisexualité virtuelle de toute cellule vivante. Cette théorie — qui déjà faisait état du rôle joué par les substances chimiques dans la sexualité[1] — parut si importante que des hommes de science s'en disputèrent la paternité et que des querelles pénibles éclatèrent auxquelles l'amitié de Freud et Fliess ne survécut pas. Il semble que cette théorie soit aujourd'hui dépassée. L'attention s'en est détournée au profit de la bisexualité hormonale dont la tenue scientifique est plus solide. Mais ce n'est peut-être qu'une question d'éclairage[2].

---

1. Dans *Geschlecht und Charakter*, Weininger, après Fliess, défend la thèse d'une bisexualité potentielle de chaque cellule, mais il met l'accent sur la tendance des cellules à se sexualiser, indépendamment d'ailleurs du sexe de l'individu. Par exemple chez le modèle de Ribera (femme à barbe avec forte poitrine) le sexe mâle dominerait dans les cellules de l'épiderme et le sexe femelle dans les glandes mammaires. Weininger, comme Fliess, attribue déjà cette bisexualité potentielle à l'action d'une sécrétion interne et d'une réaction spécifique des cellules à cette sécrétion.

2. Rien ne s'oppose scientifiquement à l'hypothèse de la bisexualité cellulaire. On sait que les cellules du corps humain contiennent vingt-deux paires de chromosomes identiques plus une vingt-troisième qui présente la particularité d'être dissemblable chez l'individu de sexe masculin. On considère généra-

C'est l'importance grandissante de la biochimie qui allait attirer l'attention des hommes de science sur l'activité des glandes endocrines. On connaît le rôle de ces sécrétions, non seulement dans la différenciation des caractères sexuels primaires et secondaires[1] mais dans la détermination du psychisme sexuel. On sait aujourd'hui qu'il suffit d'une injection hormonale pour

lement que la détermination du sexe dépend de cette vingt-troisième paire figurée par la formule X Y chez l'individu de sexe masculin et X X pour l'individu de sexe féminin. Ils sont dits les *chromosomes sexuels*. Toutes les cellules du corps conservent et reproduisent ce double jeu de chromosomes, sauf précisément les cellules germinales qui, lors de leur mûrissement, subissent ce qu'on nomme la *réduction chromatique*. Cette particularité évoque la distinction du *soma* et du *germen* qu'il faut bien citer malgré qu'elle apparaisse quelquefois comme une distinction d'école, la question de savoir à quel moment s'opère la séparation de la lignée somatique et de la lignée germinale n'étant pas tranchée. Mais le fait demeure d'une ségrégation entre cellules à double jeu de caractères génétiques et cellules destinées à abandonner la moitié de ce jeu. Il n'est pas indifférent de réfléchir un moment au sort de ces dernières. En mûrissant, ces cellules--souches désormais nommées *gamètes* se sont donc dédoublées, de sorte que chaque gamète mâle (ou spermatozoïde) contient désormais un seul chromosome sexuel, X *ou* Y. On peut donc dire, *grosso modo*, que la moitié environ des gamètes est porteuse de la potentialité mâle et l'autre moitié de la potentialité femelle. Cette option a nécessairement été précédée d'un état où la double potentialité se trouvait encore indistincte. Cette indistinction est précisément le fait de toutes les cellules avant leur *sexualisation*. Il est remarquable que c'est à des cellules ainsi dédoublées qu'est dévolu le rôle actif dans l'acte sexuel qui a justement pour effet, en cas de fécondation, de reconstituer le double stock de chromosomes par l'adjonction des chromosomes du partenaire de l'autre sexe. La grandiose hypothèse d'une tendance à reconstituer l'état antésexuel au niveau de la cellule ne semble pas tellement chimérique. Le raisonnement qui précède est correct pour les gamètes mâles, mais il doit en exister un autre, analogue pour les gamètes femelles puisque la parthénogénèse peut donner des mâles comme des femelles. Dans d'autres espèces (papillons, oiseaux) la situation est inversée. C'est le mâle qui a la configuration X X et la femelle X Y.

1. C'est à l'injection d'hormones à des embryons de rongeurs ou de batraciens que l'hermaphrodisme expérimental doit quelques-unes de ses réussites spectaculaires.

développer les glandes mammaires mais aussi pour éveiller l'instinct maternel. Or, il se fait que tout individu sécrète à la fois des hormones mâles et des hormones femelles. Tout ce qu'on peut dire est que les mâles produisent relativement plus d'*androgènes* que d'*œstrogènes,* mais dans une proportion toujours sujette à se modifier. En outre, la structure chimique des hormones est telle qu'en certains cas, elles sont susceptibles de virer. Même au stade adulte de l'individu, les hormones maintiennent une sorte de flottement entre les sexes. Leur fonction régulatrice, équilibrante, implique elle aussi une double potentialité sexuelle. C'est au niveau des hormones que la bisexualité de l'Homme est la plus évidente, la plus scientifique. La bisexualité du psychisme humain est étroitement liée à cette oscillation de la sexualité hormonale. Jung avait raison de penser que l'Anima représente cette minorité de *gènes* féminins que porte en lui l'homme le plus viril. Le mythe d'Androgynat n'est pas qu'un thème fabuleux, c'est une réalité profonde de l'histoire de la Vie.

Mais l'Androgynat ne symbolise pas seulement l'indistinction originelle, il représente aussi l'indistinction rétablie. En même temps qu'il signifie l'état préduel, il figure la nostalgie de s'en être éloigné et en même temps que l'écart des sexes, l'amour qui vient le combler. En quelle mesure la science va-t-elle confirmer les représentations du mythe comme symbole de l'Amour et du Couple ?

En biologie, un accouplement est un acte par lequel, sous l'impulsion d'une force qui semble animer tous les êtres vivants, des protozoaires jusqu'à l'homme, deux individus de même espèce et de sexe différent se conju-

guent de façon à permettre à l'individu mâle de transférer une partie de sa substance cellulaire à l'individu
femelle. Cette définition soulève aussitôt questions et
objections. Quelle est la nature de cette force ? En quelle
mesure est-elle liée à la sexualité ? En quelle mesure à
la fécondation ? Faut-il donc renoncer à nommer accouplement la conjugaison de l'homme et de la femme lorsqu'elle se soustrait à cette fécondation, c'est-à-dire dans
la majorité des cas ? On voit l'intérêt qu'il y a à repenser tout le mécanisme sexuel aux deux bouts de l'évolution, sous sa forme la plus simple en même temps que
la plus complexe, à l'endroit de son plus large déploiement (l'espèce humaine) comme à celui où il ne fait,
semble-t-il, que s'amorcer (les protozoaires). Du phénomène amoureux chez les monocellulaires, je ne sau-
rais trouver d'exemple plus romanesque que le récit fait
par Jean Rostand de la conjugaison des Infusoires Paramécies[1].

La Paramécie, minuscule habitante des eaux douces,
mares, fossés, douves, se reproduit par bipartition.
C'est-à-dire que de temps à autre, la cellule unique de
cet Infusoire se scinde jusqu'à se séparer en deux Infusoires jumeaux et identiques. Cette division se renou-
velle une ou deux fois par jour de sorte que — n'était
la mortalité accidentelle — une seule Paramécie pourrait en moins de vingt jours donner naissance à un mil-
lion de ses semblables. Nulle apparence jusqu'ici de
sexualité, nul besoin d'amour. Et cependant l'amour apparaît :

> Mais de loin en loin, voici que les Paramécies ces-
> sent de se nourrir; elles semblent agitées, inquiètes;

---

1. Voir Jean Rostand, *Le Bestiaire d'Amour*, Laffont, Paris,
pp. 17 et suiv. Sur les Infusoires Paramécies on aura avantage à
consulter aussi les remarquables travaux de Vivier : *L'Infusoire
Paramécie*, in *Annales des sciences naturelles*, 12ᵉ série, t. II.

nageant en tous sens, comme si elles cherchaient
quelque chose, elles se heurtent l'une à l'autre, se
frappent de leurs cils. En voilà deux, maintenant,
qui s'approchent, se réunissent, puis deux autres, et
bientôt c'est toute la population qui se dispose par
couples. Peut-être, à ce moment, dégagent-elles des
substances particulières, sortes d'hormones qui, dif-
fusées dans le milieu liquide, les rendent plus attirantes l'une pour l'autre. Toujours il y a que les
deux Paramécies, une fois jointes — *conjuguées* —
se pressent, s'appliquent bouche contre bouche. A
cet accolement, à cette juxtaposition, qui évoque un
baiser de tout l'être, succédera un contact encore
plus intime. Les membranes qui limitent leurs proto-
plasmes respectifs s'estompent, puis s'effacent dans
la zone antérieure du corps, si bien que les deux
cellules conjugantes se trouvent maintenant comme
ouvertes l'une à l'autre, l'une dans l'autre. Cette *mise
en communion* a demandé, pour s'accomplir, une
quinzaine de minutes. Le couple qui jusque-là na-
geait tombe au fond de l'eau, dans un état de dépression profonde; mais, sous l'inertie apparente, se manifeste une turbulence intérieure.

Suit la description de transformations nucléaires à
la suite desquelles les Paramécies se trouveront prêtes
pour l'événement essentiel de la *conjugaison,* à savoir
l'échange de substance génétique. Dans chacune des Paramécies,

un des deux noyaux — le *sédentaire* — demeure
en place, mais l'autre — le *migrateur* — passe dans
la Paramécie d'en face, empruntant le mince pont
de chair qui relie les deux êtres. Ensuite, chaque
noyau migrateur fusionne avec chaque noyau sédentaire, pour former un noyau *mixte*, ou noyau de
conjugaison. Le déroulement de ces actes a pris une
quinzaine d'heures. Les deux Paramécies, ayant

reconstitué leurs frontières membraneuses, vont alors
se séparer, et chacune reprendre son existence autonome... Rien, en apparence, ne distinguera l'Infusoire de ce qu'il était avant le mariage. Toutefois,
il sera devenu essentiellement différent; il aura
expulsé une partie importante de sa substance nucléaire, d'où, peut-être, une épuration bienfaisante,
et surtout, ayant reçu de son partenaire juste autant
qu'il lui aura donné, *il sera devenu l'autre pour
moitié.*

Ainsi la force qui pousse deux cellules à se joindre,
ne doit pas être identifiée à celle qui les pousse à se
reproduire. Découverte fondamentale d'entrevoir qu'à ce
stade élémentaire de la vie, le phénomène de la reproduction et celui de la conjugaison demeurent distincts.
Ils peuvent coïncider, ils ne se confondent pas. *La fin
de l'amour n'est pas la procréation.* La multiplication
des espèces n'exigeait pas l'invention de la sexualité.
Nous savons que la Vie s'était trouvé d'autres modes :
le bourgeonnement, la scissiparité, la parthénogénèse. La
sexualité n'était pas *nécessaire*[1]. On a pu dire qu'elle est
un luxe biologique. Sans doute est-elle propice au rajeunissement héréditaire, à l'élimination des tares qui s'accumulent graduellement dans une lignée. C'est un de
ses avantages. Rien ne nous autorise à dire que ce soit
sa raison. L'expérience enseigne que la reproduction
asexuée peut se continuer indéfiniment[2].

1. Les belles expériences de Brien sur les Hydres d'eau douce
ont éclairé cette contingence de la sexualité. Une simple varia-
tion de température peut la provoquer ou l'arrêter à volonté.
« La sexualité n'est pas inscrite nécessairement dans le cycle
biologique d'un animal, elle est déterminée par des facteurs con-
tingents », écrit Brien. *Etude d'Hydra Pirardi,* in *Bulletin Biologique de la France et de la Belgique,* 1961, fasc. 2, p. 363, Presses
Universitaires, Paris.
2. Comme l'ont prouvé les observations de Carrel, Galadjieff,

N'étant pas l'instinct de reproduction, la force qui pousse les Paramécies à se conjuguer n'est pas davantage l'attraction des sexes. Dans la conjugaison de ces Infusoires, on a pu voir chacun des deux partenaires rigoureusement semblables, fonctionner comme un hermaphrodite. Nulle tendance à compenser un écart sexuel qui n'existe pas, à reconstituer une bisexualité qui n'a pas cessé d'être. Force nous est de constater que le phénomène amoureux précède la sexualité. Encore une fois la sexualisation n'est qu'*une* des formes de dualisation de la vie, ce qui entraîne à considérer la conjonction sexuelle comme *une* des façons de compenser la dualisation. C'est ce corollaire qu'illustre si parfaitement la conjugaison des Paramécies. Elle nous induit à penser que l'*amour ne se confond pas plus avec la sexualité qu'avec l'instinct de procréation,* et que la force qui pousse les sexes l'un vers l'autre n'est qu'une des modalités de quelque chose de beaucoup plus vaste, une tendance à se délivrer de n'importe quelle différenciation, quelle particularisation, quelle fragmentation, pour reconstituer une indistinction perdue (mais cette modalité — pour n'être pas la seule — n'en est pas moins la modalité spécifique du Couple, la voie ouverte par l'amour à l'Homme et à la Femme pour reconquérir leur condition primordiale). Fusion définitive ou passagère de deux sujets, il y a apparence d'un amour de type élémentaire non seulement chez les Infusoires mais chez les Bactéries et peut-être même, si l'on en croit Rostand, « chez ces êtres inframicroscopiques ou virus, qui font à certains égards la transition entre le monde de la vie et le monde de la matière. On va jusqu'à se demander si une « propension générale à s'u-

Metalnikoff, Woodruff, sur les Infusoires, les Oligochètes, les Turbellariés. Les travaux et expériences de Woodruff ont étendu cette découverte sur plus de 8.000 générations de Paramécies. Cf. Vivier, *Annales des sciences naturelles,* 12ᵉ série, t. II, p. 393.

nir » n'appartient pas à la molécule d'air, insensible et inerte ». « Principe d'expansion », « affinité de l'être pour l'être », « appétence d'autrui », peu importe la dénomination, il s'agit, semble-t-il, d'une propriété universelle dont il ne serait pas interdit de chercher des exemples jusque dans les cycles de transformation de la matière et de l'énergie.

A l'autre bout de l'évolution se situe l'amour humain. Il y a chez les Infusoires une espèce de tâtonnement vers l'amour qui trouve chez l'Homme son accomplissement. C'est dans le sens d'une convenance, d'une adaptation toujours plus grande d'un sexe à l'autre que s'est faite l'évolution. Parlant des espèces supérieures, Bounoure ne craint pas d'affirmer que « le mâle et la femelle, indépendamment de l'existence de chacun comme un *tout* individuel montrent une *destination réciproque*... Les deux sexes, en tout ce qui touche la reproduction, sont faits non chacun pour lui-même, mais l'un pour l'autre et la parfaite coordination qui les rend corrélatifs est une véritable *finalité externe*[1] ».

On ne saurait réfléchir un peu profondément à l'accouplement humain sans s'aviser d'une étrangeté. Il est toujours décrit comme un processus de fécondation. Or, si dans le monde animal lui-même l'attraction des sexes ne se laisse pas réduire à l'instinct qui les pousse à se perpétuer, à fortiori en est-il ainsi dans l'espèce humaine. Pour comprendre le sens de l'accouplement, il

---

1. Louis Bounoure, *L'instinct sexuel,* Presses Universitaires, Paris, 1956, p. 192-193 : « Nul doute, conclut Bounoure, que cette vue n'ait inspiré le mythe platonicien de l'amour, unissant les moitiés séparées de l'être véritable, ainsi que la tradition biblique de la création de la femme comme partie prélevée sur l'organisme de l'homme. »

n'en faut pas moins se référer à son schéma biologique
et à la fusion des cellules reproductrices, sans perdre de
vue que l'acte déborde infiniment cette conjugaison cellulaire qui cependant demeure, même lorsqu'elle est évi-
tée, le modèle et la clef des conduites amoureuses.

Alors que chez les protozoaires (comme l'Infusoire
Paramécie), les cellules conjugantes constituent l'individu entier, chez les Métazoaires, ces sociétés de cellules, l'individu conjugant délègue en quelque sorte une
de ses cellules reproductrices ou gamètes pour le représenter et pour opérer le transfert génétique. Cette délé-
gation est l'effet de la sélectivité. Chez l'Homme, par
exemple, sur deux millions de spermatozoïdes éjaculés,
un seul, le plus agile, le plus rapide, atteindra son but
et réussira à pénétrer l'ovule — soit une de ces quatre
cent mille cellules germinales femelles dont quelques
centaines à peine descendent cycliquement, une par une,
dans l'*oviducte* pour y courir la chance d'être fécon-
dées. La morphologie des gamètes correspond au rôle
qu'elles ont à jouer dans ce scénario sexuel. Tandis que
la cellule femelle est lourde, peu mobile, grande — dix
mille fois plus que la cellule mâle — celle-ci, appelée
à concourir avec des millions de ses semblables dans
cette folle compétition pour remonter l'oviducte, est minuscule, extrêmement mobile et munie d'un appareil pro-
pulseur, le *flagellum*. Une seule néanmoins atteint son
objectif. Qu'advient-il des autres ? Elles meurent et sont
résorbées par les tissus féminins. Il n'y a pour la cellule mâle qu'une alternative : gagner la course ou mourir. Mais ce but unique est aussi un but final. Le rôle
du spermatozoïde se limite à pénétrer l'ovule par un
véritable viol cellulaire (réplique ou plutôt schéma d'une
autre effraction qui se produit à l'échelle individuelle)
et à lui transférer son matériel génétique, en d'autres mots à la féconder. C'est tout. Pour l'ovule au contraire, c'est le début d'une longue, d'une prodigieuse

activité. Une fois fécondé, l'ovule, désormais nommé
œuf, va se fixer. C'est ce qu'on nomme la *nidation*.
Commence alors la plus miraculeuse métamorphose.
Dans le milieu maternel, préparé par les hormones à le
recevoir, l'héberger, le nourrir et développer, l'œuf, qui
a reçu du spermatozoïde — en dehors de son matériel
génétique et du chromosome sexuel qui détermine son
sexe — l'aiguillon nécessaire à se subdiviser et multiplier innombrablement, engendre d'une part les millions
de cellules somatiques appelées à se diversifier dans
les tissus organiques, d'autre part, les cellules germinales d'un appareil génital qui va se sexualiser progressi-
vement conformément à sa formule chromosomique.
Mais les hormones continueront d'assurer cette sexualisation bien au-delà de la vie embryonnaire. De l'enfant
à l'adulte, des caractères sexuels primaires et secondaires au comportement physiologique et psychologique,
elles étendront la différenciation sexuelle à l'individu
tout entier.

Un nouveau cycle peut alors commencer. Les hormones femelles ont préparé à la fois les organes et le
psychisme de la femme à se laisser couvrir et féconder ainsi qu'à développer considérablement le germe.
Elles l'ont disposée au statisme, à la sédentarité, à la
gestation [1]. Parallèlement ou plutôt complémentairement,
les hormones mâles ont disposé l'homme à l'action, au
mouvement, à la prise et à la domination de la femelle.
L'instinct de domination est sous la dépendance de l'hormone mâle ainsi qu'il résulte de nombreuses expériences de castration animale [2]. Ce sont ces sécrétions qui

1. La seule activité suscitée par les hormones femelles est une
activité de provocation.
2. Suivant Bounoure, lorsque la dominance dans un couple
animal passe à la femelle, ce phénomène serait dû à l'hormone
mâle sécrétée par l'ovaire. Chez la femelle il est prouvé que c'est
l'hormone normale de ce sexe qui détermine la soumission au
mâle, l'accroupissement et l'acceptation du coït.

conditionnent dans chaque sexe la nature du désir et de l'amour, toujours liés en une certaine mesure chez l'homme au nomadisme, à la conquête, à l'agression, voire au sadisme, chez la femme à la *patience,* à la passivité, à la soumission, voire au masochisme. *Ce sont les hormones femelles qui probablement disposent à la lente maturation de l'amour-passion.* Les hormones suffiraient à nous donner la preuve que l'accouplement se réalise à différents niveaux. Cette gradation chez l'Homme comporte des virtualités infinies, du rut le plus élémentaire et qui ne fait qu'apaiser aveuglément un appétit jusqu'à la prise de conscience la plus complète de l'érotique, de la fécondation physiologique jusqu'à celle du cœur, de l'imagination, de l'esprit.

On ne peut que s'émerveiller de la concordance si constamment maintenue entre l'acte tel qu'il s'accomplit au niveau cellulaire et celui qui se fait au niveau psychique. A tout instant les conduites amoureuses laissent transparaître le schéma biologique. Le transfert de son matériel par la cellule mâle, la cellule donneuse, à la cellule femelle, la réception qu'en fait celle-ci, l'initiative prise par la première, l'effraction subie par la seconde, tous ces traits se reflètent fidèlement dans le comportement normal de l'homme et de la femme, dans les tendances dominatrices, polygamiques et donjuanesques de l'un et la disposition au moins virtuelle de l'autre à la monogamie et à la fidélité comme aussi à l'accaparement.

Mais le comportement *anormal* de l'homme et de la femme n'est pas moins étonnant. Il semble en effet que la plupart et peut-être toutes les aberrations humaines aient trouvé leur modèle dans l'extraordinaire évolution de l'amour animal. Dans une de ses brillantes études, Roger Caillois affirmait naguère qu'il y a « une sorte de conditionnement biologique de l'imagination » et qu'il existe des raisons graves de supposer que chez l'Homme la fonction fabulatrice tient le rôle du comportement instinctif chez l'Insecte. « L'Homme, écrivait-il, n'est pas isolé dans la nature... Il n'échappe pas à l'action des lois biologiques qui déterminent le comportement d'autres espèces animales. » Ces lois toutefois seraient moins impératives. Elles ne conditionneraient plus l'*action*, mais seulement la *représentation*[1].

Ces vues sont demeurées séduisantes bien qu'un peu absolues. Elles ne tiennent compte ni d'une certaine fabulation érotique chez les animaux, ni de l'aptitude humaine à *jouer* les fabulations, c'est-à-dire à les objectiver dans l'action. En réalité, il n'y a pas de solution de continuité entre comportement animal et comportement humain. Tout se passe comme si l'Homme puisait ses inventions les plus aberrantes dans une sorte de mémoire, réserve ou résidu, des expériences animales. Or, qu'est-ce qui caractérise essentiellement les conduites amoureuses des animaux ? C'est leur ambivalence. Le sexe est à la fois fascination et terreur. Il suscite une attraction mais aussi un antagonisme. Feuilletons Bounoure, Meisenheimer, Rostand, nous y trouvons toujours le même contraste et à côté d'une grande diversité de rites de séduction, parades, jeux précopulatoires, étalage de charmes pigmentaires, production d'odeurs attirantes ou grisantes, chants et bruitages divers, le plus étonnant répertoire de tortures et de supplices : fustigations, morsures, blessures mortelles, éventrations, mutilations, décapitations, dévorations.

On s'est interrogé sur le sens de ces violences et l'on s'est avisé qu'elles ont pour effet — peut-être pour objet — d'exalter l'ardeur génésique. Loin de décourager le partenaire, l'agressivité décuple généralement sa frénésie. La combativité est le *ressort* de l'amour animal. Ce qui

---

1. Roger Caillois, *La Mante religieuse. Recherche sur la nature et la signification du Mythe*, Aux Amis des Livres, Paris, 1937.

ne laisse pas d'être remarquable, c'est que cette combativité se conforme au scénario sexuel. Tendant chez le
mâle à se soumettre plus complètement la femelle, à
l'immobiliser, à la pénétrer plus profondément (d'où
chez certains Arachnides l'usage de passes magnétiques,
l'instillation d'un philtre ou d'un anesthésiant, le ligotement de la femelle; d'où le baiser féroce, meurtrier
des Lamproies, le coup de stylet de certains Mollusques,
les étreintes farouches jusqu'au défoncement de la poitrine de certains Amphibiens), plus rare chez l'autre
sexe, elle prend généralement une forme dévoratrice
(comme chez la Mante et certaines Araignées), ce cannibalisme n'étant en somme chez la femelle que le développement excessif de son rôle récepteur, dont on trouve
des variantes moins féroces dans l'absorption buccale
de la semence ou du spermatophore (cas des Locustes qui le mâchonnent longuement et en dévorent jusqu'à l'enveloppe).

Toutes ces extravagances et bien d'autres (celles
notamment qui ont pour effet de rompre la monotonie
de l'acte sexuel : variété des poses ou frénésies collectives, comme les chaînes sexuelles des Lymnées) se
retrouvent dans les fabulations humaines. C'est ainsi que
d'innombrables récits folkloriques reprennent le thème
ancestral de la Femme dévoratrice. Pour ma part, j'ai
retrouvé celui de la femelle ligotée chez Klossowski,
Mandiargues, Proust. C'est Roberte attachée, à demi dévêtue, sur un appareil de gymnastique dans le sous-sol
d'un magasin du Palais-Royal. C'est Vanina qui prie
« le jeune homme du bois de pins » de la saisir un peu
brutalement et de lui lier les mains derrière le dos avec
sa cravate. Et c'est Charlus, monstrueuse araignée, non
plus ligotée de soie mais de fer, enchaînée et garrotée
sur le lit d'une maison de passe.

Les trouvailles de l'érotisme sont *naturelles*. A vrai
dire, on s'en doutait. Elles aussi sont l'effet de la diver-

sification infinie et du pouvoir inventeur de la vie.
« Quand nous faisons l'amour, écrivait Rémy de Gour-
mont, c'est bien selon l'expression des théologiens, *more
bestiarum*. L'amour est profondément animal : c'est
sa beauté ». Seule la conclusion est fausse. Encore ne
l'est-elle qu'à demi. Le propre de l'amour humain est
d'être mental en même temps qu'animal. Il est de relier
à tout moment l'un à l'autre. D'où l'intérêt de ces rapprochements. A côté d'une continuité biologique de l'animal à l'Homme, ils font entrevoir dans l'homme une continuité psychique de l'animal au mental. Certes, il y a chez
l'animal tous les éléments d'un *érotisme* au sens banal,
c'est-à-dire un ensemble de recettes pour déclencher ou
aiguiser le désir. Des signaux sont lancés d'un sexe à
l'autre qui, par association, déterminent aussi inélucta-
blement le mécanisme sexuel que la vue de certains objets ou certain décor celui du fétichiste et du menia-
que sexuel. Des rites sont pratiqués qui provoquent automatiquement l'éréthisme, la transe, l'hypnose, la cata-
lepsie. Cependant ces rites demeurent invariables pour
une espèce donnée. Ils sont le fruit de son invention,
jamais de la fantaisie de l'individu. L'Homme seul a
le pouvoir de choisir dans le répertoire des inventions
naturelles celles qui l'exaltent et celles qui lui plaisent.
Il peut à son gré déployer les significations les plus
diverses de la sexualité, les assumer mentalement, les
imaginer.

Et c'est ici — et non à la limite du normal et
de l'anormal, dans l'extravagance des formes et des conduites — que commence la perversion. Elle est dans
l'abus de cette *imagination*, dans son asservissement au
plaisir. Car ce sont les mêmes recettes qui mènent les
uns au vice, les autres à cette « confusion des limites »,
à cette communion cosmique dans laquelle Vanina se
sent « communiquer avec toute la nature ». En se con-
formant au rite du liage, Vanina ne cherche — avec

cette intuition admirable et ancestrale de certaines jeunes filles — qu'à se préparer une révélation plus exemplaire. Ses pieds nus, ses mains attachées, ses bras tirés en arrière ne sont que les repères du rôle de captive qu'elle entend *jouer* — si sérieusement qu'avant de s'abandonner, tenant à s'assurer que son amant a vraiment « qualité d'agresseur », elle lui ordonne de la délier et de la laisser partir[1]! Pour Roberte et Charlus, il y a eu machination de plaisir, pour Vanina *cérémonie*. Un jeu sublime est ici amorcé qui raccorde l'*insignifiance* du singulier aux significations de l'originel et de l'universel. A demi simulés, à demi vécus, les gestes les plus simples deviennent rites et lorsqu'ils miment l'agressivité, loin de ruiner la mythologie du Couple (ou de l'affadir comme fait la sentimentalité) ils en soulignent le sens et le mystère. « Il faut, a dit le psychologue Baudouin, descendre jusqu'aux instincts pour comprendre quelque chose à la psychologie des contraires. » Réciproquement, c'est à la psychologie des contraires qu'il faut faire appel pour comprendre l'instinct sexuel et résoudre l'apparente contradiction de l'antagonisme des sexes et de l'amour.

Bien des énigmes seraient résolues si l'on s'avisait que, jusque dans la violence, l'amour ne cherche souvent qu'à s'affirmer plus spectaculairement. Et en un sens, on peut se demander s'il n'en va pas de même d'autres aberrations qui ont pour effet d'augmenter l'écart entre les contraires, le bas et le haut, l'ignoble et le sublime, la volupté et la douleur? Question qui semblera profondément immorale aux uns et singulièrement

---

1. Lui cependant « ne fit que sourire à ce coup, comme pour montrer qu'il avait bien entendu, mais son regard était devenu si farouche, si dure l'expression de ses traits, que l'on voyait l'absurdité de prier, de promettre ou d'ordonner, puisque rien manifestement, sauf qu'on le tuât, ne l'eût empêché de poursuivre son entreprise ». A. Pieyre de Mandiargues, *Le lis de mer,* p. 190, Robert Laffont, Paris.

apaisante aux autres selon que — par doctrine ou tempérament — ils tiennent les contraires pour irréducti-
bles ou pour inséparables et la sexualité pour honteuse,
mauvaise irrémissiblement ou seulement mêlée, donc
bonne à trier. Il se pourrait que la psychologie des aberrations fût en fin de compte moins affligeante que nous
l'ont dit les moralistes et que, là comme ailleurs, l'amour
s'efforce de réserver sa part qui est d'exhumer et développer le germe infime de l'esprit. Mais en voilà assez
pour suggérer que l'évolution de l'amour humain se fait
dans le sens de l'intelligence et dans l'assumation par
l'esprit des significations primordiales de la sexualité.

Ce que l'on peut retenir de cette brève confrontation
avec la science, c'est d'abord que la sexualisation apparaît dans l'histoire de la Vie comme *un* des modes de
son déploiement, de sa *dualisation*. C'est aussi que la
division des sexes — nécessairement précédée d'un état
où les deux virtualités sont encore indistinctes sinon
unies — s'accompagne d'une tendance des sexes à se
ré-unir. Cette conception de la sexualité comme d'un
écart qui tend naturellement, voire automatiquement, à
se combler, refoule au second plan la fonction de procréation au profit de quelque grande Loi physique et
peut-être métaphysique de l'Eros cosmogonique. De
plus en plus s'est imposée à notre attention — à côté
d'une tendance de la Vie à l'expansion, à la dilatation,
à la multiplication — l'existence d'une tendance complémentaire, commune peut-être à la matière animée et
inanimée, à fusionner, à se regrouper, à rétrograder et
à réintégrer son état originel, à faire retour à l'Unité.
De cette propriété régressive ou, selon l'image si juste
de Freud, de cette *élasticité*, l'attraction des sexes pour-

rait bien n'être qu'*une* des modalités — celle du Couple, il est vrai, sa voie spécifique, la chance qui lui est offerte de compenser la division des sexes, de réparer la dualité par l'amour. Avec la conséquence que *le sens de l'amour serait moins d'incliner vers le sexe que de le vaincre.* Ce qui implique tout de même la présence de la sexualité, emportant la condamnation des amours qui en sont dépourvues et qui se voient condamnées pour insignifiance (littéralement).

C'est la découverte des hormones qui donne une tenue à cette interprétation de l'amour sexuel. Non seulement ces sécrétions entretiennent l'hypothèse d'une continuité entre le physique et le moral, le corps et l'âme, la matière et l'esprit (ruinant ainsi toute prévention rigidement dualiste), mais l'existence d'une véritable bisexualité hormonale apporte une confirmation éclatante au mythe de l'Androgyne. En outre, l'inconsistance des caractères sexuels déterminés par les hormones, leur labilité, leur aptitude à virer chez certaines espèces à partir de facteurs de température et de nutrition, constituent incontestablement un encouragement à regarder le sexe comme un équilibre provisoire toujours sujet à révision, et en revanche l'indistinction des sexes comme un de ces équilibres fondamentaux au profit desquels les premiers tendent naturellement à s'inverser (de même l'équilibre provisoire et singulier de la vie, ce nœud d'énergies, appelé à se dénouer et à se résoudre dans l'équilibre fondamental de la mort). Il n'est pas douteux que ces perspectives nouvelles donnent au Couple une justification admirable. On ne peut s'empêcher d'évoquer l'enseignement shivaïste : « C'est l'union des sexes qui est la seule réalité, leur existence séparée n'est qu'une fiction. »

La représentation du sexe comme du résultat toujours remis en question d'un conflit latent entre les champs de force du masculin et du féminin, est celle

de la bipolarité (il faut admirer en passant la justesse
du système de représentation surréaliste, en particulier
de Breton qui a toujours usé pour parler de l'amour
d'un vocabulaire et d'un système d'images empruntés
aux phénomènes d'induction et de magnétisme). Notre
polarisation sur l'un ou l'autre sexe représenterait en
quelque sorte le coefficient de dualisation de notre nature. Avec la conséquence peut-être que les natures fortement sexuées, supermâles et superfemelles[1], seraient
dans l'amour plus étroitement dépendantes du sexe, do-
minées par lui, soumises à l'automatisme de l'instinct
et les natures androgyniques plus détachées, plus aptes
donc à ces grandes constructions mentales auxquelles
l'instinct sexuel sert seulement de prétexte et de moteur, plus habiles à projeter dans une apparence charnelle cette *image* jungienne de l'autre sexe qu'elles portent en elles. Que de problèmes qu'il faut se contenter
de poser! Il semble quelquefois que sur la sexualité
l'essentiel soit encore à découvrir.

Voilà quelques-unes des réflexions auxquelles peut
mener la sexologie. Le moins qu'on puisse en dire, c'est
que la matière est d'une richesse stupéfiante. L'attraction sexuelle n'est donc pas un besoin simple comme la
faim et « faire l'amour » n'est pas, comme on a osé l'é-
crire, un « acte aussi indifférent que manger, uriner,
déféquer ou dormir[2] ». Ce n'est pas non plus le « verre
d'eau » du marxiste. Toutes ces simplifications sont en
contradiction avec la science. Déjà Claude Bernard —
avant Freud — avait pressenti que la sexualité s'étend

---

1. On sait que la garniture chromosomique des cellules d'un
individu superfemelle correspond à la formule $\frac{2\,n}{3\,x}$, celle d'un
intersexué à $\frac{3\,n}{2\,x}$, etc. *Aron et Grassé,* p. 176, Masson, Paris, 1960.

2. Extrait du docteur Grémillon, cité par Simone de Beauvoir,
Le Deuxième Sexe, t. II, p. 209.

à l'organisme entier et qu'aucune partie du corps n'é-
chappe à son empreinte physico-chimique. Il dépend de
nous que nous réduisions l'amour, je ne dirai pas à sa
fonction animale (car nous ne connaissons guère les mystères du psychisme animal et ce que nous savons de
l'amour des espèces inférieures n'est pas dépourvu de
grandeur) mais organique, ou au contraire que, décidés
à le vivre à tous les niveaux, nous nous appliquions à
assumer toutes ses significations, dans la pleine conscience de *l'amour sacral.*

Comme on a pu le voir, la préférence donnée parmi
d'autres disciplines de pensée à la chimie, pour rendre
compte du phénomène de la sexualité, loin d'attenter
au prestige de l'amour, l'a considérablement renforcé.
Pour s'être montré réductible à une formule, le sexe
ne s'est pas dépouillé de son mystère. Et c'est même
à une réflexion sur la notion de mystère qu'il nous
convie. Il n'est pas douteux que l'on procède actuellement à une révision générale de cette notion. Cette remise en question menace deux extrémismes. Au mystère
nécessaire, inabordable, interdit, au mystère tabou des
religions officielles est en train de se substituer l'idée
du mystère qui veut être *approché* — le mot qui implique prudence, respect, humilité montre assez que l'évolution se fait aussi aux dépens d'un certain rationalisme.
De cette approche, de cette *upanishad,* la science tente
en ce moment la démarche la plus exemplaire. En opposition avec le scientisme qui prétendait tout expliquer, la science moderne sait faire la part de l'inexplicable. En particulier, depuis un demi-siècle, elle s'est
avisée de l'immensité du mystère du sexe. En biologie
comme ailleurs, à mesure que les savants élucidaient

les problèmes, ils en voyaient surgir de nouveaux,
plus complexes, plus intimes. Ce dévoilement progressif
et jamais définitif correspond aux étapes de l'antique
initiation. A mesure que l'on approche de l'époptie, le
Mystère se dénude mais son rayonnement devient aussi
plus aveuglant, son incandescence augmente. Et en fin
de compte, on se retrouve devant quelque chose d'ineffable.

Einstein s'émerveillant que l'esprit humain ait pu
comprendre le monde en déduisait qu'il n'est pas exclu
qu'il puisse un jour comprendre Dieu. A sa pointe extrême, toute approche critique débouche en effet en un
même lieu, celui de la Loi, c'est-à-dire l'extrême connaissable de ce que l'homme nomme Dieu. C'est la dernière conquête de l'Intelligible. Mais — sur la voie de
la science comme de l'amour — il peut y avoir une
étape au-dessus de l'intelligible, celle que Plotin a franchie quatre fois, et dont on peut seulement murmurer,
comme le moine bouddhiste : *Bliss unspeakable*. A cette
« nuit de la présence » commence l'état mystique, toujours précédé d'un dépouillement, d'une dénudation,
d'une ascèse.

Cette mise au point était nécessaire. Une érotique sacrée ne supposera pas de mystères inabordables mais
un recours continuel au dépouillement critique. Le propre de l'amour nouveau, ce sera d'être à la fois une connaissance approfondie de la sexualité et une prise de
conscience de son fondamental mystère.

IV

VERS LA RESACRALISATION

L'AMOUR SACRAL

> *Presque aucun n'ose affronter, les yeux ouverts, le grand jour de l'amour.*
> ANDRÉ BRETON.

Pour les uns, l'acte sexuel est essentiellement, irrémissiblement vil, honteux, dégradant. Rien ne peut le relever de cette indignité. Pour d'autres, il demande à être sanctifié par un sacrement. Pour d'autres encore, il est naturellement sacré. Il l'est sans le secours d'aucun sacrement. Il est lui-même sacrement, non seulement sacré, mais apte à communiquer le sacré, *sacral*.

A quoi tiennent de tels écarts ? Je l'ai dit déjà, à la fois aux doctrines et aux tempéraments. Il va de soi que les métaphysiques, les religions, les morales qui enseignent la séparation radicale du corps et de l'esprit, ne sont guère favorables à la sublimation amoureuse. Mais les natures pauvres ou inertes, dépourvues de volatilité, ne sont pas mieux placées. On ne voit pas bien comment on pourrait relever de leur déchéance des âmes privées de la grâce fondamentale de relier et de raccorder, de saisir les rapports et de capter les signes. La véritable impuissance à aimer est impuissance à relier. Il existe, hélas, deux sortes d'hommes, les *démoniques* et les autres. Ce sont ces derniers qui jugent l'amour « sale ». Le manque d'imagination les fige sur l'organique, le viscéral. Ils en sont d'autant plus choqués qu'ils y demeurent enlisés. Regardons les choses en face. Ce qui leur est objet de scandale, je l'ai dit déjà, c'est la proximité des fonctions de déjection[1]. Ils trouvent que « le sexe a mal choisi ses organes » (à la différence des démoniques qu'il ne faudrait pas pousser beaucoup pour déclarer admirable un choix qui illustre de façon inespérée la conjonction des contraires). Or, il y a deux manières de réagir au scandale. Le revendiquer ou le fuir. On a pu voir un même poète (Marston) se complaire à décrire les aspects les plus nauséabonds de l'amour et s'exclamer ensuite : « Ah! que ne pouvons-nous nous reproduire par bouturation comme les roses! » Il y a moins de distance qu'on imagine du cynisme à l'idéalisme exsangue.

A égale distance de ces deux égarements, se tiennent les vrais amants. Nul besoin de raisonnement pour les convaincre que l'amour sanctifie. Ils le savent : en amour tout est possible, tout est permis, tout est sacré si la sexualité est assumée dans son mystère, sa gravité, sa totalité. Le premier don que fait l'amour, c'est cette certitude infaillible, cette sûreté sans égale, cette option toujours prête et toujours juste — qu'il s'agisse d'un geste à oser ou d'un grand parti à prendre, comme celui de la constance ou de l'infidélité. Il n'est pas de meilleure jauge de la grandeur d'un Couple que la conscience qu'il a de sa sacralité. Or cette sacralité n'est pas le fait de l'affection, de la tendresse, de l'estime ou d'autres sentiments également édifiants. C'est par rapport à la sexualité que l'on décidera si telle union con-

---

1. Une étude de M. Jacques Sarano, dans *Esprit* (n° 11, *La Sexualité*, p. 1850, Ed. du Seuil, Paris), exprime ce scandale : « N'est-il pas étrange que l'urine et le sperme passent par la même voie, et que l'acte de la génération voisine avec l'excrément ? Voilà de quoi frapper l'esprit de stupeur à jamais. Contre un tel voisinage personne, aucun subterfuge, ne pourront jamais rien. »

jugale relève du sacré ou du profane. Lorsque, par exemple, nous lisons dans *Les Mandarins* : « nous étions trop étroitement unis pour que l'union de nos corps pût avoir une grande importance, en y renonçant nous n'avons pour ainsi dire rien perdu », nous en savons assez pour conclure que le ménage Anne-Dubreuilh sera une association, une collaboration, une convention, tout ce qu'on voudra sauf un couple assumant sa signification sacrale. Mais le couple qui n'aurait pour lui que la sexualité sans l'amour, ne l'assumerait pas davantage. Dans le couple, la division des sexes veut être à la fois ressentie et comblée.

Rien n'est plus aisé que de faire apparaître dans la sexualité les traits essentiels du sacré, son absolue altérité, son ambiguïté, son ambivalence, sa polarité, son double caractère de positivité et de négativité. N'en doutons pas, nous sommes ici dans cette zone des extrêmes qui est aussi, nous dit un catholique, zone de communication « parce que le sacré dissout les déterminations des êtres singuliers et qu'il permet la fusion, comme une sorte d'état liquide où il n'y a plus d'existence séparée[1] ». Des comparaisons analogues ont déjà servi à représenter l'amour. Les mêmes mots, les mêmes images viennent à la bouche pour décrire l'éros et les états forts de la mystique, leurs « caractères d'excès, de négativité, de sortie et de fusion ». Jusqu'à cette tendance à s'abîmer, à s'anéantir — décrite par Otto dans un livre qui fait encore autorité[2] —, qui trouve dans la con-

1. Jean Daniélou, *Discussion sur le Péché*, in *Dieu vivant*, n° 4, Le Seuil, Paris, 1945, pp. 91, 92.
2. R. Otto, *Le Sacré*, pp. 25, 38, 39, trad. Jundt, Payot, Paris, 1949.

sommation de l'acte sexuel une étonnante réplique. La relation du sexe et du sacré serait-elle mise en doute qu'on en trouverait un nouvel indice dans le débat ouvert sur l'amour. Nul ne peut ignorer qu'il se présente comme une double campagne, l'une de resacralisation, l'autre de démystification, la seconde ne témoignant pas moins, me paraît-il, en faveur de la sacralité que la première. Il est remarquable qu'une resacralisation est voulue aussi pour le mariage sacramentel — comme si l'on s'était brusquement avisé de la nécessité de recharger de sacré le sacrement lui-même! C'est à cette reprise d'Eros par Agapè que nous convie une grande revue catholique qui se déclare « à la recherche d'un nouveau sacré dans l'éthique conjugale contemporaine », spéculant pour le trouver sur ce qui est nommé « la merveille et l'énigme du sexe[1] ». Mais on ne peut que donner raison à Paul Ricœur : « il n'est pas possible en effet de comprendre les aventures de la sexualité en dehors de celles du sacré parmi les hommes ».

Ce point étant acquis, il semblerait qu'il n'y ait plus qu'à ranger les couples en deux espèces, ceux qui donnent une grande importance à l'amour sexuel et ceux qui ne lui accordent que l'indispensable, les premiers étant promus à la dignité de ce Couple modèle dont nous avons maintenant à définir la condition. Rien ne serait plus faux. S'il est vrai qu'il y a un germe de sacré dans n'importe quel amour physique (et à cet égard, il n'est pas douteux que la brute elle-même est susceptible d'une sorte de *participation* cosmique, davantage peut-être que l'intellectuel qui trop souvent a réussi à étouffer

1. *Esprit,* numéro cité.

son inconscient sous le fatras livresque (D. H. Lawrence
en aurait sûrement jugé ainsi), il est certain que
le plus haut amour — je veux dire celui qui est allé
le plus loin — le plus parfait, le plus élaboré, est celui
qui assume cette sacralité. Une assumation suppose
une prise de conscience. Mais nous avons dit déjà que
l'amour évolue vers l'Esprit. Une érotique sacrée ne saurait être qu'une érotique mentale, *noétique* (du grec *nous*
esprit). Le mot peut déconcerter le lecteur surpris de
se trouver tantôt devant une réhabilitation de la sexualité, tantôt devant une autre de l'intelligence et qui me
voit tantôt vanter la pensée mythique, tantôt la réflexion
critique. Suis-je pour l'inconscient ou pour la conscience,
pour le corps ou pour l'esprit ? Au risque de lasser, je
dois répéter que je suis pour les communications et les
échanges qui s'opèrent de l'un à l'autre. Contre une
sexualité privée de sublimation. Contre un intellectualisme ou un idéalisme coupé de ses racines. S'il est vrai
que « l'esprit ne sent rien que par l'aide du corps »,
il est tout aussi vrai que le corps est appelé, *voué* à
mettre au monde l'esprit, à s'en *délivrer*. Pas de grand
couple sans forte sexualité. Mais pas non plus qui n'ait
appris à s'en rendre maître, à la capter. On pressent
déjà qu'une érotique d'assumation recherchera de nouveaux équilibres entre la sexualité et la chasteté.

Rien n'est plus rare qu'un amour totalement assumé.
Camus pensait qu'il n'y a que deux ou trois grandes
amours par siècle. Mais enfin, la chose existe, elle a été
vécue, et à défaut de la mener jusqu'au bout, il faut
montrer qu'il y a une vraie grandeur, une dignité rien
qu'à y tendre. Chicane-t-on le chrétien de tendre à la
sainteté ? Ceci dit, il est beaucoup de demeures dans
la maison d'Eros. Il en est que l'on ne saurait recommander au Couple. Il faut en dire un mot.

J'ai parlé déjà d'une érotique d'abjection. Elle tient
le sexe pour une tare, une déchéance dont l'amour ne
saurait relever. Aussi propose-t-elle la pratique d'une
sexualité *détachée*, entendez *séparée* (l'esprit se désinté-
ressant de ce que fait le corps). A moins que, surenchérissant sur le sexe et la déchéance, elle n'engage le « petit nombre » (les élus), à se livrer à l'assouvissement
brutal d'une sexualité de choc, soigneusement pré-
servée du sentiment qui pourrait en édulcorer la hideur.
Car le but est de heurter violemment la conscience et
de la rejeter par une espèce de sursaut vers la pure spiritualité. Il faut rattacher à cette méthode l'érotisme
d'un Sade : « Il est impossible de ne pas y reconnaître
tout l'antique système de la gnose manichéenne », dira
Klossowski qui dénonce dans les orgies sadiques une
haine toute gnostique de la création et même du corps
et « ce culte frénétique de l'orgasme qui fut chez certaines sectes manichéennes une forme du culte de la lumière originelle[1] ». Dans un siècle impie qui a désa-
cralisé la sexualité, Sade resacralise à sa manière en
substituant à la voie discréditée du « cœur » celle de
la profanation, de l'outrage, du sang versé et de l'orgie.
Sans doute, il y a chez Sade une nostalgie de pureté et
même d'humanité (ce grand inventeur de tortures et de
supplices eut l'audace de s'élever en pleine Terreur contre la peine de mort et contre la guillotine, tandis que
les bonnes gens y couraient). Mais là n'est pas la question. Quoi qu'on pense de son érotisme — et quant à
moi, je le tiens pour un échec — il est clair que cette
« utopie du mal » va à contre-courant de n'importe quel

1. Pierre Klossowski, *Sade, mon prochain,* Ed. du Seuil, Paris,
1947.

accomplissement conjugal. Même observation pour un Baudelaire qui pense que « la volupté unique et suprême de l'amour gît dans la certitude de faire le mal » et condamne expressément « les ivresses spirituelles fondées sur la chair », « cette contre-mystique »[1]. Ou un Bataille qui pense qu'il n'y a pour l'homme de *communication* que par déchirure. C'est le mal, la souillure qui *ouvre* l'homme. Il faut attenter à l'intégrité de l'être par l'obscénité ou le crime. Il faut *vouloir* le mal. « J'ai besoin, dit Bataille, de ce que la notion de péché a d'infini. » Que le recours au péché soit *voie,* cela n'est pas douteux[2]. C'est la voie de *la main gauche* que de grandes civilisations (l'Inde, la Chine, la Grèce) ont reconnue et tolérée. Mais nous n'avons pas à juger ici la pratique de l'obscénité sacrée. Il nous suffit de faire justice de toute tentative d'assigner au couple une érotique qui en est la négation — négation non seulement du thème androgynique, de sa complémentarité vécue à tous les niveaux, mais négation de l'amour même et de ces sentiments annexes, tendresse, estime, reconnaissance qui ne sont pas — il s'en faut — tout l'amour, mais sans lesquels l'amour ne saurait *durer.* Or, comment ne pas reporter sur l'amant, et surtout sur l'amante — car on

---

1. Sur le sadisme gnostique de Baudelaire, voir Georges Blin, *Le sadisme de Baudelaire.* « Baudelaire, dit Blin, recherche la femme pure pour la souiller, l'impure pour en être souillé. » Ce jugement aigu ne s'accorde guère avec le diagnostic posé par Blin (après Sartre) de l'existence chez Baudelaire d'un « platonisme pathologique ». L'amour baudelairien va à l'encontre de l'éros divinisant.

2. Le P. Daniélou l'a concédé à Bataille dans une discussion fameuse, *Discussion sur le Péché,* in *Dieu vivant* (n° 4), Seuil, Paris. « Le péché, prise de conscience de notre souillure radicale, mène à Dieu et est lié à la grâce : dans la mesure où il détruit la suffisance, dans la mesure donc où il est détesté, en tant qu'il accule au désespoir et force l'homme à l'acte de foi qui transfigure le monde », formulation qui dans sa résonance kierkegaardienne, ne semble pas avoir échappé totalement à la contamination gnostique.

pressent que c'est la femme qui sortira souillée de ces
excès (en dépit du culte de la Sophia céleste, tous ces
gnostiques sont de farouches contempteurs de la femme),
une part du dégoût, du mépris, que, par définition,
l'érotique d'abjection est censée provoquer ?

Autre érotique à éliminer, celle que l'on pourrait appeler *d'abstraction*. Dans un type de relation où le partenaire compte suprêmement, où l'amour passionnel va jusqu'à le diviniser, la méthode consiste à recourir à des
partenaires interchangeables et qui *n'arrêtent pas l'attention*. « Je ne conçois pas, écrit Aragon avec ce sérieux ini-
mitable de la génération de 1920 (c'est dans *Le Paysan
de Paris*), que l'on puisse aller au bordel autrement que
seul et grave. *J'y poursuis le grand désir abstrait.* »
Méthode analogue, le donjuanisme. Lui aussi élimine
ses partenaires, les exorcise par le nombre. Sur la bouche
d'une femme, nous dit Byron, Don Juan embrasse toutes les femmes. Le donjuanisme, c'est une façon d'aimer
la Femme, l'Eternel Féminin aux dépens de la singularité de la personne. Donc, à l'occasion, dénégation du
particulier, de l'apparence — et même, mais oui! de
la beauté, de la jeunesse[1], de la chair et de « mille
autres sornettes mortelles » comme disait Platon —,
poursuite de l'amour *pur* (non mêlé), *cathartique* en
quelque sorte (au moins virtuellement) qui toutefois se

---

1. Marguerite Yourcenar me signale un Don Juan thibétain
qui prend toutes les femmes sans distinction, les vieilles, les
estropiées, les bancales et les goitreuses, les hideuses, les mons-
trueuses au même titre que les beautés et les tendrons. Ce qui
l'intéresse, ce n'est même plus le nombre (le catalogue), mais le
multiforme, c'est-à-dire le divin approché à la manière asiatique,
dans la multiplicité. Ici le donjuanisme s'est totalement aligné
sur l'ascèse.

fait au dommage de la femme puisqu'il s'agit surtout d'une tentation masculine.

Mais, encore une fois, nous n'avons pas à apprécier ici les différentes pratiques de l'amour, mais seulement à les écarter au profit du seul amour apte à resacraliser le couple. Et ce ne peut être que l'amour qui consacre la personne au lieu de *l'abstraire*, « l'amour qui prend tout le pouvoir, qui s'accorde toute la durée de la vie, qui ne consent bien sûr à reconnaître son objet que dans un seul être », « l'amour fou », dit Breton, l'amour sublime, disait Benjamin Péret, l'amour *parfait*, disaient les hermétistes, l'amour divinisant de Platon, l'amour total, l'amour déraisonnable, avons-nous dit, en réalité l'amour tout court, le seul qui se passe de n'importe quelle qualification, de n'importe quelle description, car ceux qui le rencontrent n'hésitent pas une seconde à le reconnaître. Pourquoi? Parce qu'il ne ressemble à rien. Qu'il est « à part ». Qu'il apparaît çomme un incroyable privilège. C'est par la sensation maintes fois décrite de l'instant ou du moment privilégié que débute précisément cette conscience de sacralité dont j'ai parlé.

Qui vit une expérience privilégiée a naturellement le désir de la poursuivre. D'où cette peur de ne plus aimer, de retomber à la condition commune. Il n'est pas d'exemple qu'*amoureux,* on ait désiré sincèrement cesser de l'être. On connaît l'agacement de ceux qui aiment lorsqu'on entreprend de les « guérir ». Ces fous, ces malades, ces schizophrènes n'envient pas le moins du monde les bien-portants. Stupidité, entêtement, masochisme, singerie ? Ou, au contraire, conscience d'être l'objet et le lieu du plus insigne des prodiges. Dans ce procès chaque jour renouvelé (avec une hargne qui en dit long sur l'amertume de certains à ne pouvoir aimer!) nous avons pris parti d'emblée. Mais nous avons recueilli de nouvelles données mythologiques, psychologiques, biolo-

giques groupées autour du thème de la bisexualité. C'est
par rapport à celles-ci et en termes actuels qu'il faut
tenter de définir la condition conjugale.

J'ai dit de l'amour-passion et de sa lente gestation
qu'il est une forme féminine de l'amour et l'instabilité
une tendance virile. Réflexion bien décourageante à première vue puisqu'elle consacrerait un désaccord perma-
nent des sexes, leur inaptitude foncière à l'harmonie.
Regardons-y d'un peu plus près. Ce sont les hormones sexuelles, nous le savons, qui déterminent la forme
du désir et de l'amour, les hormones mâles ou androgènes disposant au nomadisme, à la conquête, à la
chasse, à l'attaque, à l'agressivité, les hormones femelles ou œstrogènes à la passivité, à la sédentarité, à la
réception et au développement du fruit, à sa longue maturation.

Heureusement, on s'en souvient peut-être, chacun des
sexes sécrète aussi — quoique en une moindre proportion — des hormones de l'autre, de sorte qu'il serait
plus juste de parler d'une forme androgénique ou œstro-
génique du désir et de l'amour. Mais ce n'est pas tout.
Non seulement les individus sont inégalement sexués,
mais nous les savons de plus en plus sollicités par leur
inconscient à mesure qu'ils avancent en âge. Or, cet
inconscient est d'une tonalité sexuelle différente. Il contient l'image complémentaire d'un double de l'autre sexe
que l'homme peut projeter dans une personne vivante.
Cette tendance à assumer sa féminité (ou sa virilité) latente, virtuelle et à se compléter par elle, reviendrait à
assumer la totalité de son psychisme sous l'espèce d'une
véritable bisexualité. Selon Jung, cette assumation est la
preuve que l'on est entré dans la seconde partie de

la vie. Cette accession est plus ou moins précoce. Elle
peut ne pas se faire. Un Don Juan vieilli n'est qu'un
homme accroché — quelquefois désespérément — à sa
virilité, à sa jeunesse. Et elle peut aussi se faire en
dehors de toute projection amoureuse, comme c'est le
cas, semble-t-il, des saints et des sages. « Tous les mes-
sages divins qui ont appelé l'humanité au vrai progrès
moral, écrit René Nelli, ont été l'émanation de sages
et de saints, en qui les hommes ont cru voir des dieux,
mais en qui nous voyons surtout des êtres *à la fois suprêmement hommes et suprêmement femmes*[1]. »

Si l'assumation se fait dans un amour humain, on conçoit qu'étant une victoire de la bisexualité sur le sexe,
elle tendra plus qu'une autre aux sublimations passion-
nelles. Et, en effet, mise à part l'adolescence, période
d'indétermination sexuelle, nous voyons l'amour-passion
chez l'homme survenir généralement à l'âge où il est mûr
pour cette activation de l'archétype androgynique. La
femme étant le lieu et l'objet du phénomène inverse,
on serait tenté de conclure à la perfection des amours
de maturité, seules bâties sur cette relation quaternaire.
Force nous est de constater que la tradition a validé
d'autres formules, par exemple l'amour de l'homme mûr
pour la très jeune femme. C'est le rapport Rubens-Hélène
ou Thorbecke-Adelheid.

Ce quadragénaire qui fréquente à Berlin la maison
d'une belle veuve et, si l'on en croit l'opinion, la cour-

---

1. Nelli, *ouvrage cité,* p. 106. Dans le même ordre d'idées je
relève un curieux passage dans Larbaud. Ayant cité un moine
catalan, le P. d'Esplugues qui, dans le *Vrai Visage du Poverello,*
célèbre les qualités de saint François et « propose même — ce
qui ne peut manquer d'amuser très irrévérencieusement un laïc
— de l'appeler Mère François », Larbaud résume : « Une noble
virilité chez la femme et une féminité élevée chez l'homme sont
les contrepoids des défauts inhérents à chaque sexe. Elles mar-
quent la victoire sur la bête humaine et se rejoignent dans la
sainteté. » Valéry Larbaud, *Œuvres,* Pléiade, p. 719.

tise, s'éprend brusquement de la toute jeune fille de
Mme Solger, l'arrache à son fiancé, le juriste von Savi-
gny et l'épouse sans trop de difficulté. Leur grand
amour, même lorsqu'il sera apaisé, ne cessera de rayonner et d'illuminer leur double vie. Après vingt-deux ans
de mariage, ce ministre en voyage écrit encore quotidien-
nement à « sa petite madone » de véritables lettres d'a-
mour : « Adieu. Aime à chaque heure, à chaque moment — après toutes les heures, tous les moments —
celui qui trouve en cet amour sa plus haute joie. »
Favorisé par la différence d'âge, un rapport s'est
noué qui rappelle le schéma pédagogique de l'amour
grec. Thorbecke n'a cessé de former sa jeune femme, de
l'*élever*. Mais nous sommes loin du dressage conjugal
d'un Ischomaque, voire de l'auteur du *Ménagier*. Jamais
Thorbecke ne fait la leçon, jamais il ne sermonne, car il
ne cherche pas à former une bonne associée mais
une âme et un esprit. Qu'on relise le fragment de
lettre cité plus haut[1]. On sera frappé de son caractère
initiatique. C'est la réussite suprême (et exceptionnelle)
de ce genre de relation où l'homme et la femme sont
également préparés à l'amour unique et durable, elle
par le jeu simple des dispositions propres à son sexe
et lui par le jeu double de son propre sexe et de celui
qu'il assume psychiquement. Dans un tel amour, on sera
trois et non quatre — pour reprendre l'expression de
Freud — tout au moins au début puisque l'initiation
consiste précisément à faire émerger de l'inconscient la
conscience androgynique. Formule défendable dans une
société où la femme demeure infantile et achève rarement sa croissance. Une société plus évoluée regardera
peut-être un jour comme plus harmonieux l'amour d'une
femme et d'un homme ayant atteint l'un et l'autre
leur pleine maturité — amour totalement épanoui, par-

1. Voir p. 158.

fait, dont les amours de jeunesse apparaîtront alors
comme de simples ébauches...

En attendant, que penser de l'union d'une femme
mûre avec un homme plus jeune dont elle se fait l'initiatrice ? Des lettres de lecteurs m'ont convaincue que la
formule vaut pour quelques couples. Je reconnais que
je la tiens pour moins exemplaire. Mais il se peut que
je sois victime d'un très vieux préjugé. Simone de Beauvoir démontre supérieurement qu'en refusant toute considération à l'amour d'une femme mûre et en montrant
tant de complaisance à celui des hommes âgés, la société ne fait que compléter sa politique antiféministe.
Nous acceptons les fantaisies sexuelles d'un Hugo octo-
génaire, mais nous raillons l'amour déchirant de Mme du
Deffand (soixante-neuf ans) pour Walpole (qui, bien
entendu, ne craint rien autant que le ridicule de le voir
divulgué) — voire celui de Mme du Châtelet (quarante-
deux ans) pour Saint-Lambert (trente ans). Il me semble que nous péchons par médiocrité d'imagination (en
somme ces grandes passions tardives sont l'indice d'une
vitalité exceptionnelle) et que nous serions mieux avisés de juger l'amour non sur sa saison mais sur ses
fruits. Pour en finir avec les âges, disons qu'il n'y a pas
de règle mais seulement des cas d'espèce.

Je ne suis pas d'accord avec Geneviève Gennari lorsqu'elle considère comme suprêmement harmonieuse l'u-
nion d'un homme parfaitement mâle et d'une compagne
complètement féminine [1]. Outre qu'il n'existe pas d'individus à ce point polarisés, je pense qu'une telle union
ne dépasserait guère les accomplissements inférieurs de
l'amour, car l'homme et la femme y demeureraient pri-
sonniers de leur érotisme propre. Pour la même raison,
il y aura rarement harmonie profonde entre deux époux
également jeunes. L'harmonie d'un couple ne repose pas

1. *Planète,* n° 4, p. 129.

sur la parfaite sexualité de l'homme et de la femme,
mais sur leur foncière bisexualité.

Accomplissements inférieurs, accomplissements supérieurs, le moment est venu de nous expliquer là-dessus.
Nous savons déjà que dans la première partie de la
vie, l'amour a souvent pour objet l'union physique et la
procréation alors que dans la seconde « il s'agit surtout
d'une conjonction psychique avec le partenaire de l'autre
sexe afin que naisse le fruit, l'enfant spirituel conférant
la durée à l'être spirituel des conjoints [1] ». La psychologie
comme la biologie nous invite à ne pas réduire l'objet
et le sens de l'amour à la procréation. Créer une famille
n'est que le premier des accomplissements·du couple.
Entendons-nous bien : le premier en commençant
par le bas [2]. Encore faut-il qu'il ne vienne pas servir
de prétexte à se clore, à se cloisonner plus étroitement au
lieu de s'ouvrir, de s'épanouir, de se renoncer. Tout

---

1. Cf. Jacobi, *La Psychologie de C. G. Jung,* Ed. Delachaux,
Neuchâtel-Paris, 1950, pp. 134, 135.
2. Cet ouvrage était écrit lorsque l'auteur a pris connaissance
de *L'Energie humaine,* Teilhard de Chardin, Seuil, Paris, 1962, et
des pages étonnantes qui s'y trouvent consacrées au « sens
sexuel ». Teilhard constate que « des religions aussi achevées
que le christianisme ont jusqu'ici basé sur l'enfant le code presque entier de leur moralité. Tout autres, du point de vue où nous
a conduits l'analyse d'un Cosmos à structure convergente, se
découvrent les choses. Que la sexualité ait eu d'abord comme
fonction dominante d'assurer la conservation de l'espèce, ceci
n'est pas douteux — aussi longtemps que n'était point arrivé à
s'établir en l'Homme l'état de personnalité. Mais dès l'instant
critique de l'Hominisation, un autre rôle plus essentiel s'est
trouvé dévolu à l'amour — rôle dont il semble que nous com-
mencions seulement à sentir l'importance : je veux dire la synthèse nécessaire des deux principes masculin et féminin dans
l'édification de la personnalité humaine », pp. 91, 92.

amour doit être *traversé*, même celui des parents. C'est
pour n'avoir pas voulu le faire que des mères *dévorantes*
(souvent en quête d'une compensation à leurs déceptions
sexuelles et amoureuses) ont pesé excessivement sur le
destin de leurs fils, comme la mère de Browning (qui ne
tolérait pas que, la nuit, la porte de communication entre
leurs chambres fût fermée. « Si mêlées étaient leurs vies,
dit Maurois, que lorsqu'elle tombait malade, il le devenait aussitôt, puis se remettait dès que Mrs. Browning
allait de nouveau mieux »). Ou comme celle de D. H. Lawrence qui a conscience d'être pour sa mère à la fois un
fils et le mari qu'elle n'a pas aimé. Ce fils trop choyé
dira un jour de l'amour maternel qu'il est « une monstrueuse manifestation d'égoïsme ». Mais ce serait écrire
un autre livre que dénoncer les hypertrophies d'un sentiment qui a bénéficié d'autant d'indulgence — pour ne
pas dire de connivence — que l'amour des sexes de méfiance et de suspicion. C'est dans l'amour profond et
total d'un vrai couple que l'instinct de la mère prend sa
juste place et sa véritable dimension — une dimension
à vrai dire admirable lorsqu'elle ne s'est pas délestée
de sa signification.

Mais si la procréation n'est que le premier des accomplissements du couple, quels sont donc les autres ? —
tout le monde ne peut écrire le *Banquet* — et puisqu'un
grand amour est un amour totalement assumé, comment
les époux-amants vont-ils s'y prendre pour assumer les
implications du mythe ?
Selon qu'on le regarde à un bout ou à l'autre, l'Androgynat signifie la Multiplication universelle ou au contraire l'Unité représentée par l'union des contraires. Suivant que l'on est voué aux accomplissements inférieurs

ou supérieurs de l'amour, on l'est aussi à élire un partenaire correspondant à cette ambition. L'élection amoureuse dépend de la portée que l'on se prépare incons-
ciemment à donner à l'amour. De même qu'il y a des
hommes — jeunes généralement, simples, sains — qui
ne cherchent qu'à se perpétuer dans la chair et se mettent instinctivement en quête d'une « bonne pondeuse »,
d'autres qui sont à l'affût d'un amour passionnel se lais-
seront retenir par un beau visage, par un regard, par
une femme « qui a un air de destinée ».

Dans les deux cas, le désir se pose sur une personne
avec laquelle on a le pressentiment que l'amour va prendre tout son sens, tout son sel, *celle qui va nous engre-
ner le plus fortement à son mouvement* (un mouvement
dont bien entendu on perdra souvent le contrôle). L'âme-
sœur, c'est celle qui va nous faire vivre — et mourir
— le plus intensément. On sait que les âmes-sœurs
se reconnaissent. C'est le thème de la prédestination
amoureuse qu'il faut se garder d'entendre trop littéralement. On croit reconnaître un visage. On ne reconnaît que son propre rêve que l'on *projette* (et que sans
doute on pourrait projeter sur quelques autres personnes). Encore la figure onirique de l'anima-animus
elle-même, ne fait-elle que concrétiser la puissante nostalgie d'une antériorité ontologique ressentie comme
bienheureuse — antériorité qui se trouve être en même
temps un destin, puisque nous tendons vers l'état d'où
nous sommes partis. En somme, nous nous laissons fasciner par notre propre devenir. Le mouvement qui nous
jette dans l'amour, c'est une avidité, une impatience de
notre condition fondamentale, éternelle, sur-naturelle, à
la fois germinale et finale. D'où ce caractère fatidique
de l'être aimé dont parle si bien Nelli. « L'amour est
dans son essence amour de la fatalité. »

Quelquefois cet appel est si puissant qu'il s'exerce
comme une énergie, forçant les défenses d'un être qui

se débat, l'aspirant en quelque sorte au-dehors de lui-
même. En ce cas on choisit moins qu'on n'est choisi. Il
advient que la haine, la répulsion soient les signes avant-
coureurs d'une grande passion, les symptômes fébriles
d'une violente, mais vaine défense psychique. Alessandra di Rudini Carlotti déteste d'Annunzio. Bien qu'il soit
un ami de son frère, elle se refuse obstinément à le rencontrer. Elle le trouve laid, vaniteux, ridicule. Elle raille
sa petite taille, sa calvitie, son cabotinage d'homme de
lettres et sa réputation scandaleuse de *donnaiolo*. Jusqu'au jour où le hasard d'une cérémonie de mariage les
met en présence. Aussitôt elle sent fondre ses préventions. Moins d'un mois après, elle le suivra, abandonnant le siècle pour prendre la file de ces étranges et peu
orthodoxes moniales que d'Annunzio initie, l'une après
l'autre, à pratiquer « le fugace acte humain sous les
espèces de l'éternité ».

Rien de plus obscur, de plus absurde, de plus déce-
vant que le choix, si l'amour n'était en même temps
amour d'autre chose. L'amour est précisément ce miracle d'une personne et d'une chair devenue tout entière
signifiante, d'une *convoitise qui s'illimite.* Car brimé
ou flatté, le désir demeure le ressort et le moteur de
l'amour. L'être le plus désiré sera toujours le plus éclai-
rant, le plus médiateur. Et qu'il soit fait justice une
fois pour toutes de l'amour « noble », de ses fausses
sublimations, de cette « porte étroite » qui est une
porte condamnée. Telle femme comblée de dons, beauté,
sensibilité, ardeur, se montre incapable d'inspirer une
forte passion à un homme cependant bien fait pour
apprécier ces mérites et qui s'éprendra bêtement du premier tendron venu. Le monde ne comprend pas. « Elle
avait cependant tout ce qu'il faut pour le rendre heureux. » Et s'il ne s'agit pas d'être heureux, mais d'aimer ?
(car chacun refait la découverte platonicienne : aimer
est chose plus divine qu'être aimé), de se livrer à l'acti-

vité amoureuse sur une personne convoitée, préférée, isolée dans sa scandaleuse singularité ?

Sur ce sublime parti pris (un parti pris d'attention,
comme l'ont vu Valéry, « ... l'amour, cette attention passionnée » et Ortega y Gasset, « l'amour, cette violence
faite à l'attention ») règnent les idées les plus fausses.

Il faut dire que la confusion a été jetée une fois pour
toutes en la matière par la brillante, mais factice
image de la cristallisation. La cristallisation est une
image d'addition, de superfétation. Placé dans une eau-
mère, un cristal *engraisse*. Or tous ceux qui ont ré-
fléchi un peu profondément à l'activité passionnelle se
sont avisés que — loin de surajouter à l'être aimé — l'a-
mour creuse, décape, déblaie[1]. S'il finit par assembler
quelque chose qui ressemble à une montagne, ce ne peut
être — comme ces terrils qui s'élèvent à côté des mines
— qu'une montagne de déchets. Il est vrai également
qu'aux amants, tout est occasion de confrontation. Une
ville dont on parle, une saison dont on surprend les
signes, une musique que l'on écoute. L'imagination s'en
empare afin d'éprouver l'amour, de le tester et de s'en
procurer des perceptions fraîches. Mais ces motifs ne
viennent pas adhérer à l'amour. Ils ne s'accumulent pas

---

1. Prolongeant ingénieusement la métaphore stendhalienne du
rameau de Salzbourg, Jean-Pierre Richard (*Littérature et sensation*, Seuil, 1954) fait observer qu'à travers la transparence des
cristaux, le bois demeure visible et peut-être même joue le rôle
d'une sorte de loupe naturelle. De cette subtile analyse, retenons
seulement que l'auteur s'accorde avec nous : l'amour débouche
finalement sur le vrai. Il est significatif que Richard se serve
à diverses reprises des mêmes métaphores que les nôtres (*à
travers, transparence, creuser, dégager, découvrir, préciser*), pour
décrire l'activité amoureuse.

plus que les traitements, acides ou détersifs, auxquels on soumet une matière contenant un métal précieux. De toute façon, l'amour dégage, dépouille, découvre. Il sépare ce qui est propre à être aimé de ce qui ne l'est pas.

Alessandra di Rudini Carlotti ne s'était pas trompée en voyant d'Annunzio petit, assez laid et pourvu de quelques ridicules. Elle avait parfaitement démêlé ce qu'elle aimait de ce qu'elle n'aimait pas. Le phénomène est qu'à partir d'un certain seuil, son attention, laissant tomber les éléments négatifs pour se concentrer sur le reste, allait littéralement *dé-couvrir* en d'Annunzio ce qui était vraiment beau, grand, digne d'être aimé, plaint, consolé, son regard peut-être ou son front, sa voix ou son langage, son amour infini de la beauté ou le don qu'il avait de convertir la plus humble chose en magnificence.

Loin de faire illusion, comme on le croit si souvent, l'amour est d'une lucidité impitoyable. « La passion de l'amour n'est pas aveugle », écrit un grand ennemi de l'amour, M. Robert Poulet, « elle voit bel et bien, dans son objet, deux ou trois traits, deux ou trois signes, qui se pourraient voir de même, il est vrai, chez cent mille autres. *Elle refuse de voir le reste.* » Cependant qu'un autre grand ennemi de l'amour, Ludwig Klages[1], soutient que, loin d'aimer l'exemplaire, on n'aime que le singulier — souvent même une irrégularité, un défaut. Comment, d'ailleurs, demande Klages, pourrait-on aimer en quelqu'un ce qu'il a de commun avec les autres ? N'est-ce pas en ce qu'il se distingue des autres que l'être aimé nous est irremplaçable ? » « Pour Kriemhilde, il n'y a qu'un Siegfried, pour Tristan une Isolde, pour Ophélie un Hamlet, pour Dante une Béatrice, pour Roméo une Juliette. » Et ainsi de suite. Contradiction ?

1. *Vom kosmogonischen Eros*, 4ᵉ édit., Iéna, 1941.

Non pas. Car ce que l'amour recherche, c'est précisément *la coïncidence de l'exemplaire et du spécifique*. Il est la rencontre de l'existence et de l'essence.

Oui, on peut adorer une moue, une ride, une grimace, un léger strabisme dans un visage décrété par ailleurs incomparable (« un amant, dit Molière, aime jusqu'aux défauts des personnes qu'il aime »), on peut aimer une disgrâce dans la grâce (il est tout de même rare que l'on aime un être totalement disgracié), et c'est même à ce point de rencontre du singulier que l'activité désingularisante de l'amour se fera sentir de la façon la plus aiguë. C'est le *paradoxe démonique*. Et sur quoi une activité unitive s'exercerait-elle sinon sur la multiplicité et le détail ? Cela est si vrai qu'on a vu la mystique religieuse s'engager dans la même procédure. La plupart des spirituels prennent pour point de départ de leur oraison un détail concret. Saint François de Sales enseigne que l'âme éprise de Dieu se cherche et se choisit des motifs d'amour. Elle les *tire à soi* avant de les savourer. Chercher, choisir, tirer à soi, c'est laisser tomber le reste. C'est soumettre ce qu'on aime à une véritable activité critique. Cependant, l'amour n'élit que pour mieux adorer. Or, tout ce qui est de Dieu, par définition est adorable et sacré. Seul l'amour humain divinise et consacre.

Il en résulte une relation à établir entre la personne et le divin, le profane et le sacré. En retenant dans son crible certains traits pour leur exemplarité et d'autres pour leur singularité, l'amour ne fait rien d'autre que dégager les deux termes de cette relation. Il est probable qu'à côté de ce qu'il y avait en d'Annunzio de plus approprié aux sublimations de l'amour divinisant, de ce qu'il y avait en lui de plus indiscutablement *adorable*, Alessandra di Rudini Carlotti s'est mise à adorer aussi quelque particularité d'intonation ou de maintien, la façon qu'il avait de porter l'épaule

droite plus basse que l'autre ou la cicatrice qu'il avait
à la paupière, l'odeur de son eau de toilette ou n'importe
quelle autre chose incroyablement profane et personnelle
mais dont le rôle et le propre fût de représenter la singularité du poète aussi clairement — quoique symboliquement — qu'un insigne ou qu'un drapeau. De sorte
qu'en prenant barre sur ce trait, l'activité divinisante pût se rassurer à tout moment sur l'*intégration de
la personne*. Le véritable objet des consécrations amoureuses est de mettre à nu cet apparentement divin et de
le savourer — au sens mystique.

Rarement menée à bout, cette exhumation apparaît
comme une des tâches les plus admirables de l'amour.
Car une fois atteinte, il n'y a plus d' « illusions de
l'amour », il n'y a plus de duperie sur son objet. La personne est réellement sacrée dans la mesure où elle
laisse transparaître le sacré.

Il n'y a imposture que si l'on détourne son attention
de cette transparence, que si l'on s'englue dans une adu-
lation béate de la personne au lieu de vénérer en elle
« l'étincelle divine » qui atteste sa filiation. C'est toute
la différence de l'amour fermé à l'amour ouvert. Et il
n'y a rien non plus à objecter contre ce tri auquel procède l'amour, contre ce parti pris de retenir l'un et d'oublier l'autre, car il ne fait que parer — passagèrement
et dans la mesure du possible — au désordre, il ne fait
que soustraire *idéalement*, mentalement, la personne au
mélange, à l'impureté adamique, il ne s'applique qu'à
la restaurer dans sa dignité originelle, qu'à la relever
de la *chute*, de la déchéance qui consiste pour l'âme à
s'être écartée de l'Un pour se constituer dualité.

Ainsi, loin de tromper et d'abuser, c'est la générosité

de l'amour qui fait justice, loin d'être aveugle, c'est la
partialité amoureuse qui perce l'apparence.

En vérité, tout être mériterait une fois au moins d'être
ainsi regardé, aimé, vénéré dans ce qu'il a d'authentiquement divin. Et tout être y est appelé. Il apparaît, en effet,
que ce ne sont pas les plus beaux ni même les plus jeunes qui, dans cette optique de départage, offrent à
l'amour sa plus belle étoffe, mais les natures riches,
les « tempéraments », les corps et les âmes doués d'une
belle vitalité. Décourageantes quelquefois les beautés par-
faites comme les âmes vouées à la bonace : elles offrent
peu de prise à l'activité amoureuse, ne lui laissant rien
à faire. Décourageants aussi les corps et les âmes disgra-
ciés qui donnent trop à faire. Déjà Platon — en dépit du
fanatisme grec de la beauté corporelle — tenait pour supérieur d'un échelon à l'amour d'un beau corps celui
d'une « gentille âme en un corps dont la fleur n'a point
d'éclat ». Pour plaire à un seul et profondément, pour
éveiller en lui une attention passionnée, il faut heureusement moins d'atouts physiques que pour plaire à une
multitude et superficiellement. Notre conception bâtarde,
dévoyée de l'érotisme, a surévalué l'importance des facteurs physiologiques et des techniques de séduction. Il
s'agit là pour l'homme d'une régression vers la mécani-
que sexuelle et l'érotisme animal. L'évolution de l'érotisme humain ne peut se faire que dans le sens d'une
prise de conscience toujours plus grande. Il est une longue élucidation de l'esprit. Mais une telle *purification* ne
s'accommode pas de la brièveté du désir. Il veut la
longue, l'infinie patience du véritable amour. Toutes les
astuces de l'érotisme moderne — qui est déjà, me paraît-il, l'érotisme d'hier — demeurent inopérantes à
satisfaire notre vraie soif qui est spirituelle. Et la plus
belle, la plus séduisante, la plus désirée des femmes peut
mourir — aussi solitaire qu'un chien abandonné — faute
d'un peu de cet amour dont notre monde fait fi et qui

peut soustraire miraculeusement l'être le plus infortuné
à sa déchéance pour l'établir dans une dignité incomparable.

Il n'est pas rare d'entendre dire que, dans l'éros divinisant, l'être aimé n'est qu'un excitant, un prétexte à
exaltation solitaire. Il arrive, il est vrai, que l'activité amoureuse se prenne elle-même pour objet d'observation. Tous les grands érotiques se sont proposé
cette méthode, à commencer par Platon.

L'expérience privilégiée, pour cette catégorie d'amants,
consiste à se savoir le lieu et l'intrument du prodige et
à mettre à nu dans la *motion* amoureuse la cause, le mobile, à l'appréhender en tant que *loi*. En ce cas, l'attention a tendance à se déplacer légèrement et à se reporter
de la personne aimée sur le cœur et l'âme de celui qui
aime et en qui s'élabore l'expérience. D'où le reproche
fait à cette attitude de sacrifier la personne. Injustement, car l'expérience ne saurait être profitable si elle
n'était fortement ressentie, si l'activité départageante et
divinisante n'était intense, si elle n'était portée par la
curiosité passionnée d'un « grand amour ». Telle est
l'intimité de la fusion androgynique. Tout ce qui advient
à l'un, procède de l'autre et lui profite. Même lorsqu'on
s'est avisé que l'objet de l'amour se situe au-delà de la
personne, c'est à travers elle qu'on continue à en recevoir la révélation. Faute de cette traversée — à laquelle
nous invite une transparence — nous sommes en dehors
de la voie érotique.

Il va de soi que cette approche est rarement menée
à bout. On se laisse fasciner par des mirages — comme
le bonheur — qui se dissolvent à mesure qu'on cherche à
les saisir. Par des amusettes comme le plaisir lorsqu'il
est poursuivi comme une fin en soi. L'amour avorte dès

qu'il est *intéressé*. Lorsque la discrimination amoureuse ne sert qu'à tromper sur les avantages de la personne aimée, qu'à mettre à la disposition de l'imagination un objet plus commode, mieux adapté aux plaisirs qu'on cherche à en tirer (comme le montre Sartre dans l'*Imaginaire*), il y a appauvrissement de l'amour. Mais que ce soit dans le « toi » ou le « moi », le risque d'enlisement est égal. Se refuse-t-on, au contraire, aux commodités de la tromperie, parvient-on, à force de lucidité à déjouer les pièges et les complaisances (mais il faut triompher d'un préjugé redoutable, à savoir que l'emportement de la passion exclut la lucidité), on peut être assuré que l'activité à la fois critique et mystique de l'amour nous mènera au but. Ou elle nous découvre la filiation. de la personne. Ou elle nous confronte avec notre propre activité amoureuse — une activité convertissant à l'unité — nous persuadant que si nous voulons à tout prix aimer, c'est, en fin de compte, si nous allons au fond des choses, *afin de nous sentir agis par la Loi,* c'est-à-dire ce que nous pouvons percevoir du divin, ce qui demeure irrécusablement debout, lorsque notre image ou notre idée de Dieu s'est trouvée soumise elle-même à la purification critique. Dans les deux cas, elle nous révèle un monde d'enchaînement, de cohérence, elle nous reconduit à l'Unité. Tel est l'accomplissement suprême de l'éros démonique. Il n'est pas seulement une méthode de salut, mais de connaissance, une sagesse tout autant qu'une sainteté.

Le caractère profondément sacré de l'amour fait que le couple qui veut assumer cette sacralité se sent désormais lié par elle et par la promotion qu'elle confère aux plus humbles choses. Il entre tout à fait dans l'économie de l'éros de considérer que tout ce qui *est,* participe — quoique inégalement — du sacré et qu'une de ses tâches essentielles tend précisément à le dégager. Toute femme amoureuse sait d'instinct que l'amour récupère dans les plus humbles soins — par exemple la préparation d'un repas — quelque chose d'authentiquement, de primordialement sacré. Mais si l'effet sacramental de l'amour s'étend jusque-là, qu'en sera-t-il de la personne même des époux-amants! Dans l'optique de sacralité, l'infidélité devient une monstruosité. C'est un corps divinisé, consacré qui se profane et se souille. Il y a là une forme de jalousie légitime — bien différente de la jalousie-vanité ou de la jalousie-possessivité qui ne sont pas dans la ligne de l'éros. C'est dire qu'on ne conçoit pas pour le couple sacral d'arrangement, de convention, de pacte de liberté sexuelle. Cette sorte de *gentleman's agreement*, la réserve qu'il implique, constituent la négation de la sacralité.

Il existe, il est vrai, un état de saturation (au sens chimique) de la combinaison androgynique : l'un des époux a si complètement absorbé l'autre, s'y est si totalement substitué que celui-ci vit dans une totale indistinction, de sorte que les triomphes sexuels de l'autre lui profitent *spirituellement* — étape sublime qui ne s'atteint que dans un amour si grand, si désintéressé que l'on s'est perdu tout entier dans ce qu'on aime, possédant et jouissant à travers lui. Il s'agit d'une véritable cime, rarement accessible — encore n'est-ce qu'au terme d'une longue et difficile ascèse qui ne peut servir de règle, encore moins de point de départ.

Ce qu'il y a de pire dans les conventions de liberté, c'est qu'elles réduisent l'importance de l'acte sexuel, c'est qu'elles le frappent d'insignifiance. Tel est l'effet de la licence. Elle met tout sur le même plan. Elle est mélange et désordre. En outre, par son consentement anticipé, elle légitime la faute.

Beaucoup moins grave est l'infraction, l'accident, qui du moins n'attente pas au statut du couple. Couverte par une généreuse, une amoureuse absolution, la faute peut quelquefois consolider l'union. Au reste, les grands couples sont tellement solidaires qu'il suffit peut-être que l'un des deux demeure fidèle. Que de femmes au cours des siècles ont tenu pour deux le rôle de l'*egregoros*! Veillant pour l'époux, elles lui ont gardé la place, de sorte que, revenu de ses vagabondages, il a pu la reprendre sans que nul s'en avisât. Car tout est possible à l'amour, y compris l'effacement dans la mystique conjugale. On ne saurait cependant faire de cette unilatéralité une règle, encore moins un devoir. Au reste, le devoir désacralise aussi sûrement que la licence.

Faut-il en conclure que liberté et fidélité sont inconciliables? Au contraire. Une fidélité obligée, convenue, peut avoir ses avantages moraux, sociaux. Mais seule une fidélité spontanée, amoureuse, toujours renouvelée dans son option absolument libre, peut fortifier le couple dans sa vocation surnaturelle. Il faut au moins qu'un couple spécule et parie sur sa pérennité. Il faut qu'il ait foi dans son amour, foi dans sa résistance au temps. Si, par malheur, l'amour vient à s'éteindre, aucun devoir, aucune fidélité obligée ne sera en mesure de lui restituer sa sacralité. Des arrangements pourront alors intervenir dans le cadre de l'association, du compagnonnage. Rien ne sert toutefois de se leurrer, ils ne feront que sanctionner le passage du couple de l'amour sacral à l'amour profane, ce qui doit être tenu pour une déchéance.

C'est aussi dans une optique de liberté qu'il faut envisager la pratique de la sexualité. Rien n'est plus désastreux que la notion de devoir conjugal, rien ne contribue plus efficacement à désacraliser la sexualité que la conscience d'y être obligé, avec, à l'arrière-plan, l'épouvantail des sanctions légales! L'obligation n'a pas seulement contre elle de priver l'amour de son incomparable spontanéité, elle prive le couple du bénéfice de la chasteté. Toutes les grandes érotiques ont reconnu l'importance de la continence, toutes ont enseigné une chasteté militante, fondée, non sur le mépris de la chair, mais sur l'épargne et l'accumulation de l'énergie sexuelle au profit d'une transposition mystique de l'union des corps. On ne voit pas pourquoi cette voie insigne serait interdite à ceux qui s'engagent dans l'expérience conjugale. Si l'érotique païenne a été ce complet épanouissement spirituel qui n'a plus jamais été égalé en Occident, elle le doit, pour une bonne part, à une juste appréciation et à une pratique héroïque de la chasteté. On a vu que chez Socrate, ces victoires étaient chèrement disputées.

Ces recettes ne sont pas oubliées. Chez certains peuples (en Inde, par exemple) un engagement temporaire de chasteté n'est pas exceptionnel de la part de jeunes époux. Le christianisme s'efforce, lui aussi, d'en faire une pratique conjugale. Mais séparé de l'érotique, il arrivera qu'un tel engagement favorise le malentendu. Lorsque au lendemain de sa première nuit conjugale, Mme Martin (mère de sainte Thérèse de Lisieux) arrache une promesse d'abstinence à son époux, on ne peut s'empêcher de soupçonner quelque désillusion, quelque froissement, quelque répugnance, et l'on se dit que la chair ici est moins maîtrisée peut-être que méconnue. Au contraire, la chair ne cesse d'être présente et hautement honorée dans l'épreuve à laquelle se soumettent Homère Durand et Sophie, les personnages d'un très beau texte probablement autobiographique de Luc-André Marcel [1]. Il n'est pas douteux que cette mortifica-

---

1. *Homère Durand*, in *Cahiers du Sud*, n° 367, pp. 382 à 403. Voir notamment la page 395 : « Et je ne la pris pas cet été, non. Je retournais à mes cours, bien décidé à me mettre à l'épreuve de

tion (précédée d'une scène de dénudation que sa solennité apparente au rite) procède de l'intention d'exalter
— et non d'humilier — le prestige et la valeur de l'acte
sexuel par l'attente. Il s'agit en somme d'une resacralisation des fiançailles.

Peut-être l'assumation spirituelle de l'Androgynat
demande-t-elle qu'une expérience analogue soit faite par
quelques couples. Ai-je tort de rêver pour les plus aventureux d'une nouvelle éthique sexuelle ? Dégagée de toute
contrainte extérieure (de l'ennuyeux devoir conjugal
comme du conformisme de la licence), ce serait une morale autonome qui se donnerait la chasteté, non pour
idéal ou pour étalon moral, mais pour règle, je veux
dire pour comportement usuel, de sorte que chaque fois
que le couple se laisserait captiver par la chair, il agi-
rait dans l'émerveillement de l'insolite. Ce qui menace
l'amour, dans l'union conjugale, c'est l'absence de liberté.
La pratique sexuelle y est consentie une fois pour toutes,
désacralisée par la routine quand elle ne l'est pas par
les malentendus de l'autoritarisme marital.

Une chasteté conjugale! Le programme fera sourire.
Ce n'est pas en vain que les médiocres, intéressés à confondre la virilité et la paillardise, se sont efforcés de
ravaler cette ascèse par le ridicule. Peut-être le moment

---

l'abstinence, pour lui rendre hommage, à ma douce, oui. Et pendant toute une année nous ne nous vîmes pas et nous ne nous
écrivîmes pas, non, car la tête se monte et le désir fait dire des
conneries impossibles. Et à ne rien cacher l'envie de déconner
ne me manquait pas. Je me suis réveillé plus d'une fois le matin,
barbouillé de sperme comme un pin de résine, et cet après-midi
dans les collines m'obsédait. Mais je tenais bon, même quand au
sortir du collège, de belles putes me raccrochaient. J'ai toujours
aimé les putes, sans y toucher du reste, ou si peu... Je respirais
sur elles des airs de Rome antique ou de bacchanales, pour pro-
longer l'atmosphère des leçons sur l'antiquité, n'est-ce pas ? »
Comme on voit, dans cette expérience (aussi peu traditionnelle
que possible), c'est la chasteté et la fidélité qui apparaissent
comme existentielles et la noce comme « idéale » et « littéraire ».

est-il venu de lui rendre le rôle et la place considérables qu'elle a toujours occupés dans les doctrines de l'amour. Seule — et par une sorte de *jeu* qu'elle donnerait à nouveau à la pratique sexuelle — elle peut restituer son sens et sa force à l'option que l'amour offre sans cesse de la chair ou de l'esprit, de la perdition ou du salut. Pour une sexualité *signifiante,* il faut recommander — tout au moins à quelques-uns — la pratique d'une chasteté érotique. Quant aux autres, on voudrait au moins les dissuader de confondre l'union conjugale et la licence. Aucune confirmation légale ou religieuse n'a le pouvoir de rendre licite le dévergondage et la chiennerie.

Fidélité, chasteté, problèmes immenses que l'on a honte d'aborder en quelques lignes. Il faut répéter que ce livre ne prétend que remettre l'éthique conjugale en question, convaincre qu'une telle révision peut et doit se faire et qu'une réhabilitation de l'amour devrait être engagée sur tous les fronts à la fois.

Il y aurait beaucoup de naïveté (sans compter la prétention!) à s'attribuer l'*invention* d'une érotique. A moins d'entendre *inventer* dans son sens premier qui est *trouver* et même *retrouver* (comme dans l'*Invention* de la Croix). J'ai toujours pensé que c'est ainsi qu'il faut interpréter le mot de Rimbaud. L'amour peut avoir subi des déformations historiques (et en dépit de sa prodigieuse élucidation, il faut bien dire que le platonisme le situait déjà dans un faux jour), il est une loi univer-

selle, peut-être *la* Loi, de sorte que tout ce qu'on peut
faire, c'est *actualiser* sa doctrine, c'est lui préparer des
formes adaptées au milieu et à l'époque. Comme un
même sel, diffusant en milieux différents, on a pu voir
l'amour développer et déployer des arborescences toujours nouvelles. J'ai dit que, dans notre monde, l'éros
portait des traces d'une méconnaissance chrétienne et
surtout gnostique. Avec la conséquence d'un pathétique
— déchirement ou rébellion — spécifiquement chrétien.

Il ne faudrait pas en conclure qu'il n'y eut personne en
Occident chrétien pour vivre désormais une expérience
amoureuse complète. De tous temps, en dépit des dogmes, des interdictions, des préjugés, des mises en garde
des moralistes, il y eut des hommes pour aimer une
femme — et même leur femme — de cet amour que
nous avons nommé déraisonnable.

La plupart de ces expériences nous demeurent incon-
nues. Pour nous atteindre, il faut qu'elles aient coïncidé
avec une grande gloire ou qu'elles aient fait l'objet d'une
étude, d'une sorte de procès-verbal des faits, d'un compte
rendu. Si j'ai choisi l'expérience amoureuse de John
Donne comme illustration pour ce chapitre, c'est parce
qu'il l'a analysée et consignée avec la cruauté du génie.
C'est à travers sa poésie — comme à travers la peinture
pour Rubens — que nous chercherons les thèmes de l'é-
ros.

Ce sens sexuel et érotique (nous les tenons maintenant
pour inséparables) que Rubens doit à ce qu'on nomme
souvent son « paganisme » (et qui serait plutôt son pa-
nisme), à son évidente prédisposition à appréhender le
sacré sous la forme mouvementée, énergétique d'un cosmisme, Donne le devra à la conformation *unitive* de son
esprit, à sa promptitude à saisir les rapports, à *relier*
n'importe quelle expérience singulière à l'universel, à
saisir l'éternité dans l'instant, l'infini dans le point, à
ramasser l'espace cosmique dans celui d'une chambre

d'amants, voire d'un lit ou même d'une pupille. Démonique donc suprêmement, ce Donne épris de liaison, singulièrement doué pour s'ébattre à travers la dialectique
des contraires et qui, grâce à ce don, assumera toutes
les implications, toutes les contradictions de l'amour sacral.

Autant le dire tout de suite, ce ne fut pas ce qu'on
nomme un mariage heureux. Ils ne connurent ni la pros-
périté ni la paix mais la misère, la prison, la maladie,
la mort. Si leur amour fut tout de même une réussite,
elle n'en sera que plus exemplaire. Et quelle amoureuse
n'envierait le sort de celle qui, après seize ans de difficile vie commune, sut inspirer à l'exigeant, lucide —
jusqu'au sarcasme —, à l'impitoyable John Donne un
in memoriam aussi admirable que le *Holy Sonnet* :

Since she whom I lov'd hath payd her last debt
To Nature and to hers, and my good is dead,
And her Soule early into heaven ravished,
Wholly in heavenly things my mind is set[1].

Leisham a raison, ce qui caractérise les poèmes inspirés
par Ann (et permet souvent de vérifier les attributions
douteuses[2] ce qui n'est pas le cas de celui-ci), c'est la

1. H. S., XVII :
   Depuis que celle que j'aimais a payé sa dette suprême
   à la nature et aux siens, et que mon bien est mort
   Et que son âme trop tôt au ciel a été ravie,
   Tout entier mon esprit est attaché aux choses célestes.
2. Sur le problème délicat de l'inspiration des poèmes, j'ai cru
pouvoir me conformer aux conclusions de J. B. Leisham, auteur
d'un remarquable essai (*The Monarch of Wit,* Hutchinson, Lon-

justesse du ton, c'est une certaine façon de baisser la voix et de parler *sotto voce*, c'est le tempo qui révèle l'émotion contenue, la ferveur en même temps que la pudeur. On ne peut s'empêcher de songer à un autre éloge funèbre : « *J'ai vraiment perdu une très bonne compagne que je pouvais, que je devais raisonnablement aimer, car elle ne possédait aucun des travers de son sexe...* » Tel est le ton de l'amour profane. Mais le propre du profane est de passer. Au contraire, l'amour de John pour Ann est demeuré prodigieusement vivant dans le poème si justement nommé *holy*, sacré. Ainsi la passion, demeurée captive des courbes du portrait d'Hélène Fourment, continue-t-elle de rayonner sur le visiteur attentif du musée de Vienne.

Donne ne s'est pas trompé, le Couple se survit à lui-même. Une certaine constance, une certaine persévérance dans l'attention qu'il prête à l'amour le rend immortel :

> *If our two loves be one, or thou and I*
> *Love so alike, that none doe slacken, none can die* [1].

Comment commence leur histoire ? Et d'abord, essayons de nous les représenter. Elle, sans aucun doute tendre,

don, 1962). Leisham, tout en estimant que l'on a exagéré l'élément autobiographique dans la poésie de Donne aux dépens d'un élément de dramatisation et de fabulation ludique, n'en tient pas moins pour très probable l'attribution conjugale pour une vingtaine des plus belles pièces des *Songs* et *Sonnets.* Dans le même sens, Joan Bennett (*Four metaphysical Poets*). Quant aux traductions, à celles de Fuzier et Denis (*Poèmes de John Donne,* introduction de J.-R. Poisson, Gallimard, 1962), j'ai presque toujours préféré celles de Legouis, plus littérales (Donne, *Poèmes choisis,* Aubier, 1955) ou mieux encore celles de Robert Ellrodt dans l'admirable ouvrage qu'il a consacré aux *Poètes métaphysiques anglais,* Corti, 1960.

1. Si nos deux amours ne font qu'un, ou si nous nous aimons, toi et moi, si pareillement que ni l'un ni l'autre ne se relâche, ni l'un ni l'autre ne peut mourir.

douce. Plus d'une fois, il rappellera qu'elle lui est apparue comme un ange (« I thought thee an Angell, at first sight »). Mais cet ange ne manque pas d'énergie ni de courage (celui de choisir et d'accomplir sa destinée). Ni d'ailleurs de finesse — si nous en croyons Donne lui-même qui lui reconnaît une intelligence *tout autre qu'angélique*. Intelligence du cœur et de l'amour, oui, Ann doit en être pourvue. Sans toutefois être une intellectuelle (comme ces grandes dames, « those exalted and learned Ladies » dira Leisham, avec lesquelles Donne entretiendra plus tard un curieux commerce de galanterie pétrarquisante). Moins encore « un cœur simple », *a plain heart* (expression qui fait sourire si l'on songe que Donne se l'applique!). Plutôt un cœur neuf, un cœur d'enfant (elle a seize ans lorsqu'ils se rencontrent, dix-sept lorsqu'ils s'épousent). Un cœur — et un corps — qu'il pourra former, façonner, modeler, marquer, *imprégner* à son gré — car il est impossible de voiler cette volonté d'appropriation farouche qui s'exercera sur Ann jusqu'à la destruction : elle en mourra. Douze enfants en moins de seize ans! Sans compter les fausses couches!

Telle est la forme excessive que prendra chez Donne le besoin d'affirmation et l'agressivité virile. Cette exaspération de l'instinct porte un nom. On a parlé du sadisme de Donne. C'est le seul trait un peu monstrueux, un peu déformé, de cet amour — encore est-ce un trait naturel, vicié probablement par un contexte social que nous entrevoyons sans peine.

Ann More appartenait à une caste supérieure à laquelle Donne avait déjà entrepris — non sans succès — de se mêler à la faveur des expéditions guerrières ou des camaraderies littéraires. Grande dut être l'amertume de cet orgueilleux de se voir repoussé par sir George More! En triomphant d'Ann, le poète gagnait sur les deux tableaux. Au reste la conquête ne dut pas être bien difficile. Beau, déjà célèbre, promis à une carrière brillante, aimant les femmes, aimé d'elles d'autant plus vivement qu'il les traite avec désinvolture, poète de l'amour cynique — jamais de l'amour soupirant, de l'amour transi — qui se flatte d'avoir aimé, d'avoir *eu* et de l'avoir raconté (*I have lov'd and got, and told*), qui fait l'éloge de l'inconstance, ce mauvais garçon de bonne compagnie a tout ce qu'il faut pour inspirer l'amour le plus fou à une petite fille naïve et tendre. Jusqu'à cette auréole de désenchantement qui est la touche finale des grands séducteurs.

Tout le monde sait — Ann mieux que quiconque — qu'il s'est fait représenter comme une victime de *Lover's Melancholy*, mais il suffit de jeter les yeux sur la peinture de la collection Lothian pour s'aviser que cet élégant est moins mélancolique qu'effronté.

L'extraordinaire visage! On s'indignerait de la description qu'en donne J. R. Poisson[1] si l'on ne savait depuis longtemps que les hommes n'entendent goutte au sujet. « Un visage émacié au front haut, à la bouche aussi sensuelle qu'on s'y attendait. » Soit. Surtout singulièrement dessinée, charnelle, mais comme la chair pulpeuse d'une fleur parfaitement épanouie (la bouche spécifique de Don Juan, rappel unique, mais agressif de la chair dans ce visage ascétique de l'homme de proie où la chair tient si peu de place). « Enlaidi par un nez bulbeux et des yeux quelque peu exorbités. » Bulbeux? Fort, tout au plus ce nez (mais c'est l'indice d'un grand tempérament). Quant aux yeux, c'est l'intensité du regard, son attention aiguë, passionnée qui dispense l'illusion du relief. En vérité, ce portrait démasque les deux passions majeures de Donne, celle de l'amour et celle du savoir.

Mais il se peut que ce beau visage impérieux en révèle une troisième : l'ambition. Tous ses biographes s'accor-

---

1. *Ouvrage cité*, voir p. 231, note 2.

dent à le reconnaître, ce poète a voulu « arriver ». Il
a désiré la faveur des grands, il a brigué les hautes
charges. C'est à la volonté de se pousser dans le monde
que l'on attribue les études juridiques de Donne et son
inscription aux *Inns of Court*. Sa conversion à l'angli-
canisme elle-même est généralement tenue pour intéressée.

Jusqu'à la rencontre d'Ann More, « ce great visiter
of Ladies » a su concilier l'ambition et l'amour. Car —
même si l'on tient compte de la faconde propre à l'époque (l'élizabéthaine!) — il doit y avoir du vrai dans
la confession que Donne fera plus tard de ses désordres.
Jamais pourtant la licence de sa génération — une
génération cynique, souvent crapuleuse, qui a pris parti
contre l'amour pétrarquisant et contre l'idéalisation de
la femme, « la génération de la nausée », dit Ellrodt —
n'empiétera sur sa discipline, jamais elle ne l'empêchera,
par exemple, de consacrer à l'étude et à la méditation
les heures les plus matinales de la journée (de 4 à 10).
Or, à partir de la rencontre d'Ann, tout change. Tous les
plans, les calculs, les projets d'une carrière patiemment,
savamment échafaudée s'écroulent lorsqu'en décembre
1601, il l'épouse secrètement.

Dès le début, sir More a combattu l'idylle avec une
impitoyable énergie. Donne ne peut ignorer qu'il s'en
fera un ennemi implacable. S'il ne le voit pas ou ne dai-
gne pas en tenir compte, c'est qu'il est aveuglé ou dominé par la passion. Mais nul ne songe à le nier, John
et Ann se sont aimés frénétiquement. Et c'est pourquoi
Donne va commettre ce que son premier biographe nommera « l'erreur notable de sa vie ».

Du point de vue temporel, Walton a raison. La carrière
de Donne est brisée. A la demande de son beau-père, le
poète se voit destitué de son poste de secrétaire du garde
des Sceaux. Sa femme lui est enlevée et transportée dans
le Sussex (Donne pour la récupérer devra entamer une

longue et coûteuse procédure). Lui-même est jeté en prison en même temps que les amis complices du mariage.
Il est sans situation, sans argent. Pendant des années,
il briguera vainement un emploi. Il vivra de la générosité des mignons du roi. Il connaîtra les humiliations de
la dépendance et de la flatterie, les déchéances de la
pauvreté, le remords de l'avoir imposée à sa jeune
femme. Jamais il ne se relèvera du désastre. La prêtrise qu'il acceptera plus tard après s'en être longtemps
défendu, ne sera pour lui qu'un pis-aller. Ce *métaphysique* n'a pas la vocation du prêtre, il le sait bien. Paradoxalement, c'est le poète érotique qui trouve cette admirable définition du divin : « *Since all divinity is love or
wonder* » (amour ou émerveillement!). Car ce grand poète
de l'amour humain ne sera qu'un médiocre poète chrétien. Mais la postérité n'a pas perdu au change.

Et Donne ? Où n'eût-il pas atteint, s'exclament ses biographes, s'il avait évité cette faute! Grand homme d'Etat? Ambassadeur? Au lieu qu'il est seulement un des plus
grands poètes de l'amour (le plus grand, selon certains).
Non pas un de ces *blasonneurs* qui se croient quittes
pour avoir inventorié et expertisé la beauté — fades
plagiaires du Cantique, commissaires-priseurs de l'amour
— mais le plus grand poète moderne de l'union amoureuse. Comme le dit si bien Leisham, la poésie de Donne
est *about the oneness of two persons who have become
one, about what this oneness feels like* (elle traite de
l'unicité de deux personnes qui sont devenues une, de
la nature de cette unicité). Donne sera le poète de la
condition androgynique.

Nous l'avons vu, le thème de l'Androgyne était loin
d'être inconnu en poésie. *L'échange des cœurs* était devenu un des poncifs littéraires de la Renaissance après
avoir dominé la symbolique de l'amour courtois. Donne
y fera allusion dans *Lovers Infiniteness* mais pour
souligner son insuffisance. A l'échange, les amants sub-

stitueront un mode plus généreux, *a way more liberall*. Ils
joindront les cœurs. « Ainsi seront-ils *un et le tout l'un
de l'autre,* so wee shall be one, and one anothers All.»
Dans *Canonization,* le poète se fera plus précis encore. Prenant le Phénix pour emblème (tout comme
D. H. Lawrence), il chantera son énigme, «devenue plus
ingénieuse dans le Couple, *car n'étant qu'un nous le sommes à deux. Deux sexes s'unissant en un seul être neutre*
(one neutrall thing). *Mourant, nous renaissons pareils*
(wee dye and rise the same) *et cet amour fait de nous
un Mystère* ».

Voilà qui est clair. Le Mystère est cet être double
où les sexes se neutralisent. C'est pour l'avoir atteint
que les amants seront *canonisés.* Mais pour l'approcher,
il a fallu l'expérience conjugale. Non que la quête
de Donne ait changé d'objet. Il n'a jamais poursuivi
autre chose que ces « moments privilégiés » où peut
être atteinte une plénitude à la fois existentielle et essentielle. Même dans les joies les plus sensuelles (ces *whole
joys* de la nudité totale :

> *Full nakedness! All joyes are due to thee,*
> *As souls unbodied, bodies uncloth'd must be,*
> *To taste whole joyes,*)

il n'a cessé de spéculer sur la révélation de ces instants où la chair se raccorde prodigieusement à l'esprit.
Mais dans l'amour facile, de tels instants sont brefs.
« Quand l'amour atteint son midi, la minute d'après est
la nuit. » Donne a connu la mélancolie de l'assouvisse-

---

1.   Complète nudité; toutes joies te sont dues,
      Comme l'âme doit se dépouiller du corps, le corps
      Doit être dévêtu pour goûter des joies pleines.

ment, il a traité admirablement le thème de l'*animal
triste*. Des poèmes comme *Loves Alchymie* et *Farewell
to Love* témoignent de sa déconvenue, de son insatisfac-
tion profonde. Son libertinage apparaît quelquefois
comme un subterfuge pour échapper à la tristesse de
l'amour en le gagnant en quelque sorte de vitesse. Mais
s'il n'y a pas de contradiction vraie (comme l'estime
Ellrodt) entre le libertin qui fait l'apologie de l'inconstance et l'amant mûri qui postule l'éternité du Couple,
il y a au moins changement de méthode. A l'érotique
don juanesque qui fait fi de la personne, Donne substitue une érotique qui consacre la personne, au vagabondage amoureux, l'amour conjugal. Ce sera la confrontation de l'éros avec l'expérience redoutable de la durée
— et l'on sait qu'elle ne fut pas bénigne au poète.

Dans les lettres qu'il écrira de « son hôpital de
Mitcham », gêné par les pleurs et les cris d'enfants,
il apparaîtra quelquefois comme un personnage déchiré,
douloureux, hamlétique. Mais à côté des périodes de
dépression (et Ellrodt suggère qu'elles ne sont sans doute
que la rançon des autres, de leur intensité même), que
d'heures d'exaltation, de révélation, d'illumination!

Donne a été soulevé par son amour pour Ann.
Il est remarquable, il est consolant que les plus beaux,
les plus confiants de ses poèmes, ceux qui glorifient
l'amour et célèbrent en lui la réalité suprême da-
tent de l'époque où cet amour vient de consommer la
ruine de ses espérances temporelles[1]. Le cynique de *Loves Alchymie* qui proclamait que l'amour n'est qu'im-

---

1. Je ne vois pas comment Michel Butor (*Cahiers du Sud*,
n° 321, p. 276, *Sur le Progrès de l'âme de John Donne*) peut attribuer la misogynie de *Metempsychosis* au mariage de Donne et
à la ruine de sa carrière. Ce curieux poème, qui est une satire
contre la reine, a été écrit en 1601 à un moment où Donne peut-
être aimait déjà Ann, mais où l'expérience conjugale n'est pas
entamée. Donne, comme on sait, épousa Ann en décembre 1601.

posture (*Oh! 'tis imposture all!*) et donnait pour
s'en délivrer ce conseil ordurier — en langage de corps
de garde : *If all faile, 'tis but applying worme-seed
to the Taile* — va s'appliquer à prouver qu'il est la première *valeur*. Tout le reste, honneurs, richesses, trônes,
n'est qu'imagination et singerie : *Nothing else is*. L'effronté qui — plus cynique encore — conseillait de dé-
daigner le visage et d'aller au plus pressé (*consider
what this chace Mispent by the beginning at the face,
Rather set out below*) maintenant déclare que ce que les
amants aiment n'est pas le sexe : *it was not sexe*. Le
moqueur qui raillait férocement « ce pauvre enamouré
qui jure que ce ne sont pas les corps qui se marient,
mais les intelligences » (et naturellement « celle de l'aimée lui paraît angélique »!) veut maintenant que l'a-
mour *assume* le corps. Mot admirable et tellement moderne[1]!

Donne ne sera jamais ce qu'on nomme un « platonique », un « idéaliste ». Il l'est si peu que, dans sa
crainte de voir disparaître le support matériel de la
sublimation, on le voit surenchérir sur le concret, s'efforcer de donner du corps à ce qui en a le moins (d'où
ces métaphores admirables qui épaississent et matériali-
sent, les odeurs qui deviennent liqueurs, les baumes
qui cimentent, le regard qui enfile les yeux sur un fil
à deux bouts).

Donne ne reniera jamais le corps. Loin de s'écrier
comme son contemporain Herbert : « *Beware of Lust* »,
dans *Canonization*, il fait de la volupté (non sans souligner le sens érotique de *dye* par un jeu de mots génial)
l'image de la mort initiatique, condition d'une nouvelle
naissance. Au corps, il confie toutes les médiations, et

---

1. Donne est aussi, si l'on en croit le *Oxford Dictionary*, le
premier à avoir usé du mot *sexe* dans son acceptation moderne.

dans *Extasie* qui résume sa conception de l'amour, il lui donne ses lettres de noblesse.

> *Loves mysteries in soules doe grow,*
> *But yet the body is his booke.*

Pas de discontinuité entre l'extase de l'âme et celle du corps, dira Donne, le moderne. « Et si quelque amant pareil à nous a entendu ce dialogue à une seule voix, qu'il continue à nous observer, il verra peu de différence quand nous en serons venus aux corps. »

> *... he shall see*
> *Small change, when we'are to bodies gone.*

Sans doute, il ne parlera plus guère du corps avec ce joyeux entrain, cette hâte effrontée qui bouscule la jeune épousée de l'Epithalame à lady Elizabeth :

> *A Bride before a good night could be said,*
> *Should vanish from her clothes into her bed*[1],

et qui arrache les vêtements de l'amant dans *Going to Bed*, ce poème que le grave Ellrodt n'hésite pas à qualifier de strip-tease (à tort selon moi, car on s'y trouve aux antipodes de la lenteur préméditée de ce rite) :

> *Come, Madam, come, all rest my powers defie...*
> *Off with that girdle... Off with that happy busk...*
> *Now off with those shoes... Licence my roaving hands,*
> *and let them go, Before, behind, between, above,*

---

1. Une épousée, avant qu'on ait le temps de souhaiter bonne nuit, devrait avoir déjà, hors de ses vêtements, disparu dans son lit.

below. O my America! my new-found-land, My
kingdome [1]...

Ce qui en revanche apparaît maintenant, c'est une tendresse et un respect pour le corps (qu'il nomme un
Grand Prince), c'est une pitié pour la chair promise à
la mort et qu'il s'afflige de devoir lui abandonner.

Respect, tendresse, pitié, chez Donne le viril, ces sentiments annoncent un changement profond. Ils corres-
pondent à la prise de conscience par le poète de sa féminité, de son double de l'autre sexe. C'est cette épiphanie
de l'anima qu'il célèbre, dans l'admirable *Good Morrow*
(« *And now good-morrow to our waking soules* », Bon-
jour à nos âmes qui s'éveillent!). Naturellement, cet éveil
s'accompagne de réminiscence :

I wonder by my troth, what thou, and I
Did, till we lov'd ?

If ever any beauty I did see,
Which I desir'd, and got, t'was but a dreame of thee [2].

Le thème de la prédestination amoureuse reparaît dans
d'autres poèmes :

Twice or thrice had I loved thee
Before I knew thy face or name [3]

1. Allons! Madame, allons, tout repos m'est un défi... ôtez cette
ceinture... ôtez ce busc heureux... ôtez ces souliers...; donnez
licence à mes mains d'errer, et laissez-les passer dessus, dessous,
devant, derrière et entre. O mon Amérique! Terre Neuve! O,
mon royaume...
2. Ma foi, je me demande ce que toi et moi faisions avant de
nous aimer... Si jamais je vis une beauté, si je la désirai, si je la
possédai, je ne faisais que rêver de toi.
3. Deux ou trois fois je t'avais aimée avant de connaître ton
visage ou ton nom.

Chez ce poète fasciné par le savoir, cette irruption de l'inconscient ne peut manquer de s'accompagner d'un effort presque pathétique de clairvoyance. Sans jamais perdre de vue celle qui se trouve en être l'occasion, la maintenant présente par des repères concrets sur lesquels l'activité amoureuse prend son élan, l'attention de Donne se concentre sur l'expérience dont il bénéficie et qu'il va soumettre à une critique sans merci. Car cet érotique a toujours su que l'activité amoureuse, loin de surcharger, élimine.

On dit volontiers qu'à partir du mariage, il y a chez Donne un approfondissement de l'amour. Il faut l'entendre au sens propre. L'amour n'ajoute pas, il creuse. Aller plus profond n'est qu'une manière d'aller plus loin, d'aller jusqu'au bout. Si Donne ne cesse d'*affiner* le sien, c'est qu'il veut atteindre ce noyau, pur diamant, qu'il voit transparaître à travers sa gangue et qu'il nomme de son vrai nom, l'Esprit. Pour Donne comme pour Plotin « tout désir est déjà désir de connaissance ».

Le paradoxe est que cette critique débouche sur la mystique. Aussi verrons-nous se multiplier les images d'épuration, de dénudation, de pénétration. Celles de traversée et de transparence seront répétées jusqu'à l'obsession. Les seuls mots composés que Donne forgera sont *through-pierc'd*, *through-sworne*, *through-light*, *through-shine*. Rapprochée de l'importance que le poète donne au dévêtement, cette purification critique prend une valeur initiatique.

Donne, comme tous les mystiques, a été déchiré entre son désir de maintenir les profanes au-dehors, de défendre le Saint des Saints de leur approche, et la vocation qu'il se sentait de porter témoignage. S'il conjure sa femme de ne pas le pleurer lorsqu'il s'absente (c'est dans cet admirable poème de la onzième année que Donne, obligé de suivre son protecteur sur le continent,

adresse à Ann après l'avoir quittée), c'est que conter
leur amour au monde (aux laïcs), serait une profanation
de leurs joies

> *T'were prophanation of our joyes*
> *To tell the layetie our love.*

Et, une fois encore, dans ce poème véritablement
exhaustif, la notion de sacré est liée à la méthode qui le
fit atteindre. Dans un amour « si affiné qu'il dépasse
la compréhension », un amour « selon l'esprit, *moins*
privé du corps que celui des grossiers amants » (quel
soin met Donne à ne jamais récuser le corps!) les deux
âmes qui n'en font qu'une, quand bien même Donne est
obligé de s'éloigner, ne sont pas séparées mais dilatées.
« Comme l'or battu en feuilles d'une minceur aérienne »,
elles connaissent une expansion. Pour expliquer ce mystère du Couple, une dernière image est inventée. C'est la
fameuse comparaison du compas qui termine ce poème
de l'amour parfait :

> Si elles sont deux, elles sont deux au sens
> où les rigides branches jumelles d'un compas sont deux :
> ton âme est le point fixe qui semble ne point
> bouger, et bouge pourtant quand l'autre bouge.
> Et quoiqu'elle s'appuie au centre,
> quand l'autre branche erre au loin,
> la fixe se penche pour s'enquérir de la mobile.
> puis se redresse quand celle-ci regagne son logis.
> Tu seras cette branche fixe pour moi qui dois
> comme la branche mobile courir obliquement;
> ta fermeté fait l'exactitude de mon cercle
> et me fait finir où j'ai commencé.

En dépit de leur beauté, ces derniers vers contiennent tout de même une leçon de morale — une morale traditionnelle qui consacre le vagabondage du mari et la sédentarité de la femme. Pour une fois, cependant, la grandeur de l'homme justifie l'effacement de la compagne. Ce que Donne doit à Ann n'en est pas moins inestimable. Disons qu'il lui doit son accomplissement de poète et d'homme, sa gloire et son salut. Donne mesurera l'immensité de cette dette à la mort de la jeune femme qui le laissera désespéré. Mais Ann pouvait mourir. Son œuvre était accomplie. Donne s'était, en elle, complètement *initié* et maintenant, la traversée terminée, il pouvait nommer à la fois l'objet de son amour et la voie qui l'y avait mené.

Guéri de toutes ses perplexités, « l'esprit entièrement attaché aux choses célestes », Donne dans le *Holy Sonnet,* glorifie sa femme d'avoir « aiguisé son désir de Dieu » et « comme un fleuve qu'on remonte jusqu'à sa source » de l'avoir conduit à lui.

En vain cependant s'efforcera-t-il d'atteindre Dieu directement, comme son ministère lui paraît devoir l'exiger, en vain invite-t-il Dieu à lui faire violence, allant jusqu'à décrire le rapt mystique, comme s'il cherchait par cette mise en train à le provoquer. Le poète de l'extase amoureuse ne semble pas avoir atteint les grandes joies de l'oraison. La foi de Donne demeure liée à l'expérience érotique. Non qu'il manquât de vocation surnaturelle, ce grand poète de l'Esprit, mais plutôt qu'il était voué à atteindre la dimension du surnaturel par rapport au naturel, au concret — c'est ce qui le faisait si grand poète — et qu'il ne pouvait concevoir ce divin, qui pourtant le fascinait, que sous l'espèce d'une cohérence, sous forme d'Ordre et de Loi. Liaison, élimination — postulat et méthode — ce sont les conditions mêmes de l'éros démonique et critique.

En somme, l'expérience conjugale fut pour Donne
une maïeutique, comme elle le fut pour D. H. Lawrence (cet autre grand démonique malheureusement en-
travé par la peur des mots; celui de *mental* lui paraissait exécrable. Il voulut remplacer la conscience mentale par une « conscience phallique ». Tout de même,
une conscience!). S'il y est devenu cet amant si *affiné*
par le *droit amour* que, tout esprit, il comprend le langage des âmes, jamais le poète n'a fait de ce salut une
réussite isolée, il a dit et redit qu'il s'agit d'une réussite du Couple, pourvu grâce à l'amour — un amour
obstinément attaché à exhumer ses liaisons — d'une
âme double plus capable, *that abler soule,* qui lui vaudra
de survivre éternellement.

LE MALENTENDU DES SEXES

« *La situation privilégiée de
l'homme vient de l'intégration de
son rôle biologiquement agressif à
sa fonction sociale de chef, de
maître.* »

SIMONE DE BEAUVOIR.

Il existe un obstacle, plus précisément une résistance
aux accomplissements du Couple et c'est l'antagonisme
des sexes. De même qu'il y a une forme masculine et
féminine de l'amour et du désir, il y a (toujours sous
réserve d'une bisexualité foncière) une forme masculine
et féminine de l'agressivité. Calquée sur le rôle récepteur de la femelle, l'agressivité féminine se développe
autour du thème de l'accaparement et quelquefois de
la dévoration. Ce fut le sort du malheureux D. H. Lawrence d'attirer plusieurs de ces « dévoreuses », de ces
« mangeuses d'homme ». Quant à l'agressivité virile,
elle exploite des thèmes de chasse, de capture, de viol
et d'appropriation.

Dans l'amour tel que nous l'entendons, un amour qui
vient compenser l'écart des sexes, tout ce qui attire
l'attention sur cet écart, tout ce qui le concrétise,
devrait en principe renforcer l'exemplarité de l'union.
Cette observation éclaire, comme aussi elle limite, le
rôle de l'agressivité sexuelle. Une certaine violence
— contrôlée, signifiante, en quelque sorte rituelle, ini-

tiatique — peut seule revêtir l'amour de ce qu'on a
nommé très justement « sa griffe de perfection » [1]. En
somme, il faudrait bien plutôt s'efforcer de faire une
juste place à l'antagonisme des sexes, que s'évertuer à
l'étouffer ou le camoufler, tentative d'ailleurs dérisoire.
On n'empêchera jamais que le rôle du mâle dans l'acte
amoureux — ou comme on dit si justement dans certaines langues, l'*acte viril (männlicher Akt)* soit un rôle
d'agresseur. Tel est le schéma élémentaire. Quelle que
soit la tendresse de l'homme pour sa compagne, quels
que soient ses égards, il ne peut déguiser ce schéma,
il ne peut empêcher que, tout au moins initialement,
l'amour viril soit une effraction, un acte de violence,
une atteinte à l'intégrité corporelle de la femme. Cette
souffrance, cette sujétion, cette subordination traverse
et colore tout l'amour. On la retrouve dans les douleurs
de l'enfantement, dans la pose normale de l'amour humain, dans le fait que la femme peut subir l'amour
passivement, alors que l'homme doit tout au moins le
désirer.

Il s'agit donc moins de l'esquiver que de veiller
qu'aucun malentendu ne vienne l'envenimer. Or, précisément, la subordination sexuelle de la femme à l'homme
n'a cessé de l'être, elle a toujours été exploitée pour
valider une dépendance sociale et morale. Des générations d'hommes n'ont cessé de se servir de leurs avantages sexuels pour écraser la femme mariée, non dans
le monde sacré du sexe, mais dans le monde profane
de la vie pratique. Avec la conséquence que le rapport
amoureux se trouve complètement faussé. L'amour veut
la complète égalité des partenaires — du moins au départ. C'est sur ce fond neutre que les rapports amoureux pourront être improvisés dans leur pureté.

On sait que la plupart des pays occidentaux viennent

1. L'expression est de Gilbert Lély.

de mettre fin — au moins partiellement — au statut
d'infériorité de la femme mariée[1]. Peut-être sera-t-il
moins aisé de venir à bout de la conviction encore enra-
cinée dans la plupart des têtes d'hommes et même de
femmes, d'une supériorité naturelle de l'homme, conviction à laquelle l'éducation (non seulement l'enseignement et l'orientation des études mais la formation morale, la culture et la religion, l'affectation des loisirs, le
choix des jeux et jusqu'aux modes) forme les cerveaux
dès l'enfance.

Simone de Beauvoir a raison d'écrire que, pour que
la femme soit l'égale de l'homme, il faut encore
qu'elle se *pense* son égale. Ce mouvement d'opinion se
fait, il ne peut manquer de se faire, mais il se fait lentement et entre-temps, le malentendu subsiste. La
femme mariée n'a pas cessé d'aborder l'amour avec
un complexe de minorité. Aussi l'adultère lui apparaît-
il souvent comme une école buissonnière où l'on échappe
à la férule du maître d'école. Il y a, bien sûr, de bons
mariages où le mari ne fait pas peser son autorité (et
d'autres exécrables dans lesquels une virago, entrepre-
nant à elle seule de venger son sexe, règne par intimi-
dation sur un homme faible). Mais, d'une façon générale, dans le mariage, le rapport des sexes se rencontre
rarement à l'état pur. C'est donc à l'amour illégitime
que nous emprunterons notre première illustration.

Toutes les grandes amoureuses ont accepté la sujétion
de la femme à l'homme dans l'amour. Les plus savan-
tes, les plus orgueilleuses, n'ont pas été les dernières

1. France, loi de 1938; Hollande, loi van Hoven, 1956; Belgique, loi Lilar, 1958.

à s'y soumettre. Bien au contraire, on a vu souvent la passion de la liberté et l'orgueil brusquement mués en passion d'humilité et de sacrifice.

De cette oblation amoureuse, il n'est pas de cas plus exemplaire que celui de Juliette Drouet, reine de beauté de Paris, comédienne et courtisane fêtée. Entretenue sur un pied de magnificence par un prince immensément riche qui lui dispense toilettes, bijoux, argenterie, pourvue d'un appartement somptueux et d'un trousseau à faire rêver (trente-huit robes et plus de quatre-vingts chemises, brodées pour la plupart, seront déposées par Juliette au mont-de-piété, lorsque Victor l'aura obligée à se passer de l'aide du prince Demidoff), Juliette, par amour, ne renoncera pas seulement au luxe, mais à l'ordinaire de la vie. Elle mènera « la plus étonnante vie de pénitence et de claustration qu'ait jamais acceptée une femme en dehors des ordres monastiques » (Maurois). Cet apprentissage n'ira pas sans regrets, sans révoltes, sans résistance de l'instinct de conservation. Juliette se plaindra quelquefois :

> Vois-tu, mon Victor, cette vie d'isolement, cette vie sédentaire me tue. J'use mon âme à te désirer, j'use ma vie dans une chambre de douze pieds carrés. Ce que je veux, ce n'est ni le monde, ni de stupides plaisirs, mais la *liberté*, la *liberté* d'agir, la liberté d'occuper mon temps et mes forces aux soins de ma maison, ce que je veux, c'est ne plus souffrir, car je souffre mille morts par minute, je te demande la vie, la vie *comme toi, comme tout le monde enfin.*

Cette usure de l'âme, cette lente consomption de la vie, c'est le prix terrible de tout grand amour — terrestre ou divin — lorsqu'il postule l'absolu. Et cet abandon des droits les plus élémentaires de la personne ne fait

que rencontrer les désirs de l'amant s'il est suprêmement viril — car l'homme possède en supplantant et
s'affirme en niant, au rebours de la femme qui veut
être possédée, supplantée et pour y atteindre plus sûrement va jusqu'à la dénégation de sa propre personne.
Juliette le sait bien, et que ses plaintes et ses protes-
tations ne sont que les soubresauts d'une reddition d'a-
vance consentie. Véritable immolation dont dix-huit mille
lettres permettent de suivre la progression clinique. Certains (songeant à l'unilatéralité du sacrifice) la juge-
ront monstrueuse. Mais a-t-elle fait un si mauvais marché, cette Juliette qui a échangé les facilités d'une vie
brillante mais factice contre la joie incomparable d'un
amour préservé, éternisé, en dépit des trahisons de
l'homme — trahisons sans commune mesure comme tout
ce qui émane de ce titan ? Juliette demeure le type parfait de l'épouse *égrégore* qui demeure au poste de garde,
veillant pour deux. Or, elle a réussi. Hugo a aimé d'autres femmes passionnément (Adèle, Léonie d'Aunet),
mais c'est avec Juliette qu'il forme couple. La postérité ne s'y trompera pas. C'est avec elle seule qu'a été
assumée la sacralité de l'amour — cette sacralité qu'ils
tiendront tous deux à souligner par toutes sortes de
solennités, de célébrations, de reliques, de pèlerinages,
d'engagements à caractère religieux. Dans la nuit du 17
au 18 novembre 1839 (il y a plus de six ans que dure
leur liaison) Hugo prendra vis-à-vis de « Mme Drouet »
un engagement si solennel que, désormais, les amants
se considéreront comme unis par un véritable mariage
secret.

Juliette a pu être trompée (au sens bourgeois),
elle n'a pas été dupe. Elle a voulu être la véritable épouse, la compagne de Hugo. Elle l'a été. Sa subordination n'a cessé d'être volontaire, d'être consentie. A
tous moments, elle est demeurée maîtresse de son destin.
Et elle ne s'est fermée à la vie extérieure que pour mieux

s'épanouir intérieurement. Car cette âme naturellement mystique devait fatalement déboucher sur le divin. « C'est toi que j'adore en Dieu et Dieu que j'adore en toi », écrit-elle superbement. Peut-être son romantisme ne démêle-t-il pas toujours l'un de l'autre. Peu importe. De toute façon, l'amour s'est surpassé, il s'est déployé surnaturellement.

Il existe une forme sournoise et singulièrement toxique du malentendu des sexes. C'est lorsque l'autorité maritale est appelée à masquer l'échec de l'amour — soit que le mari aime seul ou davantage, soit qu'il se sache frappé ou menacé d'impuissance, soit qu'il ait conscience d'avoir laissé la femme insatisfaite. D'une façon générale, dans tous les cas où il n'a pas réussi à s'imposer sexuellement et amoureusement, il y a tentation pour l'homme, blessé dans sa dignité virile (Lawrence eût dit « dans sa conscience phallique ») de s'imposer par d'autres moyens. C'est ainsi que des hommes parfaitement bons en viennent à forcer l'agressivité sexuelle, à la pousser jusqu'au sadisme ou — cas infiniment plus fréquent — à remplacer la domination amoureuse par un autoritarisme marital ou simplement masculin. Pente infiniment douloureuse. Pour l'homme comme pour la femme, car à mesure que celle-ci se dérobe et se révolte, la soif d'autorité se fait plus grande, donc de plus en plus odieuse, donc de plus en plus inévitable. Un tel malentendu ne peut mener qu'en enfer. La femme s'est mariée pour être aimée et voilà que l'amant s'est mué en magister et en porte-clefs, quand ce n'est pas en tortionnaire.

C'est un désastre de cette espèce qui s'abat sur un couple célèbre, August Strindberg et Harriet

Bosse. Il faut dire que, dès le début, la chose s'annonce mal. Ce qui attire Harriet, comédienne comme
Juliette, c'est la gloire de Strindberg. Elle a pour lui un
engouement littéraire qui prend d'abord une forme romanesque (une nuit de réveillon, elle rôde sous ses
fenêtres et, les lèvres pressées contre la vitre, forme
des vœux pour « le grand homme »). Quant à
lui, lorsqu'il s'éprend de la jeune femme, il traverse
précisément une crise spirituelle. Harriet Bosse nous
confie qu'il était en train de se détourner du monde.
« He had turned his back on the world and was striving
towards the *life beyond*. » Hélas! cette ascension ne
dédaignait pas de s'abaisser au détail. C'est ainsi qu'un
couvre-divan rouge fut enlevé précipitamment de la
chambre de la jeune femme lorsque Strindberg s'avisa
qu'il pouvait engager la pensée sur une pente terrestre.

Il semble donc que le moment fût mal venu pour épouser une fille libre, curieuse, avide de vivre et que rien
ne prédisposait à l'ascèse. Mais peut-être ce puritain que
l'amour physique scandalise, ce pessimiste, convaincu de
la laideur et de la méchanceté foncières du monde
« ce tas d'ordures », était-il destiné de toute façon à
prendre l'amour par le mauvais bout. Aussi ne sommes-
nous pas étonnés de trouver dans les lettres d'August
Strindberg lui-même les indices d'un échec sexuel. Le
lendemain du mariage, Harriet n'a pas craint de déclarer à August « qu'il n'est pas un homme ». Une semaine
plus tard, trahissant le secret de la chambre des noces,
elle se serait empressée d'apprendre au monde
« qu'elle n'est toujours pas la femme d'August Strindberg ». Ses sœurs la considèrent comme non mariée.
S'avisant des symptômes de sa grossesse, elle se serait
exclamée insolemment : « Comment une telle chose peut
elle être advenue! » La cruauté que met Bosse à humilier Strindberg, à lui reprocher son insuffisance sexuelle
est telle qu'on ne l'explique que par une cruauté aussi

grande de Strindberg à son égard. En fait, cet homme de génie va devenir un effroyable despote. Des relations de Strindberg avec Harriet, on peut dire ce qui a été affirmé de son théâtre. C'est un incessant règlement de comptes, une comptabilité infernale — comptabilité en partie double car Harriet elle aussi retiendra et additionnera les griefs, sommations, scènes, projets manqués ou abandonnés.

Dès le début, l'amour d'August pour Harriet a pris une forme pathologiquement possessive, comme le prouve son étrange déclaration d'amour : « Would you like to have a little child with me, miss Bosse ? » demande-t-il sans préambule en lui posant les mains aux épaules et en la regardant longuement et ardemment (l'imprégnation sera toujours pour Strindberg le signe, la preuve irrécusable de la possession, de l'appropriation) de sorte que Bosse, intimidée, ne peut que répondre : « Yes, thank you, Sir », en faisant une petite révérence ! Ainsi sont-ils fiancés.

A peine se sent-elle engagée qu'Harriet prend peur. Strindberg ne lui a-t-il pas avoué qu'il compte sur elle pour le réconcilier avec l'humanité, mais surtout avec la femme et le sexe (car il a une créance terrible à recouvrer : celle de ses deux mariages précédents). Cette tâche ne lui inspire aucun zèle. Au reste, elle sait bien qu'elle n'est pas vraiment, charnellement amoureuse d'August. Mais déjà elle subit sa volonté. Et déjà, il en profite. Il entreprend de la dresser, de la plier à toutes les obéissances, à tous les renoncements.

Au fond, ce que Strindberg cherche à obtenir de Harriet n'est rien de plus que ce que Hugo a obtenu de Juliette. Mais cette abdication, cette soumission, cet effacement, ce puritain ne va pas l'exiger au nom de l'amour mais de la morale et du rachat de la femme ! Est-il victime de ses humeurs, ou cherche-t-il à briser la volonté de Harriet ? Toujours est-il qu'il la soumet à d'étranges vexations. Vont-ils au restaurant, il faut se lever précipitamment sous prétexte qu'un consommateur les a dévisagés (désormais, on ne dînera plus qu'en cabinet particulier). Se dispose-t-elle à une promenade en victoria, il choisit le moment où elle pose le pied dans la voiture pour la décommander. Préparent-ils un voyage en Suisse (dont elle se promet une grande joie), font-ils des plans, des itinéraires, commande-t-on les billets, les réservations, c'est pour renoncer à tout, le matin même du départ, alors que les bagages sont faits, les malles enregistrées. On croit rêver lorsqu'on apprend que Strindberg entreprend de consoler sa femme en l'engageant à remplacer le voyage projeté par la lecture du Baedeker — « les choses imaginées ne sont-elles pas toujours plus belles que les vraies ? »... — ou par l'étude de quelque langue étrangère ! Car ses loisirs eux-mêmes sont organisés par son mari, ses lectures imposées. C'est aussi Strindberg qui a choisi le mobilier de la demeure conjugale. Pour y entrer, Harriet a dû — comme si elle entrait dans les ordres — faire abandon de ses objets personnels. Aussi, deux mois après le mariage (ou ce qui en tient lieu, car l'Eglise ayant refusé sa consécration, les époux ont échangé anneaux et serments devant sa porte, demandant à Dieu de les regarder comme mari et femme et de bénir leur union), Harriet ne songe-t-elle plus qu'à récupérer sa liberté en fuyant « le sombre Karlavågen ». On peut voir encore aujourd'hui cet appartement qui n'a rien de rebutant (il abrite la chancellerie de l'ambassade des Pays-Bas) mais qu'Harriet trouvait lugubre.

Un jour, sans même prévenir son mari, elle prendra le bateau du Danemark. Strindberg sera effondré. Rejoindre Harriet dans un pays, dans une maison qu'il n'a pas choisis, lui semble d'abord inacceptable. C'est pourtant à cela qu'il va se résoudre, car il aime sa femme passionnément. Mais avec la vie commune, l'oppression recommence. Quelqu'un ayant tenté de photographier Harriet au bain, la villégiature est brusquement interrompue. Il faut partir, accepter de suivre August à Berlin — ce qu'Harriet se résigne à faire. C'est pour s'entendre interdire l'accès de la « Cité du Vice » et assigner une résidence dans une pension de famille à Grunewald où elle s'ennuie à mourir.

Si l'on songe que toutes ces vexations sont infligées à une comédienne qui a mené la vie la plus libre et qui a goûté déjà la faveur du public et le succès — on ne s'étonnera pas de la violence de sa révolte. Bien sûr, il y a le précédent Drouet. Mais l'autorité de Hugo, c'est l'autorité rayonnante, quasi royale d'un amant triomphant (en dépit des orages, des trahisons, leur liaison a été une parfaite réussite sexuelle. Certaines lettres de Juliette sont si vives que nul jusqu'à présent n'a été autorisé à les reproduire intégralement). Celle que Strindberg cherche à imposer sous le couvert de l'amour, n'est que rancune, soif de revanche contre une femme à laquelle il n'a pas réussi à s'imposer virilement, et, par-delà cette femme, contre tout son sexe.

On n'a pas manqué de s'étonner de la prédilection de cet antiféministe pour les femmes supérieures (Siri von Essen, baronne Wrangel, Frieda Uhl, écrivain et journaliste, Harriet Bosse, comédienne fêtée). Ce qu'il faut à Strindberg, dit lucidement Adamov, « c'est la femme de haute condition qui se laissera traiter par lui en servante ». Ce médiocre amant veut des revanches qui en valent la peine. Mais aucune de ses femmes ne l'a aimé suffisamment pour se prêter au quiproquo. Harriet moins encore que les précédentes. Elle fera de la vie de Strindberg un cruel supplice — du moins jusqu'au divorce qui apaisera un peu ces adversaires farouches qui pourront alors, tout malentendu dissipé, se revoir en amis.

En attendant, Strindberg ne cesse de tomber d'un extrême dans l'autre. Tantôt il implore, tantôt il menace.

Harriet fuit-elle, il se jette à ses pieds pour la sup-
plier de revenir. Cède-t-elle, il recommence à la tyran-
niser. C'est sa manière de l'aimer, de la posséder. Il n'en
a pas d'autre. Rien de plus navrant que les lettres qu'il
adresse alors à sa femme. Il dépose tout orgueil, lui
promettant de s'effacer (tant il sait que ce qui la met
en fuite, c'est cette monstrueuse abdication qu'il ne peut
s'empêcher d'exiger) [1] :

> Je n'ai pas besoin de vous dire que votre maison
> vous attend et que vous pouvez entrer dans votre
> chambre jaune et dans votre chambre verte sans
> même m'apercevoir, que vous pouvez fermer vos por-
> tes comme les ouvrir, que vous pouvez m'appeler,
> si vous le désirez, et que vous ne m'êtes redevable
> d'aucune explication et que je vous serai aussi peu
> désagréable que je le pourrai.

Pauvre Strindberg! On ne peut s'empêcher de l'aimer
en dépit de ses torts, comme on ne peut s'empêcher
d'en vouloir à Harriet d'avoir raison de façon aussi dé-
testable. Pourquoi faut-il qu'elle réponde faussement à
cette lettre vraie, pourquoi faut-il qu'elle ruse ?

> Ne pouvez-vous comprendre pourquoi je suis par-
> tie ? J'ai voulu sauver de la pudeur et de la dignité
> de la femme ce qui pouvait encore l'être. Le langage
> dont vous vous êtes servi ce jour mémorable à Berlin
> résonne encore dans mes oreilles... Non, Gusten, je
> ne saurais supporter d'être salie aussi impudemment,
> maintenant surtout que j'attends notre petit enfant
> bien-aimé. Il doit naître dans la pureté.

1. Avec Siri, n'a-t-il pas constaté pareillement que lorsqu'il
reprenait « sa volonté virile, la baronne lui retirait son amitié » ?
Arthur Adamov, *Strindberg*, L'Arche, Paris, 1955.

Le ton est odieux, mais il est dans la logique des choses. Traitée en servante, Harriet se défend servilement. Elle ira plus loin. Elle ne craindra pas de jeter le doute sur une paternité qui demeure la seule joie que Strindberg a tirée de ce lamentable amour[1]. Cette monstruosité s'éclaire un peu lorsqu'on apprend que déjà Siri a usé de la même arme perfide (la situation a été reprise par Strindberg dans *Père*). On soupçonne alors chez les deux femmes une réaction identique. Et l'on se demande si elles n'ont pas été pareillement acculées à se défendre contre cette appropriation odieuse qui, pour Strindberg, trouvait sa ratification dans la fécondation (le jour où il a rencontré Harriet déformée, enceinte pense-t-il, de ses œuvres, il l'a trouvée *glorious*; on sent bien qu'il est prêt à tout lui pardonner). En lui disant que l'enfant qu'elles portent n'est pas de lui, elles ont moins cherché à lui dénier sa paternité que leur investissement et leur abdication.

La férocité d'une telle situation, c'est qu'elle ne peut qu'empirer, car elle se recharge automatiquement de la force de l'amour mué en haine. Le sexe récupère en agressivité ce qu'on rechigne à lui accorder. En frustrant la sexualité de ce qui lui revient, on ne l'apaise pas, on l'envenime.

Moins lourde à porter — dans la mesure même où elle est moins passionnelle — est l'autorité maritale dans l'union fondée sur l'amour raisonnable. Elle n'en prête pas moins au malentendu. Il est extrêmement

1. Strindberg à Harriet, lettre du 28 août 1901. *Letters of Strindberg to Harriet Bosse*. Nelson, New York, 1959, p. 49.

rare en effet, lorsqu'on ne fait pas un mariage d'inclination, qu'on avoue ses véritables motifs (intérêt, amour-
propre ou vanité, rivalité et compétition, mimétisme,
désir de s'assurer une descendance ou, tout simplement
de trouver une intendante pour sa maison). La fiction
de l'amour est tellement plus flatteuse, plus « jolie » et
après tout « un peu de sentiment ne gâte rien ».

L'opinion favorise cette escroquerie à l'amour par un
ensemble de simulacres traditionnels (cour à laquelle se
prête le fiancé, allégorie des épithalames, feinte de rapt
du voyage de noces). L'exemple d'un Merula[1] qui prend
sur lui d'éclairer sa fiancée sur l'austère programme
qu'il lui propose, est exceptionnel. Si l'on songe que le
mariage raisonnable fonde la subordination de la femme
sur son infériorité — à l'exclusion de toute subordination amoureuse — on conçoit qu'il faut un certain courage à l'homme pour le présenter, à la femme pour y
souscrire. Seule la religion peut lui donner un semblant
de justification. Se soumettre pour la femme est alors se
régler sur l'Ordre, le Serment, la Loi de Dieu. De très belles vies de femmes païennes et chrétiennes se sont édi-
fiées sur ce modèle. Quelles que soient ces réussites, on n'en peut faire une règle. Il s'agit d'une voie
purement religieuse qui ne convient qu'à un nombre
limité de personnes et ne peut que décourager les autres. Et en dehors de la religion, il faut bien reconnaître
que le mariage d'association perd toute tenue, laissant
apparaître le cynisme d'un système qui fonctionne depuis l'antiquité avec ses rouages essentiels. Complétée
par des institutions impitoyables aux écarts sexuels de
la femme avant et pendant le mariage, la formule consomme pratiquement l'exclusion de l'amour pour la
femme qui se plie aux règles de la société — car il y

---

1. Voir plus haut, p. 29.

aura toujours des femmes-pirates comme la grande
Louise Labé, et aussi des tricheuses.

Pour restreindre encore les risques, l'opinion limitera la
marge de l'amour féminin dans le temps, toujours prête
à brandir contre celles qui oseraient la braver l'arme du
ridicule. Mais le système ne serait pas complet s'il ne com-
portait la répartition des femmes en deux classes et
deux fonctions, les épouses et les amantes (entre lesquelles, sauf aux époques de décadence, l'homme a tou-
toujours essayé de maintenir la séparation). J'ai dit
déjà qu'une très vieille politique de duplicité consiste à se servir des unes sans se priver de jouir des
autres. Or l'amour extra-conjugal, c'est l'amour limité
dans le temps, séparé de la réalité, c'est l'amour évasion.

La femme en sort lésée, même lorsqu'elle a l'apparence d'en avoir bénéficié. Une femme qui aime cherche tout de suite à bâtir sa vie sur cet amour. Les
femmes les plus indépendantes (une Emilie du Châtelet), les plus cyniques (une Mary Wortley Montagu),
lorsqu'elles aiment, leurs premières paroles sont pour
offrir leur vie entière à des hommes qui n'en de-
mandent pas tant. L'amour de la femme tend naturellement au conjugal. Cependant, les femmes veulent
aussi la passion. Mme du Châtelet, avec Voltaire, pense
« avoir trouvé enfin la passion profonde, éternelle qu'elle
cherchait ». Elle n'a trouvé qu'un style de bonheur[1].
La divine Emilie devra déchanter, avouer sa défaite,
prôner un mode d'aimer moins ambitieux. Mais le dilet-
tantisme épicurien du *Discours sur le Bonheur* s'effon-
dre lorsqu'elle rencontre Saint-Lambert qu'elle aimera
à la fureur (elle s'était pourtant flattée que « les pas-

---

1. Si joliment décrit par le président Hénault : « J'ai aussi
passé par Cirey. C'est une chose rare. Ils sont là tous les deux
seuls, comblés de plaisirs. L'un fait des vers de son côté, et
l'autre des triangles.

sions au-delà de trente ans ne nous emportent plus avec
la même impétuosité »)! Et le malentendu recommence.
« Je passerai ma vie avec vous, cela est sûr », écrit-
elle. « Désirez-vous que je vous aime avec toute la fureur, toute la folie, tout l'emportement dont je suis capable ? » A tout instant, elle propose de lui consacrer
sa vie, de vivre ensemble. L'ingénuité de ces amoureuses de quarante ans est désarmante. On souhaiterait
que la sceptique Mary Wortley Montagu ait conservé
un peu de son cynisme à l'égard d'un Algarotti qu'elle
attendra vainement à Venise — sans parler d'un Pa-
lazzi qui la dépouillera de ses bijoux. Mais ses lettres
font écho à celles de Mme du Châtelet : « Qu'est devenue
cette indifférence philosophe qui a fait la gloire et la
tranquillité de mes jours passés... Tout ce qui est certain, c'est que *je vous aimerai toute ma vie.* »

Mariage ou liaison, la femme y cherche à la fois la
passion et la durée que l'homme tient pour incompatibles. On voit s'affronter ici deux conceptions radicalement différentes de l'érotisme et c'est la forme la plus
flagrante du malentendu des sexes. Il entre dans le rôle
de la femme de regarder l'amour comme une maturation et dans celui de l'homme de juger qu'il a satisfait au sien une fois la femme possédée. L'amour
masculin s'affirme et se boucle dans la possession et
cette affirmation peut certes être répétée, mais elle perd
chaque fois de sa signification alors que pour la femme,
elle en prend toujours davantage.

Il en résulte que lorsque l'homme envisage un établissement durable, il lui donne de préférence une base plus
rassurante, plus stable, plus sûre selon lui que la passion — d'autant plus enclin à s'en passer dans le
mariage qu'elle lui est concédée au-dehors sous
forme de brève rencontre, d'aventure sans lendemain
— fantaisies tenues pour flatteuses et même honora-
bles (au point que la situation d'un homme en

place exige qu'il ait des maîtresses, alors que celle
d'une femme — si elle prend des amants — l'oblige
au secret et à la clandestinité). On entrevoit que le système (et il est entendu que la débâcle de nos mœurs
l'a bien entamé; mais qu'on ne s'y trompe pas, sa ruine
est loin d'être consommée : il suffit de pénétrer certains
milieux provinciaux pour s'aviser qu'en pays latin surtout, le mécanisme fonctionne toujours, condamnant
d'innombrables femmes à une vie incomplète et mutilée) n'a pas eu pour seul effet de favoriser les intérêts
matériels du mari et la protection du patrimoine, il a
réussi à imposer à la société la conception masculine
de l'amour. L'expérience sociale de la conception féminine de l'amour n'a jamais été faite. Elle est à faire.

Une politique sacrifiant aussi délibérément l'un des
sexes devait lui offrir quelque compensation. Cet amour
passionnel dont la société cherchait à évincer la femme,
il fallait le lui rendre sous une forme inoffensive —
du moins on s'en flattait. Astuce que d'aucuns tiennent pour spécifiquement bourgeoise : elle consisterait
à refouler tout ce qui menace les institutions dans
l'idéologie, ce qui permet d'en maintenir un culte purement verbal, que l'on sape en secret — hypothèse séduì-
sante, si l'on songe qu'une tactique identique a isolé
et stérilisé la culture, la morale, la religion réduites à
leur rôle *idéal* au sens le plus creux du terme[1].

1. Une séparation analogue de l'idéologie et de la morale pratique a été dénoncée à propos du dilemme argent-travail. La
bourgeoisie qui enseigne gnomiquement le respect du travail et
de la pauvreté : « le travail ennoblit », « il n'y a pas de sot
métier », « pauvreté n'est pas vice » (mais obéit en fait à des
valeurs bien différentes : l'argent, le pouvoir, les honneurs),

La bourgeoisie n'eut pas à inventer l'idéologie de l'amour-passion. Elle la trouva toute montée dans l'arsenal de l'amour courtois et des romans de la Table Ronde. La société permit que l'on « rêve d'amour », mais elle encouragea secrètement le mariage d'intérêt. Ce qu'elle entendait éviter, dans toute la mesure du possible, c'est que l'amour vînt se mêler aux « affaires sérieuses » comme la fondation d'une famille et surtout la fusion de deux patrimoines.

Servie par la fausse littérature, une immense fermentation de sentimentalité et de romanesque favorise l'exaltation de l'amour chimérique. Amours royales, amours de vedettes — chimériques entre toutes — constituent aujourd'hui le principal attrait d'une certaine presse dite féminine. D'innombrables femmes s'en repaissent, s'y enivrent d'une fausse image de l'amour toujours associé au luxe, à l'argent, à l'exotisme et à quelques marottes modernes comme les belles voitures et le whisky. C'est l'amour *romance* qui n'est pas fait pour dissiper le malentendu conjugal. Ou la femme ne trouve dans le mariage que l'amour raisonnable dont le terre-à-terre a tôt fait de la rebuter. Ou c'est l'amour véritable et il peut arriver que — non moins frustrée — elle ne le reconnaisse même pas. Le goût relevé de l'amour la déconcerte et lui fait faire la grimace. Au reste, l'amour — qui se veut toujours en quelque manière purification et ascèse — lui impose des épreuves, des sacrifices. Or, elle a rêvé d'une sorte de conte bleu où l'homme, invariablement chevaleresque, ne cesse de dispenser les plus délicates jouissances. Voilà qu'elle s'avise que l'homme est un adversaire avant de devenir un amant, l'amour un antagonisme et un combat avant d'être une harmonie.

« institue en même temps une morale d'exemple et d'insinuation où la pratique enseigne ce que flétrit la doctrine ». Albert Lilar, *Eloge de l'Humanisme*, p. 45, Buschmann, Anvers, 1936.

Mais tout le monde ne se contente pas de chimères et l'on n'épuise pas la virulence de l'éros — pour parler comme ses adversaires — en le reléguant dans les idéologies. Il arrive que l'amour déborde les cadres de la facticité et que, bien réel, il mine les structures sociales dont un pan quelquefois s'écroule, découvrant à l'opinion stupéfaite l'intensité d'une vie interdite menée sous le couvert de la respectabilité bourgeoise.

Il fallait, pour désarmer l'amour, un mécanisme de défense plus efficace encore que le faux idéalisme. Trouvaille géniale d'une société appliquée à perfectionner sans cesse son adaptation, il consiste à immuniser contre l'amour en accordant à ce besoin une satisfaction réduite. C'est au principe généralisé de l'inoculation et de la vaccine (dénoncé par Roland Barthes[1]) que fait confiance l'érotisme commercial. Pour le prix d'un journal, d'un billet de cinéma, de music-hall ou de cabaret, une dose appropriée à nos goûts et à nos besoins, nous est vendue comme une pilule chez le pharmacien. Et même, il ne faut pas payer. L'érotisme nous est offert. Il vient à nous dans les modes, dans la publicité, envahissant les rues et les routes et nous immunisant malgré nous. Soutenu par de puissants moyens de diffusion, l'érotisme commercial substitue peu à peu ses satisfactions anormales au véritable rapport des sexes. L'habitude se prend de provocations bizarres, de plaisirs brefs, toujours isolés de l'amour. C'est encore une fois la conception masculine qui prévaut et dépossède le Couple.

Quelques tentatives modernes ont été faites pour dissiper le malentendu des sexes et fonder leur rapport

---

1. Roland Barthes, *Mythologies*, Ed. du Seuil, Paris, 1957.

sur une base plus équitable. J'en citerai deux qui ne sont pas sans analogie, l'union libre anarchiste du type Elisée Reclus et le pacte du type Sartre-Beauvoir. Dans les deux cas, il s'agit d'une association libre mais comportant l'intention de durée, l'accent étant mis sur l'œuvre à accomplir en commun ou côte à côte plutôt que sur l'amour. Certes, il y a loin du romantisme anarchiste d'Elisée Reclus à l'existentialisme, de l'optimisme naturiste des Volontaires de l'Idée au pacte lucide par lequel Sartre et Beauvoir vont tenter de concilier l'engagement et la liberté, *l'amour nécessaire et les amours contingentes.*

Il y a bien de la naïveté, de la candeur chez ce jeune géographe qui signe ses lettres : *ton brave Elisée* et dont le mariage fait songer à la fois à Bernardin de Saint-Pierre et à Rousseau. Car il épouse sa jeune et belle mulâtresse sans contrat, fait alors sans précédent. Son tuteur, qui partage son idéal, exulte : *Ah! vous êtes un bon jeune homme! Vous êtes un homme de la nature!* Devenu le promoteur de ce qu'on nomme à l'étranger *l'antimarriage movement,* Reclus unira ses enfants en dehors de toute formalité civile ou religieuse. Certes, il entend témoigner son hostilité aux lois, mais surtout soustraire ses filles « au scandale d'un contrat qui consacre le droit de l'homme sur la femme, l'inégalité monstrueuse des sexes ». Le mariage est une prostitution. « *Il nous répugne que la femme soit déclarée meuble conjugal et que l'homme soit réputé le propriétaire d'un pareil objet.* » Dans ce mariage anarchiste, les époux demeurent totalement libres. « *Nous n'avons point à vous demander de promesse* », précise Reclus dans l'allocution de mariage. « *Vous êtes responsables de vos actes... Encore en ce jour, vous êtes vos propres maîtres.* » Des termes pareils n'impliquent même pas la fidélité.

Qu'on ne se monte pas trop la tête. En 1882, la liberté

pour la femme de disposer de soi se heurte à des obstacles autrement puissants que la sanction légale et le
respect des contrats. L'union libre s'appuie intérieurement sur la morale la plus stricte. Toute cette société
révolutionnaire, souvent protestante, est terriblement
puritaine. De sorte que l'homme ne court pas grand risque à proclamer l'égalité des sexes. La femme qui aurait le mauvais goût de s'en prévaloir serait aussitôt
foudroyée par l'opinion. L'égalité ne se montre pas plus
effective en matière de travail. S'il y a collaboration,
c'est toujours à l'œuvre de l'homme, dont la femme devient tout au plus l'assistante. A cet égard, nulle différence entre ces unions libres et d'autres couples mariés,
et d'ailleurs admirables, les Pasteur ou les Berthelot.
En cette fin du XIXᵉ siècle, la femme entre encore dans
l'union libre ou le mariage comme on entre en religion,
pour se consacrer à son mari. Mme Pasteur recopie les
notes du sien, étudie les communications de l'Académie
des Sciences et s'initie aux arcanes du tartrate ou du
paratartrate de soude. Mme Berthelot renonce à sa vocation pour la peinture et devient la secrétaire du savant.
Une vraie égalité est exceptionnelle et ne va pas sans
heurts. Il faut le radieux génie de Marie Curie pour y
atteindre et triompher de l'étouffement.

Bien différente est la société à laquelle Simone de
Beauvoir destine le message du *Deuxième Sexe.* Sa re-
vendication véhémente de l'égalité de l'homme et de la
femme s'adresse à un monde en désagrégation. Quelle
sera sa portée sur le couple ? — sur ceux-là du moins
qui se proposent de durer ? Car pour les autres, nul
besoin de plaider. Il y a beau temps qu'ils s'assemblent
et se désassemblent dans l'indulgence ou l'indifférence

générales. Or, si nous trouvons dans le *Deuxième Sexe* une critique impitoyable des institutions et une théorie révolutionnaire sur la facticité de l'éternel féminin, nous ne découvrons pas grand-chose de neuf sur le statut conjugal. Simone de Beauvoir souhaite certes qu'un nouveau comportement féminin vienne compléter la réforme des institutions. « *Rares sont les femmes qui savent créer avec leur partenaire un libre rapport.* »

Un nouveau comportement ? Un libre rapport ? Comment Mme de Beauvoir l'entend-elle ? La tentation est grande de compléter notre information par la lecture de son dernier ouvrage [1]. Et voilà que nous faisons des découvertes surprenantes. Par exemple, nous voyons que les arguments du couple Sartre-Beauvoir en faveur de l'union libre sont à peu de chose près ceux des Reclus, des Grave, des Lacour : « *Notre anarchisme était aussi bon teint et aussi agressif que celui des vieux libertaires* », écrit Simone de Beauvoir. « *Il nous incitait comme eux à refuser l'ingérence de la société dans nos affaires privées. Nous étions hostiles aux institutions parce que la liberté s'y aliène.* » Seulement, cette liberté, il nous paraît bien que c'est surtout celle de Sartre. Avec sa franchise habituelle, Simone de Beauvoir le confesse : « *Le souci de préserver ma propre indépendance ne pesa pas lourd... Mais je voyais combien il en coûtait à Sartre de dire adieu aux voyages, à sa liberté, à sa jeunesse pour devenir professeur en province, et, définitivement, un adulte.* » Quant au pacte relatif aux amours contingentes, outre qu'il semble surtout conclu au profit de l'homme [2], le couple en diffère à plusieurs reprises l'ap-

---

1. *La Force de l'Age,* Gallimard, Paris, 1960.
2. « Sartre n'avait pas la vocation de la monogamie » (*La Force de l'âge*). Cf. *Les Mandarins* : « Ça lui paraissait normal de ramasser dans un bar une jolie putain et de passer une heure avec elle » (il s'agit de Robert Dubreuilh), et même p. 71 : « Pendant ces cinq années j'avais vécu chaste, sans regret et je

plication. Et Simone de Beauvoir est obligée de constater qu'il ne préserve pas d'un sentiment aussi périmé que la jalousie...

Autre découverte : la dévotion de cette féministe pour son compagnon d'existence. N'en doutons pas, cette adversaire du mariage a vécu un grand amour conjugal. Cette évidence éclate dans de nombreux passages d'une résonance exemplaire :

> Je savais qu'aucun malheur ne me viendrait jamais par lui, à moins qu'il ne mourût avant moi... Aucun de nous ne mentirait jamais à l'autre... nous nous dirions tout... A mes yeux, Sartre, par la fermeté de son attitude, me surpassait... loin d'en éprouver de la gêne, je trouvais confortable de l'estimer plus que moi-même... Connaître avec quelqu'un une radicale entente, c'est en tout cas un très grand privilège; à mes yeux il revêtait un prix littéralement infini... Je lui faisais si totalement confiance qu'il me garantissait comme autrefois mes parents, comme Dieu, une définitive sécurité... Tous mes vœux, les plus lointains, les plus profonds étaient comblés; il ne me restait rien à souhaiter, sinon que cette triomphante béatitude ne fléchît jamais.

A diverses reprises, Simone de Beauvoir parle de sa vocation du bonheur. Bonheur, confiance, sécurité, tranquillité. Souvent ces mots féminins échappent à sa plume, refoulant son ancienne mystique de la solitude et de la liberté. Réussite donc que cette union et que ce couple, mais réussite du type traditionnel. Il saute aux yeux que l'affection que Mme de Beauvoir ressent pour

pensais que je le demeurerais à jamais » (c'est Anne qui parle). Cf. aussi *L'Expérience vécue*, p. 536 : « La nature de son érotisme, les difficultés d'une libre vie sexuelle incitent la femme à la monogamie. »

Sartre et qu'elle décrit de manière si émouvante n'est
ni du type fatal ni du type vampirique. Simone de Beauvoir n'est ni Isolde ni Frieda Lawrence. Son amour serait
plutôt de la catégorie *dévouement absolu*. On a dit, on
a écrit que Mme de Beauvoir vit à l'ombre d'un grand
homme. Tout de même cette ombre n'a pas nui à son
œuvre, la plus monumentale peut-être qu'une femme ait
jamais écrite. Reste l'écart entre l'œuvre et la vie. Il y
a un désaccord entre la position doctrinale de Simone
de Beauvoir et les impulsions de sa sensibilité profondément féminine, les *valeurs* auxquelles finalement
elle obéit. L'importance du bonheur, de l'amour y éclate
d'autant mieux que l'auteur en veut l'expression plus
contenue. Le bonheur, c'est d'admirer Sartre, de l'esti-
mer plus qu'elle-même, de trouver en lui la suprême
tranquillité. L'amour, c'est cette fraternité supérieure
qu'ils ont réalisée ensemble. Mais c'est aussi un autre
amour qu'ils ont écarté de leur union et dont elle
conserve la secrète nostalgie, celui qu'elle va décrire avec
une sorte de naïveté exquise dans *Les Mandarins*, l'a-
mour d'Anne pour Lewis, amour à la fois physique et
romanesque (Simone de Beauvoir n'a-t-elle pas avoué,
avec sa bonne grâce et son humour habituels, qu'elle a
un petit côté Delly ?), en somme l'amour passionnel, mais
que l'héroïne du roman maintient prudemment — oserais-je dire bourgeoisement ? — hors de la vie quoti-
dienne. Amour de dimanche. Amour de vacances. Amour-
évasion.

Il est piquant de constater que, dans les grandes lignes, le comportement de Mme de Beauvoir et celui
d'Anne, son porte-parole, se conforment à la tradition.
La *vie sérieuse* est bâtie sur l'amour raisonnable (c'est
tout de même un amour appauvri de ses schèmes ins-
tinctifs et de ses mythes). L'amour déraisonnable subsiste à l'état de nostalgie et — tant pis, je risque le
mot — d'idéal (dans le sens féminin abhorré par

Mme de Beauvoir), il est refoulé dans l'aventure extra-conjugale.

Non moins traditionnelle est la séduisante théorie de l'amour-fête de Roger Vailland. Plus que jamais, c'est l'amour isolé de la vie, l'amour-évasion. « Une fête, pense Duc, est longue ou courte et son décor est ce qu'il est, mais elle exige un temps séparé du reste du temps et un lieu qui lui soit particulier, limite, séparation, qui donnent à la fête sa réalité comme la forme au corps son être. » (*La Fête*). Ce beau livre est d'un antiféminisme féroce. Les fêtes de l'homme se font aux dépens des femmes. De la compagne d'abord qui n'use guère du « statut de souveraineté » que l'homme lui concède à titre de réciprocité. « Je ne couche plus qu'avec Duc », dit Léone à Jean-Marc qui lui plaît bien. Il ne fait aucun doute que le mari trouve cette situation confortable — comme il trouve commode d'imposer à sa femme les soins domestiques :

> Duc, dit-elle, préfère que ce soit moi qui m'occupe de la maison. Il dit que balayer, épousseter, déplacer les objets, aller et venir, ouvrir et fermer les robinets, monter et descendre les escaliers, une fenêtre qu'on met sur l'espagnolette, un froissement de jupe contre la porte de son bureau, il dit que ce sont les choses les plus intimes de la vie, il préfère que ce soit moi qui les fasse.
> — Tout de même, dit Jean-Marc, si les assiettes sales te soulèvent le cœur...

Pourquoi Léone accepte-t-elle que Duc se donne des fêtes ? Pour la même raison que d'innombrables fem-

mes avant elle. Pour le garder. D'ailleurs, la résignation
lui a été enseignée. « Ma mère m'a appris, disait Léone,
que le devoir d'une femme est de respecter la liberté
de l'homme. »

Mais cette érotique de festivité n'est pas moins cruelle
à la femme qui s'y voit appelée. « Moi, dit Lucie, je
ne sais pas désirer sans aimer. Et si je t'aime, qu'est-
ce que je vais devenir ? » Ils s'offriront des fêtes, lui
explique Duc. Rien de plus mélancolique que celle qu'il
prépare à Lucie, malgré le soin qu'il a mis à choisir
l'hôtellerie à trois pignons. Toute cette application savante à dénouer Lucie pour lui arracher l'aveu du plaisir
(on songe à la réflexion d'une héroïne de Simone de
Beauvoir : « Voilà donc ce qu'ils ont inventé! Le syn-
chronisme! ») serait sans doute superflue s'il consentait
à prononcer la moindre de ces paroles qui engagent (et
qui combleraient cette jeune femme qui lit en cachette
les *Lettres portugaises*), mais dont Duc se garde bien, car
elles font partie des « mystifications de l'amour absolu ».

Tout confirme le désaccord de ces amants. Duc qui se
veut libre, souverain, allant à Lucie pense : « Il faut
dégager à temps... C'est l'art de vivre. » Mais Lucie devant une maison ornée d'églantines soupire : « Je vou-
drais y vivre avec toi. » A aucun moment cependant,
Lucie n'est dupe. Elle accepte d'aimer Duc comme il
l'entend, se prêtant à son programme. En vérité, elle
donne là à Duc une grande leçon de *souveraineté,* car
n'est pas souverain celui qui se prive de la liberté du
don et du sacrifice.

Pacte ou statut de souveraineté, ces formules modernes[1] n'ont fait que substituer un malentendu à l'autre.

1. Elles le sont moins qu'on ne veut bien le dire. La société
du XVIIIᵉ siècle pratiquait ces arrangements, à peine dissimulés
par les convenances. Le respect du mariage était laissé aux
basses classes. Un pacte analogue interviendra dans la liaison
quasi conjugale de Voltaire et de Mme du Châtelet. Voltaire

Elles prétendent mettre les deux sexes sur le même
pied par une liberté destinée à rester le plus souvent
virtuelle pour la femme, soit qu'elle ne désire pas en
faire usage, soit que le mari rechigne finalement — les
choses en étant arrivées à ce point — à l'accorder[1].

Le pacte ne fait le plus souvent que régulariser et légi-
timer l'infidélité masculine. En l'acceptant, la femme a
seulement perdu le droit de se plaindre ou de protester.
Use-t-elle cependant du pacte, honnêtement appliqué,
comme Anne dans *Les Mandarins*, s'efforçant elle aussi
de se donner une fête, l'aventure tout de suite devient
amour. Pour avoir tenté de limiter cet amour, de le séparer de la vraie vie, Anne a bien failli mourir. Les dernières pages du roman nous la montrent sur le point
de se suicider. Un cri d'enfant lui rappelle que ses pro-
ches ont besoin qu'elle vive. Comme on voit, nous ne
sommes pas sortis de la morale bourgeoise.

En somme, ou l'union conjugale s'établit sur la base
traditionnelle de l'inégalité, et il y a risque grave que
l'antagonisme naturel des sexes se trouve vicié ou
exploité, soit que l'homme ne possède pas l'autorité
rayonnante de l'amant et la remplace par un autorita-

accepte que Mme du Châtelet aime Saint-Lambert, « elle veillera
seulement que les choses ne se passent pas devant ses yeux ».
Mme du Châtelet enceinte, ils tiendront conseil à trois! Et
comme, en ce siècle spirituel et léger, il s'agit avant tout de
montrer que l'on n'est pas dupe, Voltaire composera un petit
acte charmant sur sa mésaventure.

1. L'autobiographie d'un autre couple célèbre nous montre l'é-
crivain Lüdwig Nordström profitant sans scrupules d'un pacte
analogue, mais supportant malaisément de voir Marika Stiernstedt
s'en prévaloir, Marika Stiernstedt, *Kring ett äktenskap,* Bonnier,
Stockholm, 1953.

risme qui n'a plus rien d'érotique, soit qu'il renonce à l'exercer, mais non à s'en prévaloir, et qu'à la faveur d'une fiction amoureuse, il arrache à la femme une subordination qui sert ses intérêts. Ou l'union s'établit sur une base d'égalité et de liberté sexuelle et la femme n'est pas moins lésée ni même moins dupe, car elle a troqué contre une liberté dont elle n'a que faire cette stabilité, cette assurance ou du moins cet espoir de durée, indispensable à la maturation de l'amour. Tant l'amour-fête et les conventions de liberté réciproque que le mariage ou le compagnonnage de raison sacrifient l'érotisme féminin. La femme veut s'engager tout entière dans l'amour. Elle ne le peut pas plus dans l'un que dans l'autre.

Deux érotiques s'affrontent ici, une érotique de séparation, une érotique d'assumation totale. La révolution qui mettra fin au malentendu des sexes ne se bornera pas à établir l'égalité de leur statut, elle encouragera l'union conjugale fondée sur la conception féminine de l'amour, à savoir l'éros confronté avec l'épreuve de la durée. Lorsque des hommes pourront s'engager honnêtement dans de telles unions — qui impliquent une réévaluation de la fidélité pour l'homme comme pour la femme — la formule de l'amour-divertissement aura vécu et l'éros sera devenu ce qu'il doit être, l'expérience existentielle du Couple, la maïeutique par laquelle il se délivre et s'accomplit. Un nouveau rapport des sexes sera créé.

L'EDUCATION

« *L'amour est ta dernière chance.
Il n'y a vraiment rien d'autre sur la
terre pour t'y retenir.* »

ARAGON.

Ah! pauvre amour, ah! triste vérité, s'exclame le Pinamonte de Milosz[1] qui pense avoir démasqué le visage
de l'amour quand il n'a vu que la fornication. Pour
avoir trouvé sa maîtresse faisant le diable à quatre
(littéralement), Pinamonte renoncera « à faire de l'a-
mour le véhicule de la grâce ». Ah! pauvre mysticisme,
triste conversion. Il a fallu que Pinamonte se trouve
confronté avec le vice d'autrui (les siens ne lui ont
donc pas suffi!) « pour que sa chair frissonne de la
volupté de la prière ». Offensé, vexé, furieux mais non
purifié (il a bien failli se mêler au gracieux quadrige!)
Pinamonte tourne aussitôt sa rancune contre la femme
« dont le corps est une croix et le baiser une éponge
de vinaigre ». Hanté par deux vers ridicules:

Ta femme, ô Loth, bien que sel devenue
Est femme encore, car elle a sa menstrue,

1. O. V. de L. Milosz, *L'amoureuse initiation*, Ed. André Sil-
vaire, Paris, 1958.

il s'écrie : « Que ne rompons-nous avec la sotte routine de considérer comme notre semblable une Eve dont nous ne connaîtrons jamais l'esprit ni la chair[1]. »

D'où vient qu'une expérience qui se présente comme une *initiation* n'aboutisse qu'à ce faux triomphe de l'esprit. Du fait que le narrateur — grand poète par ailleurs — est demeuré prisonnier d'un érotisme qui refuse l'épreuve du temps. Certes, la liaison de Pinamonte et de la Merone dure quelques mois, car ils sont ingénieux à lui surajouter de nouveaux décors et travestissements, de nouveaux jeux, de nouveaux vices. Ils n'en demeurent pas moins sur place. Ils n'assument pas la durée. Ils trompent le temps. Telle est la tare d'un amour qui renonce à croître parce qu'il refuse de vieillir. A cette initiation manque l'essentiel, cette progression en profondeur qu'est la purification.

On a pu trouver mon programme sévère. Je n'avais pas le choix. Allant au fond des choses — et il fallait le tenter, on ne sortira pas de la crise du couple par l'échappatoire — on s'avise que l'alternative est entre l'amour-ascèse et l'amour-licence.

Non que l'amour ait cessé d'être incantation, ravissement, ivresse — éros ne serait plus éros s'il renonçait à captiver. C'est en quoi justement il est grâce. Mais la grâce oblige et l'amour ne captive qu'afin de mieux engager. Aussi est-il à lui tout seul éducation et pédagogie. Tout le monde, cependant, n'a pas la chance de rencontrer le grand amour du premier coup, comme Adelheid Solger. Une préparation à l'amour doit être envisagée. Elle peut suppléer à des expériences inutiles et coûteuses, elle peut faire l'économie des erreurs. Car nous vivons dans un monde où les cho-

---

1. Il est significatif que c'est après cette scène licencieuse que la Merone est nommée l'Initiatrice et que le narrateur *illuminé* découvre qu'il faut pour atteindre l'Amour de Dieu *renier* l'amour humain. Le lecteur aura reconnu l'érotique d'abjection.

ses ont été embrouillées comme à plaisir. Une mauvaise
conscience de l'amour règne à laquelle n'a pas peu con-
tribué la littérature. Indulgente au libertinage comme à
l'aventure de plaisir, on sait qu'elle réserve toute sa méfiance au « sentiment », Le « grand amour » y est ac-
cablé de sarcasmes et tenu pour une mystification. Il
est nommé « immense niaiserie » ou « cornichonnerie
fabuleuse » (Poulet), « anachronisme » (Nimier), « né-
vrose » (Rougemont). « Un homme qui se prend de
passion pour une femme qu'il est le seul à voir belle,
est présumé neurasthénique », écrivait il n'y a guère
cet auteur. L'amour physique lui-même est dévalué[1] —
si l'on peut encore donner ce nom à la petite gymnastique sexuelle guère plus excitante que le quart d'heure
de culture physique quotidien. Aucun amour cependant
n'a été déprécié comme l'amour conjugal. Il est l'amour
édifiant, l'amour honnête, c'est-à-dire l'amour bête, l'a-
mour ridicule, il est l'amour *déshonoré*. Non, certes, publiquement car une feinte d'honneurs officiels n'a cessé
de lui être rendue, mais dont les gens d'esprit rougiraient
d'être dupes et qu'il est de bon ton de bafouer.

Devant cette dégradation, quelques écrivains ont réagi.
D. H. Lawrence a voulu être un prêtre de l'amour conjugal. « Je suis, disait-il, un homme profondément religieux. » Mais ce grand poète avait peur de l'intelligence
qu'il attaquait au nom de la *vie*. « Vous faites l'affreuse
erreur de mettre votre sexe dans une relation spirituelle », écrit-il à Dorothy Brett. Pour avoir méconnu
toute liaison entre le sexe et l'esprit, toute sublimation

---

1. Veut-on se faire une idée de cette dévaluation d'une génération à l'autre, il suffit de mettre en regard deux aveux d'Anne et
de sa fille Nadine dans *Les Mandarins*. « *Entre nous le désir
avait toujours été de l'amour* », confesse Anne en parlant de son
amant. Le sexe n'est pas dissocié du sentiment. Pour Nadine, au
contraire, l'amour est à peine un plaisir et si elle invite son
amant à le faire sur la plage « *c'est qu'au dehors ce serait peut-
être un peu moins ennuyeux* ».

du désir (encore qu'il n'y fût pas inapte : n'avait-il pas suggéré de se servir de l'amour sexuel comme d'une *médiation,* n'a-t-il pas écrit que la guerre du couple mène à la *connaissance* ?) Lawrence échoua dans son érotique. Peut-être qu'avec ses robustes appétits, la fille du baron von Richthofen n'était pas la compagne rêvée pour l'accompagner dans l'ultime ascension. Le couple tint, mais l'initiation tourna court. Elle ne mena pas Lawrence au-delà d'une sorte de communion panique avec l'univers. Lawrence finit par vitupérer l'amour (« Que l'amour aille au diable ») et l'*unité* (car cet intuitif sent parfaitement où le bât blesse). « Je déteste l'unité[1]. » Le dualisme puritain a triomphé.

Plus exemplaire aura été la récupération de l'amour sacral par le surréalisme, en particulier par André Breton. Cette opération est menée contre la race cartésienne, mais aussi contre « les spécialistes du plaisir », les « collectionneurs d'aventure », les « fringants de la volupté ». C'est des autres, dit Breton, que j'ai espéré me faire entendre. Les autres, ce sont ceux qui, attachés à un seul être, pourchassent la vérité que l'âme et le corps de cet être laisse transparaître. Ce délire de l'amour fou est sagesse, son expérience *communication* — fusion des cœurs et des esprits qui accompagne et même précède l'union charnelle.

De leur côté, les défenseurs de l'agapè chrétienne se sont efforcés de réévaluer l'amour. Dès 1945, Jean Guitton proposait un élargissement de l'agapè de Nygren et de Rougemont[2]. Rougemont lui-même plaide aujourd'hui pour une « alliance paradoxale d'Eros et

1. « Pour moi, c'est vraiment la vie que de sentir l'avènement de toutes sortes de merveilles, tandis que les idées pures et « l'unité » tombent en poussière » (cité par J.-F. Temple, *D. H. Lawrence, l'œuvre et la vie,* Seghers, Paris, 1960). Comme on voit, Lawrence oppose la multiplicité à l'unité sans consentir que la première puisse *convertir* à la seconde.
2. Jean Guitton, *ouvrage cité.*

d'Agapè au sein du mariage ». Il rêve d'une « domestication de l'énergie d'Eros, plus importante peut-être
pour l'avenir de l'humanité que la domestication de
l'énergie nucléaire et solaire! » Quant à Paul Ricœur
qui a pris la tête d'une reconquête catholique de la
sexualité, il suggère un compromis entre Eros et l'institution conjugale. Mais une reprise d'Eros ne saurait être
partielle. Il faut prendre l'*éros divinisant* avec le reste.
Si l'on escompte quelque bénéfice de cette reconquête,
ce ne peut être qu'à la faveur du regroupement de ses
éléments dissociés. Ni la sexualité, ni « l'éthique de la
tendresse », ni les consécrations ne peuvent, isolées, ré-
générer le couple, car ce qui constitue essentiellement
l'amour humain, ce sont les échanges qui ne cessent
de se faire à ses différents niveaux. C'est la communication et la liaison.

Ce regroupement est-il impossible ? Il semble que non.
Un heureux concours de circonstances nous présage une
imminente et totale remise en question du rapport conjugal. C'est l'émancipation légale de la femme qui ne
saurait manquer d'être suivie de son émancipation morale. C'est le développement de la connaissance de
l'amour. Dans tous les domaines, biologie, psychologie, ethnologie, mythologie, histoire comparée des
religions et des civilisations, nous assistons aujourd'hui
à l'élaboration d'une science universelle de la sexualité
et de l'amour, affranchie des préventions et des tabous
du provincialisme occidental. L'esthétique elle-même
est mise à contribution[1]. Ajoutons que la levée des
interdits a multiplié les études sur les zones secrètes

---

1. Que l on songe à la sensation causée par l'exposition de
1960 sur l'Art amoureux des Indes et par la belle introduction
de Max-Pol Fouchet. Il faut signaler aussi les récents travaux
d'Alain Daniélou, *Le Polythéisme hindou*, déjà cité, et *L'Ero-
tisme divinisé*, Paris, 1962. Voir aussi *L'Art amoureux des Indes*,
Max-Pol Fouchet, Ed. Clairefontaine, Lausanne, 1957.

de l'amour. Innombrables sont les ouvrages sur l'éro- tisme, hélas! au sens restreint, mais qui n'en contri- buent pas moins à éclairer, ne fût-ce qu'en partie, ce vaste panorama sexologique. Enfin, je ne sais si l'on a mesuré l'importance pour le sort de l'a- mour en Occident des efforts que l'on accomplit en ce moment pour rencontrer dans un nouvel esprit la pen- sée platonicienne et néo-platonicienne. Cette confron- tation se fait autour de la notion de purification. C'est dire son intérêt pour une nouvelle éthique. Il n'est pas jusqu'à la grande vague de démystification qui ne doive, en quelque mesure, servir notre entreprise. Cet immense déblaiement de faux mythes aura été, lui aussi, une *purification*, un tri, dont le mythe de l'Androgyne émerge granitiquement dans sa grandeur séculaire — non que les mythes de remplacement ne trahissent eux aussi en quelque manière la nostalgie fondamentale. Ceux de mon époque m'encourageraient plutôt à croire que le monde est à l'affût de n'importe quel prétexte de resa- cralisation. Monroe ou Bardot, Dean ou Brando, la Callas ou Soraya, en dépit et peut-être dans la mesure de leur simplification, de leur vulgarisation, m'incitent à croire que le sacré n'a rien perdu de sa fascination sur les foules. Le halo de légende, l'*aura* que l'imagina- tion populaire projette sur ces figures en est peut-être une expression impure, c'est-à-dire trouble, mais c'est une expression bien vivante et collective qui témoigne de la préservation dans l'homme moderne d'une sorte de fonction de consécration à partir de la sexualité. Il est remarquable que ces mythes se développent toujours autour d'histoires d'amour, d'exhibitions érotiques ou de scènes de violence constituant des transferts de l'agres- sivité sexuelle. Ainsi la communication demeure ou- verte entre sexe et sacré et, bien que honteusement, le démonisme d'Eros continue à fonctionner.

Encore une fois, le monde est prêt à accueillir une

érotique. Il se pourrait que l'amour — avec ses possibilités d'incarnation dans le couple — fût seul en mesure
de proposer aujourd'hui aux hommes un sacré collectif.
Il se pourrait qu'il fût la dernière chance de notre civilisation et que, dans l'amour humain, ainsi que l'écrivait
déjà Breton, « réside toute la puissance de régénération du monde ».

Si propice que soit le terrain, la régénération du couple ne se fera pas toute seule. Il est insensé, il est
absurde que notre enseignement, si expert à former de
grands savants et de grands praticiens dans toutes les
branches de l'activité humaine, s'interdise, par pudibon-
derie, de préparer l'homme à l'acte le plus important
de la vie et qu'il en soit réduit à demander cet enseignement à quelques mauvaises lectures et à quelques
expériences généralement avilissantes.

Ce n'est pas assez de dire que dans notre société la préparation à l'amour est laissée au hasard, elle est délibérément vouée à l'ignominie. Les Occidentaux, dans une immense majorité, abordent l'acte sexuel en barbares, et certes la valeur civilisatrice de l'amour peut avoir raison de
cette barbarie, l'usage de l'amour peut affiner, dégrossir.
Mais avant cela, que de maladresses, de balourdises, de
faux pas, quelquefois irréparables, que de déceptions, de
froissements, de révoltes qu'une éducation amoureuse eût
évités. L'homme le plus fin, le plus cultivé, sous la force
du désir, a tôt fait de perdre le fragile maquillage de la
civilisation. Dans ce furieux, ce brutal qui s'acharne
maladroitement à la forcer, qui possède moins qu'il n'est
possédé, la femme ne reconnaît pas l'homme dont elle
a reçu les délicats hommages. Certes, elle sait que l'acte
auquel elle va se livrer pour la première fois comporte
quelque violence, mais elle attend, elle espère une violence *contrôlée*. Elle est comblée si elle ressent la maîtrise de l'homme, c'est alors seulement qu'elle se laisse
aller à la joie merveilleuse de s'abandonner. Le succès

des séducteurs professionnels tient en grande partie à la sécurité qu'ils sont habiles à dispenser. Leur expérience met à l'abri de cette perte de sang-froid que la femme redoute, non sans raison. L'amour met en jeu des forces élémentaires, primitives et redoutables qui remontent du fond des âges et risquent d'écraser les amants. Si l'homme se laisse déborder par elles, la peur de la femme peut se changer en épouvante. Mais l'épouvante engendre un redoublement de violence. Il y a là, en marge de l'instinct sexuel, la terrifiante fatalité d'un automatisme d'agression, sorte de transe sadique dans laquelle l'homme, complètement aveuglé par l'instinct, cherche à se satisfaire de n'importe quelle façon. Il arrive que cette façon soit le meurtre.

L'histoire se passe dans une petite ville de Hollande [1] pareille à beaucoup d'autres, fraîche, placide, rassurante avec la ligne de faîte encore presque médiévale de ses toits au bout de la verte étendue des prés, bref la vue de Delft par Vermeer. Derrière la ville, au pied d'une digue où paradent les oies, le décor change brutalement, découvrant sous l'immense ciel néerlandais un paysage lugubre. Pelé, bossué, couturé, hérissé encore de lambeaux de barbelé et de bouts de ferraille rongée par la rouille, c'est l'ancien champ de tir de l'armée au milieu duquel une protubérance bétonnée sert d'abri pour les cibles. C'est là que, le 20 novembre 1948, des écoliers ont découvert en jouant un terrifiant spectacle. Attaché aux barres de fer dressées en croix qui servent à fixer les cibles, solidement lié par des cordes à doubles

1. J. H. Wiggers, Rapport pour l'application des lois sur l'enfance. *Nederlandse Jurisprudentie*, n° 22, 1952.

nœuds, suspendu à un demi-mètre au-dessus du sol, c'est le corps dévêtu, égorgé et poignardé d'une jeune fille de quinze ans qui, la veille, a disparu de son domicile. On interroge tous les repris de justice, tous les sadiques, tous les malfaiteurs invétérés de la région, lorsqu'un enfant, âgé lui aussi de quinze ans, se dénonce. Interrogé sur les raisons d'un crime aussi atroce, le jeune homme demeure muet. Le meurtrier appartient, comme sa victime, à une famille honorable et de mœurs rigides. Il n'est ni dément, ni dévoyé et puisque des tests, antérieurs au meurtre, le décrivent comme un adolescent tendre, doux, très sensible, d'une pudeur excessive, à la fois ignorant et curieux des choses sexuelles et contre lequel rien n'a pu être retenu finalement qu'une prédilection un peu anormale, vu son âge, pour les jeux d'Indien, il faut bien admettre qu'il a été victime de cette force irrésistible qui exonère les criminels de toute responsabilité. Aussi l'enquête va-t-elle s'attacher à définir cette fatalité. La découverte d'un étonnant Journal tenu par la jeune fille révélera l'existence d'une relation amoureuse entre Jan et la petite Ada. Ainsi saura-t-on que Jan et Ada se promenaient et se baignaient ensemble, qu'ils s'embrassaient, se disputaient, se battaient au pied de la digue. Alors ce garçon rêveur et tendre donne à son amie de grands coups dans le dos, des coups de poing au cœur, des gifles. La nuit, il rêve qu'il la déshabille, la lie à un arbre et la torture. Il lui arrive de la dessiner, couchée sur le dos et de cribler de petites croix les endroits où il veut, dit-il, la *piquer*. Bien loin d'être rebutée par ces bizarreries, Ada est fascinée. Et cette petite fille bien élevée, dont un rapport scolaire mentionne qu'elle est demeurée très enfant et que, sentimentale, elle rêve un peu trop de fées et de châteaux, écrit dans son Journal : « Repose-toi bien, brute des brutes. Je suis folle de toi. Je t'aime. Je ne puis me passer de toi. » Et encore : « Bonsoir, cher

garçon, je t'aime. Même si tu me tues, je ne dirai rien...
L'amour est une chose difficile à comprendre. » Cette
étrange idylle progresse entre les devoirs d'écolier, les
leçons de gymnastique et les poursuites de Sioux. Lorsque Ada se couche dans l'herbe, il arrive maintenant
qu'elle trouve à côté de sa tête un billet fiché par une
flèche : « Ce soir Ada sera assassinée. Le Serpent. »
Un jour, sur le chemin de l'école, à l'étalage d'un armu-
rier, Jan voit un couteau de boy-scout. Il conçoit l'idée
de piquer Ada avec cette arme. Il essaie de résister mais
« le couteau est toujours dans sa tête ». Il donne rendez-vous à son amie : « Mets ton bain de soleil bleu.
Nous allons prendre le Serpent. Viens, même s'il
pleut! » Il emporte la corde à danser de son petit frère
et fixe le couteau sous sa veste. Ayant retrouvé la jeune
fille, il la prend sur sa bicyclette. Il est 19 h 45. Dans
la nuit de novembre, ils roulent maintenant ensemble,
en direction du champ de tir. Les deux enfants entrent
dans l'abri et s'asseyent sur une barre du chevalet. Ada
met son bras autour du garçon et l'embrasse. Jan demande : « Que faisons-nous? » Elle ne répond pas,
mais relève la vareuse de son uniforme de gymnastique, s'offrant aux regards du garçon. Jan dit alors :
« Je vais te lier. » Il l'attache aux barreaux. D'abord
par les jambes, puis par les bras. Il lui met un mou-
choir dans la bouche. Ada qui, jusqu'alors, s'est laissée
faire docilement, commence à s'inquiéter. Elle tente de
bouger, de parler, secoue violemment la tête. Mais plus
elle se débat, plus Jan perd le contrôle de cette force
étrangère qui a pris possession de lui, agissant à sa
place, plus il sent que quelque chose s'est mis en mar-
che qui ne peut plus être arrêté. Il arrache les vêtements d'Ada et lui bande les yeux. La jeune fille se
débat maintenant de toutes ses forces. Avec une impas-
sibilité de somnambule, Jan se met alors à la piquer de
son couteau — sous le sein gauche comme il le faisait

en rêve, dira-t-il, car on a réussi à le faire parler.
Mais il n'ira pas plus loin dans l'aveu. Rien ne pourra
lui arracher le récit de ce qui a suivi — il dira seulement qu'il a vu remuer le cou d'où sortait un sanglot
— rien ne viendra expliquer que ce meurtrier novice
armé d'un mauvais couteau ait pu sectionner ce cou
avec une sûreté, une précision de professionnel du crime
ou de l'abattoir. Sur la sensation éprouvée en frappant
sa victime, Jan confirmera l'hypothèse du juge. Il a
donné tous les signes de la jouissance. Le meurtre n'a
été qu'un monstrueux simulacre d'accouplement.

Telle est la terrifiante histoire de ces amants puérils.
L'enquête a établi que l'ignorance sexuelle de Jan était
stupéfiante. Il ne savait absolument pas comment s'y
prendre pour faire l'amour à Ada. Hélas! il a résolu
l'énigme de la façon la plus atroce. Ce qui prouve qu'il
y a un autre épilogue aux amours pastorales des inno-
cents que celui qui couronne le roman de Longus.

Cette tragédie — dans laquelle on s'épouvante de voir
un enfant recomposer avec une sûreté d'automate les
grandes mises en scène du sadisme (nous connaissons
pour les avoir rencontrées dans les sanglantes débauches
d'un Clairwill ou d'un Vespoli, ces combinaisons de barreaux et de cordes, sinistres agrès de l'érotisme sur lesquels une victime, réduite à l'impuissance, garrottée aux
fins d'examen et de torture comme sur une table de dissection, attend le couteau du bourreau mué en sacrifi-
cateur) est double. C'est celle de l'ignorance. C'est aussi
la tragédie de l'agressivité et de l'antagonisme des sexes.
Faute de trouver sa dérivation naturelle, l'instinct
exhume — de quelles profondeurs de bestialité — un des
thèmes de terreur de l'érotisme animal.

Le cas ne justifie pas seulement le principe d'une formation sexuelle (qui n'est plus guère discuté) mais celui d'une préparation à l'amour. Or, c'est l'erreur grossière de l'éducation sexuelle qu'elle fait rarement état de l'amour — encore est-ce de l'amour procréateur, jamais de l'amour divinisant. Rien ne révèle la dégradation et la désagrégation de l'amour comme la formation que nous dispensons à notre jeunesse.

L'idée d'une initiation érotique est certes ancienne et vénérable. Mais alors que cette préparation a toujours revêtu un caractère sacré (chez les populations primitives comme chez les peuples hautement civilisés) l'éducation sexuelle moderne est avant tout une démystification. Profane, rudimentaire, dépréciante, elle consomme la rupture avec les implications primordiales de la sexualité. Ou bien ce n'est qu'un ensemble de recettes utiles et de précautions hygiéniques, une sorte de mode d'emploi appuyé de notions pseudo-scientifiques (données, il est vrai, péremptoirement). Ou bien c'est, à l'opposé du pragmatisme, un déploiement de comparaisons pseudo-poétiques destinées à noyer la réalité afin d'éluder les questions embarrassantes et de faire entrer la sexualité — au prix de quels mensonges, de quelles omissions! — dans la sphère infantile[1]. Dans les deux cas, il y a non-assumation du fait sexuel et refus de l'érotisme. L'amour physique demeure objet de scandale, de honte, de peur. Mais au lieu que cette peur soit avouée, que l'existence d'une agressivité sexuelle soit dénoncée (le rôle de l'amour étant justement de compenser cette agressivité), on espère désarmer l'*eros tremendum* en le niant, soit en le ramenant au niveau de Blanche-

---

1. Je recommande à la méditation de mes lecteurs un petit ouvrage d'origine danoise, très largement répandu en Angleterre : *Peter and Caroline*. Ils y verront que la tentative de dépouiller l'amour physique de ce qu'il a de secret, de redoutable pour le réduire au *joli,* débouche tout droit sur l'obscénité.

Neige et des Sept Nains, soit en le réduisant à l'explication naturaliste. La fausse objectivité qui prétend
ramener à l'explicable l'énormité du fait sexuel a été dénoncée. « Impossible de le dépouiller de notre stupeur et
de notre extase. C'est le dénaturer que le neutraliser[1]. »
L'explication naturaliste est une duperie. Aucune explication n'épuise le contenu d'actes qui mettent en jeu les
mystères fondamentaux de la vie et de la mort, de la perdition et du salut.

Quelquefois ces tentatives de réduire l'amour à l'insignifiance vont jusqu'à suggérer de sordides façons de
s'en préserver. Dans beaucoup d'ouvrages d'éducation
sexuelle — et non des moins puritains — figure maintenant un chapitre dans lequel l'auteur s'efforce de sou-
lager le lecteur de la mauvaise conscience de la mastur-
bation! Mais nous savions déjà qu'un certain purita-
nisme révoque moins Eros que la sublimation d'Eros[2].
On se retrouve là devant les vieilles erreurs gnostiques
d'étanchéité et de cloisonnement. L'ambivalence de
l'amour est refusée faute de pouvoir la résoudre.
« L'homme, nous dit-on, se résigne mal à un acte d'a-
mour qui soit indissolublement un acte de bête. » Mais
si le rôle de l'amour est précisément d'assumer cette
contradiction et cette sublimation? L'amour, disait déjà

---

1. Jacques Sarano, *L'esprit, le sexe et la bête,* in *Esprit,* n° 11,
pp. 1848 et 1852. « C'est bien ce qui rend difficile l'éducation
sexuelle de nos fils et de nos filles. Ou bien nous éprouvons l'indicible de cet acte étrange, dont après tout nous sommes nés,
et nous nous taisons. Ou bien nous prenons sur nous de surmon-
ter l'indicible, nous nous donnons le sérieux objectif, l'air et le
ton de l'explication faussement *naturaliste.* L'objectivité même
est ici mensonge et trahison. »
2. Cf. Roland de Pury, *Eros et Agapè.* « Eros n'est pas le
péché, le péché c'est la sublimation d'Eros. » En sens contraire,
Teilhard de Chardin qui mise sur la sublimation de la sexualité,
voir *L'Energie humaine, Le sens sexuel,* pp. 91 à 96, Ed. du
Seuil, Paris, 1962.

saint Augustin qui parlait d'expérience, est charnel jusque dans l'esprit, spirituel jusque dans la chair.

Le christianisme, ni même le gnosticisme, n'est seul responsable de la méconnaissance de l'érotique. L'idée de honte attachée aux fonctions et aux organes sexuels est aussi vieille que le monde. La langue grecque avait pour les désigner des dénominations infamantes. Les Grecs s'en servaient dans le même temps qu'ils élevaient dans le *Dionysion* de Délos l'*agalma* que l'on sait. C'est assez dire que leur sagesse avait trouvé le chemin qui, dans l'amour se fait sans cesse du plus bas au plus haut, la dialectique qui ne cesse de relier la chair à l'esprit, le sensible à l'intelligible. C'est notre incapacité constitutionnelle à concevoir la liaison des contraires qui prive l'amour de sa plus haute signification. La dégradation de l'amour et du Couple, c'est aussi la rançon d'un rationalisme puéril, d'un scientisme rigide. C'est l'inaptitude métaphysique à se mouvoir dans les paradoxes d'un « dualisme toujours surmonté et toujours renaissant » qui a longtemps étouffé les chances d'une érotique de récupération et de sublimation. Mais le dernier mot n'est pas dit. Il est réconfortant de voir un Teilhard de Chardin rattacher à nouveau l'amour à son activité de synthèse et, « entre un mariage toujours polarisé socialement sur la reproduction, et une perfection religieuse toujours présentée théologiquement en termes de séparation », proposer une troisième *voie,* non « moyenne mais supérieure » menant à la conquête des insondables puissances spirituelles encore dormant sous l'attraction mutuelle des sexes. Il n'est pas douteux que Teilhard de Chardin jette là les bases d'une nouvelle érotique de sublimation[1].

1. Cf. Teilhard, *ouvrage cité.* Il faut lire le chapitre consacré au sens sexuel. Véritable programme de l'*amour-passion* (Teilhard ne recule pas devant le mot), il ne propose pas le bonheur mais l'accomplissement spirituel. Dénonçant la tendance néfaste du

Quel est l'avenir d'un programme qui s'efforce malgré tout de ne pas rompre complètement avec l'orthodoxie, quelles que soient d'ailleurs les libertés prises à son égard? Il ne paraît pas qu'une religion officielle, quelle que soit sa puissance de rajeunissement, soit encore en mesure de proposer aux hommes un sacré collectif. Si l'amour conjugal est à refaire et à repenser (et je souhaite que sur ce point ce livre qui n'a pas d'autre ambition, ait réussi à emporter la conviction du lecteur), c'est en dehors de tout confessionnalisme. La préparation à l'amour n'en revêtira pas moins un caractère de sacralité. Il semble pourtant qu'elle gagnerait à être précédée d'un enseignement profane, sorte de propédeutique, comportant une section historique et sociologique (histoire comparée des mythes, des institutions, de la législation et de la politique de l'union conjugale) et une section scientifique (introduction biologique, physiologique, psychologique à la connaissance de la sexualité et de l'amour). Suivrait alors l'initiation proprement dite. Progressive, graduelle — c'est assez dire que beaucoup seraient laissés en route — elle se présenterait comme une ascension (à rebours de l'éducation sexuelle qui ramène son enseignement au niveau de celui qu'elle prétend initier) et comme une *approche* du Mystère des sexes. Le pas décisif de la régénération de l'amour sera

Couple à se refermer, il exhorte à choisir l'amour ouvert et non l'amour clos, à préférer à l'univers à deux, l'univers à trois, qui n'est pas comme on pourrait le croire l'homme, la femme et l'enfant, mais l'homme, la femme et Dieu. « Sans sortir de soi, le couple ne trouve son équilibre que dans un troisième en avant de lui. » C'est l'amour *traversé*. L'évolution ultérieure de l'amour se ferait vers une diminution graduelle de ce qui représente encore dans le sexuel le côté admirable mais transitoire, de la reproduction au profit du « plein épanouissement de la quantité d'amour libérée du devoir de la reproduction ». C'est proposer aussi une nouvelle éthique conjugale de la pureté, une *chasteté érotique*. Mais on ne peut qu'engager le lecteur à lire ces pages véritablement révolutionnaires.

peut-être cette substitution de la notion de *mystère* à celle de cachotterie. Un mystère, c'est quelque chose qui se prête à la révélation, au dévoilement progressif, mais en fin de compte on se retrouve devant un « infra-cassable noyau de nuit » (Breton). On le voit, c'est toute une éducation à refaire dans le sens du respect, c'est consentir qu'il y ait une limite à l'investigation humaine. Mais précisément une orientation nouvelle de la science est de nous montrer l'insignifiance du connu à l'égard de ce qui reste à découvrir et dont le Mystère recule à mesure qu'il est traqué. La science, redevenue dispensatrice de merveilleux, confère aux gestes de l'amour un retentissement proprement inouï. Seuls quelques privilégiés prendront pleinement conscience de ces approfondissements, mais chez les autres on peut espérer qu'un vertige salutaire sera suscité, qui fera quelquefois remonter à la surface ces données de l'inconscient, toujours prêtes à émerger à la conscience et dont il faut se ressouvenir plutôt que s'instruire. Assumées chez les uns, soupçonnées, supposées chez les autres, la sexualité retrouverait ses véritables dimensions. Un climat de réhabilitation serait créé. Le rôle de la science dans l'avenir du couple, ce sera moins d'enseigner que de relever le sexe de son indignité.

Les femmes joueront un rôle déterminant dans cette nouvelle condition du couple. Elles y ont intérêt. En outre, elles y sont appelées. Nous abordons un nouvel âge, un âge où les conceptions de la femme vont enfin prévaloir — l'érotisme comme les autres, avant les autres. L'érotisme féminin implique à la fois de ne pas séparer le plaisir de l'amour et d'accorder la passion et la durée.

Pour la régénération du monde, la femme se prononce contre les techniques de plaisir et pour une érotique conjugale. Erotique d'assumation totale et de récupération à l'opposé de l'érotique masculine de séparation et d'évasion. Erotique véritablement *existentielle* au meilleur sens du terme. Elle seule permet de vivre l'amour et non de le rêver, d'assumer tous ses âges et, après la turbulence initiale, la merveilleuse tendresse et la reconnaissance de ceux qui se souviennent.

Existentielle mais aussi *essentielle*. Ce n'est pas sans raison que Platon lui-même a fait prononcer par une femme les plus hautes paroles que lui ait inspirées l'amour. Purificatrice par excellence, éternelle Diotime — donc pêcheuse en eau trouble, *impure* selon l'homme qui méconnaît cette avidité de grande lessiveuse, « cette maligne colère[1] », cette passion mise à triompher de la souillure. Ah! ce n'est pas elle, certes, qui *idéalise*! Ne plonge-t-elle pas ses racines dans la terre ? — plante dont la graine est tombée du ciel, mais s'il se fait qu'elle germe et remonte, de quel jet robuste elle s'élance pour les relier!

Purificatrice mais aussi éducatrice. Si l'homme a l'initiative dans le rituel de la sexualité, il se pourrait que la femme fût appelée à en révéler le sens, un sens qui ne s'éclaire que par l'amour. Plus que l'homme elle baigne dans la nuit du sexe. De l'univers des *Mères* où le mystère s'accomplit dans l'obscurité propice à toutes les gestations, elle émerge avec une expérience prodigieuse. Pour peu qu'elle y introduise les disciplines de l'intelligence, qu'elle porte la lucidité au cœur de cet irrationnel, elle retrouvera même — à travers le jeu sublime d'une sexualité sacrale — la grande voie de la Connaissance.

---

1. L'expression est de Bachelard. Simone de Beauvoir, après Ponge, a consacré quelques belles pages dans *Le Deuxième Sexe* à cette vocation féminine de la purification matérielle. T. II, pp. 229 et suiv.

Achevé d'imprimer
sur les Presses d'Offset-Aubin
86-Poitiers
le 2 octobre 1970.

Dépôt légal. 4ᵉ trimestre 1970.
Editeur n° 3391 — Imprimeur n° 2921.
Imprimé en France.